宣教
心视野

第 *1* 册

圣经
视野

温　德
贺思德 ——编著

PERSPECTIVES

圣经视野・文化视野・策略视野・历史视野

ON THE WORLD CHRISTIAN MOVEMENT

天国志愿军
第一版序

神在我们的时代正兴起一支全新的天国志愿军！世界各大洲都涌现出"胸怀普世宣教的基督徒"——就是一群有普世眼光的新一代男男女女，决心过一种"离开埃及·进到迦南"属灵新领地般的生活方式，委身于使万民作主耶稣基督门徒的使命。

最近在韩国举行的一次大会，有十万名年轻人决意花一年的时间，到海外去播撒福音的种子！在欧洲定期举行的宣教大会同样吸引了数千名有心参与宣教的年轻人。在北美，尔班拿宣道大会（Urbana Convention）、学园传道会、基督教导航会、校园学生基督徒团契、青年使命团以及其他许多组织和宗派举办的培训，都成为这宣教浪潮的一分子。就像巨鹰盘旋在鸟巢之上搅动幼鹰一样，神也如此向祂的子民展开双翅，激励他们将永恒的福音带到万邦。

在惠顿学院葛培理中心的落成典礼上，惠顿学院的学生会主席向在场的听众发出感人的呼召，激励大家成为"胸怀普世宣教的基督徒"，献身于寻找失丧的人，喂饱灵里饥饿的族群。有一些学校的基督徒学生小组，也热心于传福音和宣教，其数量似乎将超过一些基督徒学校！我的儿子和女儿所在的那间大学就是一例；因着基督徒热心传福音，不到十年，基督徒小组从原来的七个增长到七百个，很多学生都渴望自己的生活不只停留在追求世上的成功。

或许，一波可与二十世纪初学生志愿宣教运动相媲美的福音浪潮即将兴起！若是如此，《宣教心视野》将成为重要的工具书。本书集结了当今与宣教相关的文章，出类拔萃、无出其右。编者由宣教元老温德博士与宣教动员大将贺思德领军，在编辑工作上互相配搭，可以说不是经验丰富的宣教前辈、就是充满异象的年轻人，实为团队事奉的表率。

我推荐这套书，因为它正确地将普世福音化的使命摆在第一顺序，这正摸着了神的心意，因为按照圣经启示，祂是宣教的上帝；而这理当列为我们身为宣教子民最重要、最优先的工作。

此外，本书肯定了普世福音化的可能性。我们不需要因错误的罪疚感而产生不符圣经的基督教悲观主义，也没有必要为假基督所恫吓，失去"荣耀的异象"。耶稣曾说："这天国的福音要传遍天下，向万民作见证，然后结局才来到。"（太24:14）本书态度不卑不亢，亦不刻意辩护，认定耶稣所说的必定成就，并且要我们参与其中。

正如书名所示，本书为普世宣教提供知识性的观点。今日有志宣教者首先需要清楚圣经的使命，然后需要了解历史、文化和策略。了解宣教历史和跨文化事奉的挑战，一

方面可以帮助我们排除恐惧，另一方面还可以避免犯不必要的错误。上个世纪四〇年代末，葛培理所任教的大学有这样一个口号："追求知识·如火热情"（"Knowledge on Fire"），这也正是本书的信念，我们相信宣教士蒙召不仅要**思考**，还要**去爱、去付出**和**传讲信仰**！另外如约翰·卫斯理曾对一个轻看自己学识的批评者说："神可能不需要我的学问，但祂绝不需要你的无知。"

此外，《宣教心视野》可以帮助有渴慕心志的门徒从热情、能力和参与三方面透视普世福音化的重任。先要有热情，才有事工，传福音尤其如此。宣教大业的关键始终可以总结为这样一句话："耶稣是无价至宝。"只有当一批批视耶稣为珍宝、又被圣灵的无限应许紧紧吸引的宣教者汇为巨流时，才能真正地为主作见证"直到地极"。

神只有一位独生爱子，却使祂成为宣教士。我祈求天父使用这本书，从每一个族群中兴起祂的儿女来，装备他们，带领他们进入自己的族群，直到神的名传遍万邦，万民都齐来颂赞神的圣名。

莱顿·福特
Leighton Ford
前洛桑普世宣教委员会主席
1981年十月于北卡罗莱纳州

整全的福音
第四版序

"全教会把整全的福音带到全世界"（"The whole Church taking the whole gospel to the whole world"）是洛桑运动提出的异象，但全世界福音化更是宣教的神和祂的子民心中挂念的大事。每一个时代都需要思考一个问题，即我们如何可以更加有效地向万民宣讲福音的真理。

虽然福音的信息永不改变，但从初代教会到今天，世界变得越来越复杂多端。随着交通工具的革新、移民的大量流动、大众传媒的持续演变以及通讯方式的不断进步，我们的生活中充斥着各自不相称的信息和思想。要在这样言论无限鸣放的世界中更好地传扬福音真理，始终是教会面临的挑战。另外，我们也必须重视南半球国家对当今世界的卓越贡献；今天，我们的确生活在一个全球化的世界里。每一天，这些国家在地缘政治、经济、金融、教育、体育以及时尚等方面都没有自绝于外，而是对整个世界产生影响。

要以福音有效影响这个复杂世界，合作和伙伴关系显得非常重要，我们必须充分又具体而微地了解圣经的使命、宣教历史以及跨文化交流的挑战。为此，本书的修订版对于普世教会来说是一个重要的工具，较之旧版，我们可以从本书中听到更多来自年轻领袖、女性和南半球国家的声音。此外，我们还可以了解到当前跨文化参与者，对普世福音化面临的挑战带来的新思想和新启发。

历史告诉我们，就算充满活力的福音运动，若是忽略从芸芸大众中培养新的、年轻的领袖，最终必然销声匿迹。每一次的复兴浪潮都需要有经验的前辈、当前委身事工的同工，以及拥有领导力、热情、活力和充满希望的新生代共同参与。我们希望把过去的智慧、现在的力量以及将来的盼望和热情都汇聚起来。

普世教会必须致力于一个新的平衡，就是让基督的全体教会能够发挥创意、全面整体、能量十足地传扬福音。基督教的重心已经大规模地由西方国家转移到非西方国家，从上一代转移到年轻的一代；但在资源、影响力以及伙伴合作的关系上仍旧相当失衡不均。有鉴于此，我们必须致力于寻找新的平衡，让普世教会能够在共同的呼召、异象、需要、资源以及互敬的基础上相互配合。

的确，我们全教会要将整全的福音带到全世界！

道格拉斯·伯索尔
S. Douglas Birdsall
洛桑世界福音委员会主席
2009年一月于麻萨诸塞州

华人的瑰宝
中文版序

《宣教心视野》一书能顺利翻译出版，实在是天父上帝赐给华人教会的一份礼物。从1974年作为宣教学习课程，1976年扩充为文献读本第一次出版，到2009年第四版；四十年来，这本书对全球宣教浪潮的影响，无论是动员教会关心宣教、鼓励信徒参与、训练准宣教士，可以说是无出其右。而今能以中文译本分享给全球华人读者，我们相信是神要兴起华人与普世教会同担普世宣教使命的契机。

中文版是以英文 *Perspectives on the World Christian Movement* 2009年第四版全书为翻译的基础，所用经文采用环球圣经公会出版的新译本，特此致谢。这部巨著，英文版长达千页，中文版依原版四个部分，分四册出版，方便读者使用，即：第一册"圣经视野"、第二册"历史视野"、第三册"文化视野"、第四册"策略视野"；重现这套最全面、最经典、最悠久的宣教文献。

翻译的过程中有赖众肢体的鼓励和支持，包括海内外教牧同工多方面的肯定，主内弟兄姐妹牺牲的奉献，译者和编辑不辞劳苦，在各种压力下全力摆上；可以说是两岸三地众同工携手合作的成果，也是教会之间合作的美好见证。

我们深切期盼本书能令华人教会在普世宣教上，在新的时代再度向前迈进，激起另一波浪潮。愿荣耀归于父神！

宣教心视野研习课程中文编译团队
2015年三月

目　录

11

本书简介

这样一本书的出版，很少见，是吧？怎么来的，且听我一一道来。

首先，看看你手上的这本书，够厚吧？你要花多少时间来挖掘其中的智慧呢？我们大家几乎每时每刻都感到心烦意乱：越来越多的人给我们压力，能得到的新鲜空气却越来越少，个人空间也变小了，却还要求我们去获得更多的知识！比起以往任何时代，我们现在的年轻人出门旅行的次数最多，人们好像在这一个波涛汹涌的世界里拍浪行舟。

自从1981年本书第一版出版以来，各样变化实在太多了！

- 当时接下编辑重任，我们感到承接的任务太大，而现在好像走过千重山，惊觉任务相对小得多了！
- 再说，当时能够参与的同工主要来自西方，但现在来自非洲、拉丁美洲和亚洲的同工越来越多。
- 更没想到，从那时至今，愿意认真阅读圣经的信徒人数几乎翻了三倍，今天更是以"难以抑制"的速度迅速增长，令人瞠目结舌。

让我们停下来思考一个问题，人类究竟是什么？除了人类以外，没有任何其他生物会认真地探究且知晓肉眼看不见的东西，例如银河星团和原子。然而，在浩瀚神秘的宇宙里，无论我们设想测度银河系还是线粒体，我们都像是一个无知的孩子。我们对现实中的大多数情况仍然未加觉察，就像丝毫没有注意到每一个枕头里无数被称为尘螨的小蜘蛛一样。是啊，我们可以放弃，如动物一般只要存活，就像奶牛，只在视力范围内吃草；我们也可以撇开眼前的现实。但对于喜欢本书的人来说，这个世界呈现给我们的是和过去的时代完全一样的问题。若说现在有什么不同之处，那就是问题更大——战争规模更大、细菌抵抗力更强、城市膨胀更大、邪恶和危险更猖狂，还有在前所未有、却又无法预见之间摇摆的经济效益问题等等。

恕我啰嗦，我们言归正传吧！或许你有以下一些紧迫的问题要问：

- **关于本书**。本书现为第四版，与之前有什么不同呢？
- **课程学习**。如何才能让本书的见解最有效地丰富你的生命？
- **衍生课程**。本课程如何推动其他课程，并多多地向全世界传播？
- **宣教视野**。这个对于世界的观点有何不同寻常之处？
- **使命紧迫**。为何这一切如此迫切和重要？

关于本书

本书共有一百卅六章和廿六篇附文，其中大约有25%的篇幅是从第三版新增的，或经过大量修订。如果说1981年的第一版像一束玫瑰花蕾，那么这一版就是盛开的玫瑰花，且添了更多的花蕾。本书由贺思德先生所召集的一个聪慧勤勉的团队编辑而成。

本书有一百五十多位作者，他们先后在世界各地活跃事奉（这些作者服事的时间合起来大约有五千年）。一个人是不可能去过他们所到过的所有地方，也无法经历到他们经历过的所有事情；然而，任何人若是熟读此书，就可以因着本书广纳了这些作者的非凡睿智，而避免弯路和死路，也无需耗时耗力才能寻找准确的宣教视野。

许多前辈在回顾从前走过的弯路时，十分后悔当初没有早点做出深入的反省。你想避免这样的悲剧重演吗？希望本书对你有帮助吗？那就仔细品读这本《宣教心视野》，囫囵吞枣或把书束之高阁就一点益处也没有。

课程学习

单凭一己之力真的不容易消化书中丰富的内容，最好和其他人一起学习，不仅更有意思，而且听听他人的想法，讲讲自己的心得，你就能学到更多。

在北美，有四百六十多位课程负责人协调"宣教心视野"课程的学习，开办总共十五节课的研习班，每周都有不同的"讲师"现场授课。这样的研习班越来越多，单在2008年就开了一百八十三个班。"宣教心视野"课程也举行一到三周的密集式研习班（详情请见 www.perspectives.org）。

然而这只是冰山一角。在美国，我们的研习班培养了八万多名毕业生。另外，本书还有十八万册用于其他场合，有一百多所基督教大学和神学院使用本书作教材。

无论你所在之处是否开设这一课程，我们都建议你每周有规律地花一定时间来学习。如果愿意，你还可以取得大学本科或研究生学分，即便你以自学的方式学习教材，也同样可以取得学分，如果你属于第二种情况，请来信告诉我们。许许多多无法到现场参加每周一次的正式课程的学生，都以函授或上网的方式学习。

我们非常鼓励将"宣教心视野"课程的文献读本和研习课本配搭起来使用。研习课本共有十五课。研习课本的目的是为各种不同的学生，归纳和整合文献读本中的阅读材料。对于想自己开课的教师，我们建议以研习课本的内容为构架和资料（请登录 www.perspectives.org 联系"宣教心视野"研习课程〔Study Guide〕组，获取设计测验问题的指南）。除非和"宣教心视野"课程有合作关系，任何人不得擅自使用"宣教心视野"、"Perspectives"或"Perspectives on the Christian Movement"的名称或以该名义做相关宣传。

衍生课程

　　"宣教心视野"研习课程的影响力超越其课程本身。这套课程已经衍生了许多相关课程。我们欣见其他人也找到参与并延伸这一推展宣教运动的合适方式，在这当中我们就是神在这一时代奇妙作为的目击者。以下几个例子代表了人们在受到"宣教心视野"课程影响后，为拓荒宣教扩展深入不同的受众和文化处境所做的努力。

* 约拿单·刘易士设计了一门稍短的课程，节选了原课程的部分阅读材料，自行制作成另一套研习手册。这门课程称为"普世宣教"（英文版 World Mission，西班牙语版 *Mision Mundial*）。

* 菲律宾南部的宣教士在此基础上制作了"普世宣教"的精简版。几年后，该课程的名字改为"把握时机"（Kairos），传播到至少廿五个亚洲、南太平洋以及欧洲国家。梅格·克罗斯曼也参考"宣教心视野"课程，设计了一门为期十三周的类似课程，现名为"了解世界的路径"（Path Ways to Global Understanding）。

* 新西兰的鲍勃·霍尔编排了自己的读本，他所改编的研习手册在新西兰和澳大利亚均有使用。英文读本在英国、加拿大、印度、尼日利亚、阿联酋、南非以及印尼的大学生中广为使用。《宣教心视野》读本已有中文（根据英文第三版摘要编译的《普世宣教面面观》，大使命出版）、韩文、葡萄牙语的译本，诸如法语、西班牙语、阿拉伯语、匈牙利语以及印尼语等其他语言的译本正在筹划之中。

* 随后，我们的团队设计了一门名为"普世异象"（Vision for the Nations）的成人主日学课程，该课程为期十三周，每课四十五分钟，使用视频和该课程的研习手册。另外一套精简版本叫"NVision"，是为期一天的讲座，已在几个国家举办过，目的是为下一步学习完整版热身。"神对万邦的心意"（God's Heart for the Nations）则是一个归纳法查经课程。

　　像"宣教心视野"这类的课程不断地涌现，例如《走进伊斯兰世界》（*Encountering the World of Islam*），目前已有三种语言的译本。最近，一门为孩子制作的名为《赛场之外》（*Outside the Lines*）的多媒体课程已经出版。

　　这些以及其他资源都是这一课程带出波澜壮阔的宣教运动的涟漪。为了支持和推动这一连串课程能余波荡漾，各自发挥特长、课程有好评价、品质得到认可，我们开发了"宣教心视野"家族系列评量指数，希望各种课程的设计能与原初标准的"宣教心视野"课程的核心理念保持一致（详情请见 www.perspectivesfamily.org）。

　　并非所有的课程都是缩减版。六年来，我们团队的成员就专门致力于推行两门每学期卅二个课时的延伸课程。第一门是为大学一年级学生设计的，称作"透视全球年"（Global Year of Insight，详情请见 www.uscwm.org/insight）。第二门课程更为进深扩大，是为取得硕士学位而设计的，我们将这一版本的教程称为"胸怀普世宣教基础"（World

Christian Foundations）课程，但每一所学院或大学对此各有自己的名称。

这些延伸课程使用的教科书有一百二十本之多，可以构成一间很棒的基础图书资料馆呢！此外还有其他"文献读本"，其中包括取自其他书籍和期刊的一千多篇节选和文章。这些内容经过缜密的组织编排，安排成每次四个小时，总数为三百二十个学习时段的课程，专为业余和自学的学生打造，两年就可完成该课程。

该课程可以作为攻读博士学位的基础，不过它更可能作为重要的基督徒事工的平台，因为不仅融合了神学学位的内容，还包含了普世宣教更为细密的蓝图（欲了解详情，请登录我们的网站 www.worldchristianfoundations.org）。我们把所有这些课程称为"基础"教育，对每一个有心服事的基督徒来说十分重要。但对于专职事奉的人，如在工场宣教或后方推动宣教工作，则还需要有后续的"专职"训练。

作为资深编辑，由于大家对该课程的兴趣日益增加，此次版本我参与的时间就逐渐减少。这并不是什么新鲜事，其实第一版基本上也是由年轻的推动者编辑而成，他们本身就是该课程的硕果。这不只是一门课程，更是一场运动！

宣教视野

本书及研习课程的内容对绝大部分的学生来说会是一个冲击，原因何在？首先，书中充满了太多的乐观精神，而且都是可以得到证实的！

这一乐观看法的主要原因在于课程将大使命追溯至亚伯拉罕，并将人类历史作为单一的故事展开。虽然人们还未普遍认识到创世记十二章1-3节亚伯拉罕所领受的使命，与马太福音二十八章18-20节的大使命有相同的基本功用，但事实的确如此。谈到耶稣诞生前犹太人中相信神的人，两千年来对全球历史的影响，以及认为神从亚伯拉罕开始就已信实地彰显祂的心意，扩张祂的国度，这可能是对传统基督教观点的一大扭转。

同样，在这世上，今天绝大多数信徒甚少能以一脉相承的视角，来看待接下来的两千年。这从普世层面也是同一个故事吗？我们相信如此，只是不寻常。

不过，我们明白神的国度坚决抵御现今世代的黑暗，它并"不属这世界"；我们也不是要征服"所有族群"。神正在召唤一个全新的百姓、成为新造的人，归向祂；但我们不认为祂要废除那些独具民族特色的文化。所有的族群（即圣经中的"万民"）与神的恩典都必须同等距离，可以接近祂、领受生命之主的祝福，并在敬拜中彰显祂的荣耀。

当然，今天要非常详尽或全面地掌握普世宣教的发展几乎是不可能的，这是因为积极参与普世宣教事业的人数太少了吗？恐怕不是，目前可能有五十万基督徒，远离家乡和亲朋好友，全职全心地为大使命尽心竭力。还是因为这一天国事业太小，或是已经失败了呢？恐怕也不是。你能举出联合国的一个非洲或亚洲的国家，它进入联合国的原因与宣教没有显著关系吗？事实上，联合国本身的成立都与宣教运动所产生的关键人物有着你想不到的关系。或是因为宣教工作正在减弱，或是已经过时了呢？显然不是。今天美国的海外宣教力量比历史上任何时候都拥有更多的人力和财力，而且你很快就会看到，天国事业并没有过时。最不可能的原因是，宣教这一运动太新了而没被纳入学习系统。恰恰相反，宣教，实际上是人类历史上最大、最持久不变的活动，当然也是最具影响力的活动！

那么，为什么你搜遍美国的所有图书馆，查遍学院和大学的目录，或是详查公立学校甚至是私立的基督教学校课程表，仍然无法找到一个专门讲述基督教普世宣教重任的性质、目的、成就、现状及待完成任务的课程呢？

使命紧迫

如前所述，自本书初版以来，发生了翻天覆地的变化。而其中最重要的转变发生于从1974年在瑞士洛桑举行的国际福音大会至上世纪末这段时期。洛桑会议参与的人数和代表的国家多过之前任何的人类聚集。本书五十四章〈新马其顿 —— 普世宣教新纪元〉（中文版见第二册：历史视野）便是本人在全体大会中的发言。同年，我们意识到需要尽快开设 "宣教心视野" 的学习课程，因为在1973年十二月举行的尔班拿宣教大会上，出乎意料地有大约五千名学生复兴起来愿意面对全球宣教的挑战。同年夏天，我们在惠顿大学为这些学生开设了这门课程的前身，名为 "国际研究夏季研讨会"。仅仅两年后，即1976年，我们出版了《普世宣教关键维度》（*Crucial Dimensions in World Evangelization*）这一读本。

但卅四年后的今天，全球完全出乎意料地、爆炸性的全新发展，一方面带来对事物更乐观的看法，另一方面也揭示了我们需要克服的新障碍。

例如，在非洲、印度和中国这些国家，或许，有一群耶稣的跟随者不称自己为 "基督徒"，但真诚地阅读圣经。他们的人数甚至超过那些在同一国家中称自己为 "基督徒" 的群体。是的，这种基于圣经的信仰现在正 "势如破竹"，可是同时蕴含着重大的意义以及危险。虽然圣经带给他们惊人的活力泉源，但是他们当中还是有不少仍然没有适当管道获得圣经。

欢迎加入这场涵蕴无穷、教人枕戈待旦，又迫在眉睫的探索！

温德
2008 年十月于加州

主编简介

温德（Ralph D. Winter）（1924-2009）

作为多年宣教士、宣教学教授以及"宣教工程师"的温德，成就卓著。他坚信，基督徒组织只有以富有策略的方式合作才能事半功倍。他在加州理工学院取得土木工程学士学位，继而在哥伦比亚大学获得作为第二语言的英语教学硕士学位，后前往康乃尔大学攻读结构语言学博士学位，同时辅修文化人类学和数理统计学。他在普林斯顿神学院学习期间，曾在新泽西州一间乡村教会担任牧师。

在康乃尔大学攻读博士期间，他与萝勃塔·赫姆结为连理。自那时起，萝勃塔就以她在研究、写作及编辑等其他方面的恩赐，给予丈夫专业上的帮助，成为他极其宝贵的同工伙伴。

在1956年被按立为牧师后，温德与妻子加入长老会海外宣教差会。他们在危地马拉的土著玛雅人当中工作了十年。在为带职事奉的教牧学生发展小型企业的同时，温德联合其他人开创了一套无需住校的教牧神学教育方法，称为延伸神学教育，简称TEE。这一套神学教育方法已在世界上无数的宣教地区中广泛使用。

1966年，富勒神学院创办宣教学院，马盖文敦请温德任教。1966年至1976年间，温德在课堂内外从一千多名宣教士中学到许多宝贵经验。在这些年间，他创办了威廉·克里图书馆，专门出版和提供宣教资料；协助成立美国宣教学协会，参与建立"教会宣教事工推广"网络，并启动了"宣教心视野"学习课程，即当时的国际研究夏季研讨会。后来，大卫·布莱恩、布鲁斯和克里斯蒂·格雷厄姆夫妇，杰伊和欧婕·加理夫妇，以及贺思德和芭芭拉夫妇等年轻同工加入了这个团队。

1974年，温德在瑞士洛桑的大会上，向世界福音大会递交了一份报告，强调超越现有宣教工作范围的拓荒宣教这一特殊需要。为了推进这一目标，他于1976年建立了美国普世宣教中心（U.S. Center for World Mission; www.uscwm.org)，几个月后又创办了威廉·克里国际大学（www.wciu.edu)。同工团队人数在过去的三十二年里不断增长，就是现在的"前线差传团契"（简称，FMF）的前身。从1976年到1990年，温德担任该中心的总干事，并于1976年至1997年担任威廉·克里国际大学校长，后又担任前线差传团契的总干事。

2001年，夫人萝勃塔·温德经过与癌症的长期搏斗之后安息主怀。萝勃塔·温德研究所继承她的遗愿，加强福音派在神学上对魔鬼作为的关注，包括致命的微生物在内。温德有四个女儿，她们每个家庭都参与全时间宣教服事。

贺思德（Steven C. Hawthorne）

1976 年，贺思德偷偷地溜进了校园学生基督徒团契三年一届的尔班拿宣教大会，只是为了听斯托得牧师的解经讲道。由于大会的门票已经售罄，他只好睡在宿舍的地板上，靠自动售货机里的食物填饱肚子，靠他人的奉献付清了报名费。斯托得的开幕词"宣教的神"（现为本书的第一章）彻底改变了他的生命。次日，他见到了温德。温德带领他认识到普世福音化深具战略性，而且使命必成。贺思德当天就立即报名参加一门函授课程，名叫"认识普世宣教"，其内容被编入后来的"宣教心视野"课程。

在富勒宣教学院攻读跨文化研究的硕士学位时，贺思德担任国际研究夏季研讨会的助教。1981 年，他和美国普世宣教中心的其他同工一道与温德共同编辑了"宣教心视野"课程的文献读本。

二十世纪八〇年代早期，贺思德担任《大使命基督徒》杂志的执行主编。在这些年间，他酝酿并启动一项名叫"约书亚计划"（Joshua Project）的研究和推动事工。招募和训练几个团队之外，还与他们一起到亚洲和中东的世界级大城市，进行民族结构学的实地考察，识别出其中的未得之民。之后，又带领"迦勒计划"（Caleb Project），这是一项学生宣教动员事工。

贺思德现任"拓路者"（WayMakers）的总干事，这是一项宣教推动事工，专注于为世界的某些地区祷告，期待基督的荣耀在这些地区更大地彰显出来。贺思德帮助教会和差会提升在未得之民和美国许多城市中进行代祷、研究和植堂方面的能力。

他与葛理翰·坎德（Graham Kendrick）合著了《行军祷告：如何洞察现场》（*Prayer Walking: Praying On-Site with Insight*）一书，也编辑了一本广为使用的短宣服事手册《跨步：短宣指南》（*Stepping Out: A Guide to Short Term Missions*）。

贺思德和妻子芭芭拉现居德州奥斯丁，有三个女儿，分别是萨拉、艾蜜莉以及索菲娅。论到自己的写作和演讲，他如是说："我喜欢在人们内心点燃大火！"

第1章 宣教的神

斯托得 (John R. W. Stott)

作者（1921.4.27.—2011.7.27.）生前是伦敦万灵堂荣休教区长，伦敦当代基督教学院主席，亦是英女王的皇家牧师。著书等身，其中有《真理的寻索》、《信仰与社会责任》，以及《使徒行传注释》等。他曾在五届的尔班拿学生宣教大会上讲道，多年来他在全球推动大学生当中的宣教行动。本文节选自 *You Can Tell the World*（美国 IVP1979 年出版），改编自作者于1976年在尔班拿宣教大会上的一篇演讲。版权使用承蒙许可。

当今世界成千上万的人对基督教宣教事业极有敌意。首先，这些人认为基督教的宣教扰乱政治生态（减弱了维系国民文化的凝聚力），其次，他们认定基督教的宣教带有宗教偏狭（唯独宣认耶稣），而参与其中的宣教士则被视为受到了 "狂傲的帝国主义思想" 的毒害。带领人归信基督的宣教事工也备受人们抵制，它被视为一种 "对个人私生活无可饶恕的干涉"，这些人说："信仰是我自己的事情。管好你自己的事吧，我的事情我自己做主。"

由此看来，基督徒需要明白，基督教宣教事业扎根在哪里。只有这样，我们才能在宣教事工中坚韧不拔，充满勇气与谦卑，毫不畏惧世人的误解和敌意。更确切地说，高举圣经的基督徒需要以圣经作为一切行动的原动力，因为我们相信圣经是神的启示，显明了神的旨意。故此我们要问：神在圣经里是否启示了 "宣教" 是为祂子民所定的旨意？只有弄清楚这个问题后我们才会甘休。这毕竟关乎到我们是否能够横眉冷对千夫指，俯首甘愿遵主旨。尽管整本圣经都遍布着神是宣教之神的证据，但在本文中我们将侧重探讨旧约。

神呼召亚伯拉罕

故事要从大约四千年前讲起。有一个叫亚伯拉罕（原名亚伯兰）的人得到了神的亲自呼召，下面的经文记述了神对亚伯拉罕的呼召：

> 耶和华对亚伯兰说："你要离开本地、本族、父家，到我指示你的地方去。我必使你成为大国，赐福给你，使你的名为大，你也必使别人得福，给你祝福的，我必赐福给他；咒诅你的，我必咒诅他；地上的万族，都必因你得福。"（创12:1-3）

神赐给亚伯拉罕一个应许。这是一个综合的应许，笔者将在后面对此做出详细讨论。如果有人想对圣经以及基督徒的宣教有整全的认识，必须首先明白这个应许。这些经文或许是圣经里最具整合

神拣选一个人以及他的族类，是要透过他们去成就对世上万族的祝福。

性的经文，神的全部旨意尽都浓缩于此。

首先，我们应当从神赐下这个应许的背景入手，也就是神在怎样的情况下赐给亚伯拉罕这个应许。然后我们分两部分进行讨论：第一：**应许的内容**，即神到底说祂要成就什么；第二：**应许的实现**，即神如何一直持守祂的应许。我们先来谈谈应许的背景。

神应许的背景

创世记第十二章开门见山地指出："耶和华对亚伯兰说……"对于圣经中一个新的篇章来说，这样的开场白看似极为突兀。我们的好奇心油然而生："这位向亚伯拉罕说话的耶和华神究竟是谁？"我们还会问："亚伯拉罕是何许人，神竟然与他说话？"其实，无论是神还是亚伯拉罕都并非猝然而至。这段经文的字里行间包含着很多内容，也是理解整本圣经的关键。之前长达十一章的经文为此做了足够的铺垫；而之后的全部圣经，都可以说是对此的延伸和成全。

那么，这段经文的背景究竟是什么呢？其背景是这样的：这位拣选并呼召亚伯拉罕的"主"和起初创造天地的主乃是同一位。祂按自己的形象创造了独一无二的男人和女人，此乃是祂的巅峰之作。换句话说，我们不可忘记圣经开篇讲

述的是宏大的宇宙，而不是地球；之后，圣经聚焦于整个地球，而不是巴勒斯坦这块地方；接着，圣经的记述逐渐聚焦到人类的先祖亚当身上，而不是蒙拣选的以色列的先祖亚伯拉罕身上。总而言之，因为耶和华神是整个宇宙的创造者、地球和人类的造物主，我们绝不应把祂降格为某个部族的神明，或者某个地方的小神灵，比如摩押人的神"基抹"，亚摩利人的神"摩洛"，或是迦南异族的男神"巴力"和女神"亚斯他录"。我们也绝不能武断地说，耶和华神因为对其他民族不感兴趣或放弃了他们，才拣选亚伯拉罕和他的族裔。神的"拣选"不等同于精英主义。恰恰相反，神拣选一个人以及他的族类，是要透过他们去成就对世上万族的祝福。

因此，当基督教被降格为世界上可供选择的诸多宗教之一，或者当人们谈论"基督教的神"（仿佛这世界还有其他的神）的时候，我们必然深感愤慨。不！这世界只有一位又真又活的神，祂在独一爱子耶稣基督里向我们最终完满地显明了祂自己。独一真神的信仰才是宣教不变的根基。保罗写信勉励提摩太时特别强调"神只有一位，在神和人中间也只有一位中保，就是降世为人的基督耶稣"（提前2:5）。

创世记的记述逐渐展开，从独一真神创造宇宙万物，又按照祂的形象造了人，一直到人类悖逆自己的造物主，神的审判降临到受造之物。然而这个审判终将被化解，福音的应许之歌在此首次奏响：女人的后裔将"伤"蛇的头（创3:15）。

圣经随后的八章（4-11章）描述了始祖堕落的灾难性后果，人类与神以及人与

人之间逐渐疏离，彼此为敌。这就是神呼召亚伯拉罕并且赐他应许的背景：人类陷入道德衰败、黑暗和漂泊的光景中，社会逐渐解体。然而，创造者神并没有抛弃起初按着祂的形象所造的人类（9:6）。神从这个罪恶蔓延的世界中拣选了一个人和他的后裔，并且应许不仅要赐福给他，还要透过他们赐福给整个世界。人类不会无限地遭受放逐之苦，神已开始引领他们归回。

一、应许的内容——综合性应许

那么，神赐给亚伯拉罕的应许究竟是什么？它是一个综合的应许，包括几个部分。每一条应许在亚伯拉罕蒙召之后的章节中都有细述。

关于土地的应许

神的呼召似乎分两个阶段临到亚伯拉罕：第一个阶段是在迦勒底的吾珥，那时他父亲还在世（创11:31，15:7），后一个阶段是在哈兰，他父亲过世之后（11:32，12:1）。亚伯拉罕要离开本地，然后神才会向他们指明另外的家乡。

亚伯拉罕慷慨大度地让侄子罗得先选择定居地（他选了肥沃的约旦河谷），其后，神对亚伯拉罕说："你要举目，从你所在的地方向东南西北观看。你看见的地方，我都要赐给你和你的后裔，直到永远。"（创13:14-15）

关于后裔的应许

亚伯拉罕要离开亲族和父家，失去家人，不过神要使他成为"大国"。之后，

神将他的名字从"亚伯兰"（意思是"尊贵的父"）改成"亚伯拉罕"（意思是"万国的父"），以此表明神的应许。神清楚无误地告诉他："我已经立了你作万国的父。"（创17:5）

神借助自然景象帮助亚伯拉罕明白这个应许的意思，让他抬头观看天空，而不是俯视大地。在一个晴朗的夜晚，神把亚伯拉罕带出帐篷，吩咐他"向天观看，数点众星"。这真是一个匪夷所思的命令！但亚伯拉罕或许立即开始数起来："一、二、三……五……十……"很快他就放弃了，这根本数不完！接着，神告诉他："你的后裔将要这样众多。"后面我们读到"亚伯兰信耶和华"这样的字句。尽管此时他已经八十多岁，妻子撒拉从未怀孕生子，然而他相信神的应许，神"就以此算为他的义了"。也就是说，因为他信靠神，神就将他看为义人（创15:5-6）。

关于福分的应许

"赐福"一词的动词和名词形式在创世记第十二章2-3节出现了五次之多。神应许给亚伯拉罕的福分终将满足，沛然临到全人类。

"我会赐福给你。"神在此时已经看亚伯拉罕为义，用新约的话来说，就是"因信称他为义"。我们很难想像还有什么福分比这更大。这实在是恩典之约的永福泉源。几年之后，神继而明示亚伯拉罕："我要与你，和你世世代代的后裔，坚立我的约，成为永远的约，使我作你和你的后裔的神。"（创17:7-8）然后神设立割礼作为祂与祂的选民立定恩典之约的外在的可见记号，证明要世世代代作他们的

神。这是圣经首次使用神人立约的固定用语："我要作他们的神，他们要作我的子民"，这一句式在圣经中反覆出现。

二、应许的实现——渐进性应验

那么，土地、后裔和福分与宣教到底有什么关系呢？为了解答这个问题，我们需要把论述的焦点，从应许的内容转向应许的实现。

旧约中的预言如何实现，一直是个难解的问题，人们对此存在着许多误解和争论。最重要的，是新约作者阐释旧约预言的原则。在他们看来，旧约的预言不只是单一层面的应验，而是有三重应验，即预言在过去、现今和未来三**个不同阶段的应验**。在过去的阶段中是一种即时的历史性应验，发生于以色列民族的历史性经历中；在现今的阶段是中间或福音性的应验，这预言正在基督和祂的教会之中逐步实现；就未来阶段而言，这预言最终将在新天新地中完全应验。

1. 即时的历史性应验

神对亚伯拉罕的应许在他肉身的后代（即以色列民）中很快就得到了历史性应验。

后裔

神应许亚伯拉罕将有众多的子孙后代（实际是不可计数的），后来又向他儿子以撒（创26:4；他的后裔将多如"天上的星"）和孙子雅各（创32:12；他的后裔将

多如"海边的沙"）确定这个应许。渐渐地，这个应许变成了现实。或许我们可以找出几个发展时期。

第一个时期是以色列民在埃及为奴，圣经如此描述："以色列人生养繁殖众多，人数增加，极其强盛，遍满了那地。"（出1:7；参徒7:17）第二个时期是在数百年之后，所罗门王论及以色列民时如此说："这些子民很多，多得不能数算。"（王上3:8）第三个时期则是所罗门作王大约350年之后，先知耶利米警告以色列民，他们将要遭受神的审判和外族的掳掠，但是随即又传达了神将复兴他们的应许："我却必使我仆人大卫的后裔和事奉我的利未人增多，像天上的万象不能数算、海边的沙粒不能斗量。"（耶33:22）

土地

关于亚伯拉罕的后裔，我们就探讨到这里。神应许的土地又如何呢？我们再次因为神信守祂的应许而敬拜感谢祂。神记得祂赐给亚伯拉罕、以撒和雅各的应许，将以色列民从埃及的奴役之中解救出来，把那将被称为"应许之地"的土地赐给他们（出2:24，3:6，32:13），大约七百年之后，神又将他们从被掳之地巴比伦带领归回这地。然而亚伯拉罕以及他的后裔以色列民，都没有完全得到神应许赐给他们的土地；如同希伯来书第十一章所说的，这些人是"存着信心死了，还没有得着所应许的"。但是，他们"承认自己在世上是异乡人，是客旅"，"等待那座有根基的城，就是神所设计所建造的"（来11:8-16，39，40）。

福分

至少在一定程度上，神成就了祂赐给亚伯拉罕无数后裔和安居之地的应许。那么神应许给他的福分又如何呢？在西奈山上，神向摩西确认并陈明祂与亚伯拉罕所立的约，也明确地说祂要作以色列的神（如出19:3-6）。在旧约接下来的记述中，神持续不断地祝福顺服祂的人，而悖逆的人却落入审判中。

神的审判最为明显的例子是在何西阿书开篇的预言中。神吩咐何西阿给自己的三个孩子起名时，每一个名字都预示了神将逐渐对以色列民施行的可怕审判。他的长子名叫"耶斯列"，意为"神必驱散"。第二个孩子是女孩，起名为"罗·路哈玛"，意思是"不蒙怜恤"，因为神说祂不再怜恤和赦免祂的子民。最后何西阿又得到了一个儿子，就起名为"罗·阿米"，意思是"非我民"，因为神说以色列民不再是祂的子民。神的选民竟然得到了如此可怕的名字！实际上，这些名字与神赐给亚伯拉罕的永远应许之间的反差如此之大，简直是毁灭，而不是祝福。

然而，神并没有就此结束祂在以色列民当中的作为。神的审判之后将有伟大的复兴，先知发出的预言字字句句都与亚伯拉罕得到的应许遥相呼应："然而，以色列人的数目，必多如海边的沙，量不尽，数不完。"（何1:10）到那个时候，何西阿那几个孩子的名字的含义将翻转过来。那"被驱散的"要被召回（"耶斯列"这个词的意思不太明确，既可以表示"驱散"，也可以表示"聚拢"），那"不蒙怜恤"的要得到怜恤，而"非我民"的要作"永生神的儿子"（何1:10-2:1）。

奇妙的是，使徒保罗和彼得都引用了何西阿书中这段预言。在他们看来，神应许赐给以色列民的福分不单单是以色列民不断增多，更是要让外族人进入耶稣的羊群："你们从前不是子民，现在却是神的子民；从前未蒙怜恤，现在却蒙了怜恤。"（彼前2:10；参罗9:25-26）

新约阐释旧约预言的角度对于我们理解旧约预言极为必要，因为旧约并未清楚说明神所应许的福分是如何由亚伯拉罕及其后裔临到地上的万族。尽管以色列民在旧约中被称为"列国的光"，担负着"把公理带给万国"（赛42:1-6，49:6）的使命，我们却没有在旧约的历史中看到这件事的应验。只有在主耶稣里，这些预言才得以实现，因为只有在耶稣的日子，地上的列邦万族才真正纳入得救之民的群体。那好，让我们来细看这一点。

2. 中间的福音性应验

神对亚伯拉罕的应许透过基督和基督的教会得到了中间的福音性应验。

后裔

我们几乎可以说，整部新约圣经是从亚伯拉罕之名开始的。马太福音开篇就写明："大卫的子孙，亚伯拉罕的后裔，耶稣基督的家谱：亚伯拉罕生以撒……"马太不仅将耶稣基督的家谱追溯至亚伯拉罕，还以他为耶稣基督福音的起始。马太很清楚，自己记述的福音书，就是神在两千多年前赐给亚伯拉罕的古老应许的应验（参路1:45-55，67-75）。

然而从一开始，马太就指出，能够承

不可思议，神从外族人中为亚伯拉罕兴起了后裔！

受神应许的"亚伯拉罕的后裔"不仅是血统上的后裔，而且是属灵意义上的后裔，或者说是一切悔改和归信弥赛亚的人。这也是施洗约翰对聚集起来听他传道的众人所说的："你们心里不要以为，'我们有亚伯拉罕作我们的祖宗'，我告诉你们，神能从这些石头中给亚伯拉罕兴起后裔来。"（太3:9；路3:8；参约8:33-40）施洗约翰的话对当时的听众来说相当震撼，因为"那时人们相信亚伯拉罕的后裔一个也不会失丧"。[1]

神的确给亚伯拉罕兴起了后裔，虽然不是真的从石头里出来，而是从外族人中出来，这和前者同样不可思议！马太虽是四位福音书作者中犹太背景最浓的一位，但也记下了耶稣的这些话："我告诉你们，必有许多人从东从西来到，和亚伯拉罕、以撒、雅各在天国里一起吃饭。但本来要承受天国的人，反被丢在外面黑暗里，在那里必要哀哭切齿。"（太8:11-12；参路13:28-29）

我们不难体会当时在场的犹太听众的感受，他们听到施洗约翰和耶稣的讲述时一定非常震惊，觉得这完全是一派胡言。因为，他们才是亚伯拉罕的后裔，承受神对亚伯拉罕的应许本是天经地义。外族人算什么，竟然要来分一杯羹，倒使他们这些原本是神的选民的人没有资格？为此，他们怒不可遏。显然他们是忘记了，在神与亚伯拉罕所立之约中，有一部分应许说的就是神赐福满满、恩泽万民。如今，犹太人不得不认识到，神的赐福将透过亚伯拉罕的一个后裔——弥赛亚耶稣基督，临到地上的列邦万族。使徒彼得在五旬节过后的第二次讲道之中，总算开始领会这一点。他向一群犹太人宣讲说："你们是先知的子孙，也是承受神向你们祖先所立之约的人。神曾经对亚伯拉罕说：'地上万族，都要因你的后裔得福。'神先给你们兴起祂的仆人（即耶稣），差祂来祝福你们，使你们各人回转，离开邪恶。"（徒3:25-26）这段话值得留意，原因之一是彼得从道德的层面，即悔改和称义的角度来诠释"神的赐福"；原因之二，如果耶稣"先"被差派到犹太人当中，想必后来就要被派到外族人中，就是地上"所有在远方的人"（参徒2:39）。现今，他们要一起来分享神的赐福。

然而，神是借着保罗把世上万民蒙福的计划完全展开的。神呼召保罗作外族人的使徒，向他显明自己永恒的旨意，但这旨意迄今仍是一个奥秘。那就是，要让犹太人和外族人"在基督耶稣里，借着福音可以同作后嗣，同为一体，同蒙应许"（弗3:6）。保罗大胆地宣称："因为出自以色列的，不都是以色列人；也不因为他们是亚伯拉罕的后裔，就都成为祂的儿女。"（罗9:6-7）

那么，究竟谁才是亚伯拉罕的真正后裔？谁才能真正承受神对亚伯拉罕的应许呢？在这个问题上，保罗没有留给我们任何疑问。凡归信基督者，无论哪个种族都是真正继承神产业的人。在罗马书第四章中，保罗指出亚伯拉罕不仅因信称义，而且在未受割礼的时候就领受神所应许之福。那么，亚伯拉罕实在是所有受割礼和未受割礼之人（即犹太人和外族人）的父（罗4:9-12）。如果我们"效法亚伯拉罕而信"，那么就是"亚伯拉罕在神面前作我们众人的父，如经上所记：'我已经立了你作万国的父'"（罗4:16-17）。因此，无论在宗族亲缘关系上是亚伯拉罕的后代，还是在肉体上带着犹太人受割礼的记号，都不表示那个人是亚伯拉罕的真正后裔。唯有信，才是真正的凭证。亚伯拉罕真正的后裔就是信靠耶稣基督的人，至于宗族上是犹太人还是外族人都不重要。

土地

再看亚伯拉罕的后裔将要承受的"土地"又是什么呢？希伯来书中提到，属神的人因着信而进入"那安息"（来4:3），保罗也用最为强劲有力的笔调宣称："原来神给亚伯拉罕和他后裔承受世界的应许。"（罗4:13）我们认为，他在这里所指的，和他在哥林多前书里所说的是同样的意思："一切都是你们的。无论是保罗，是亚波罗，是矶法，是世界，是生，是死，是现在的事，是将来的事，都是你们的。"（林前3:21-23）基督徒蒙了神奇妙的恩典而与基督一起承受将来的世界。

有关神应许的福分和承受这福分之人的类似教导，也出现在加拉太书第三章中，保罗再次提到亚伯拉罕因信被称为义，接着就说："所以你们要知道，有信心的人，就是亚伯拉罕的子孙……这样看来，有信心的人，必定和有信心的亚伯拉罕一同得福。"（加3:6-9）

福分

那么万国都要因亚伯拉罕而得的福分究竟是什么呢（加3:8）？简而言之，这福分就是救恩。我们原本都在律法之下受到咒诅，而基督却替我们受了那咒诅，将我们赎回，为要使"亚伯拉罕所蒙的福，就在耶稣基督里临到外族人，使我们因着信，可以领受所应许的圣灵"（3:10-14）。基督担当了我们的咒诅，好让我们可以得到亚伯拉罕得到的福分，就是因信称义（3:8）和圣灵内住（3:14）的福分。保罗在该章的最后一节经文总结道："如果你们属于基督，就是亚伯拉罕的后裔，是按照应许承受产业的了。"（3:29）

讲到这里，神的应许还没有讲完，还有第三个阶段的应验。

3. 最终的应验

神赐给亚伯拉罕的应许将在末世，也就是所有得赎之民的永恒结局中，得到最终应验。

后裔、土地和福分

启示录再次提到了神对亚伯拉罕的应许（启7:9及其后经文）。使徒约翰在异象中"见有一大群人，没有人能数得过来"。这实在是一个国际化的大团聚场面，"从各邦国、各支派、各民族、各方言来的"人都聚集在一起。他们"站在（象征神作王治理全地的）宝座和羊羔面前"。也就是说，神的国度终于完全来到，而且来自列邦万族的人都在神仁慈的统治之下共享所有美福，祂以自己的同在荫庇他们。神的子民在旷野饥渴难当，遭

受日头烘烤的艰难日子已经过去，终于进入应许之地，只是这次进入的不是从前的"流奶与蜜之地"，而是由"生命水的泉源"滋润灌溉的土地，这泉源永不干涸。然而，他们何以承受这样的美福？因他们"从大患难之中出来"，更是因他们"用羊羔的血，把自己的衣袍洗洁白了"，也就是说，他们的罪已经被基督的宝血除净了，靠耶稣基督的死披上神的义袍。"因此，他们可以在神的宝座前。"

从个人角度而言，我深深为之感动。我竟然能够窥见神赐给亚伯拉罕的古老应许，在将来永世中成就的盛景，神所应许的方方面面都应验了。这里有亚伯拉罕数目巨大的属灵后裔，"有一大群人，没有人能数得过来"，如同海边的沙和天空的繁星那样多。地上所有的族类在此得享神所赐下的美福，这些数不胜数的众人都是从世上各国各民中来的。这里同样是应许之地，流淌着从神恩惠的治理而出的一切美福。最重要的是，这里有亚伯拉罕的那位特别的后裔耶稣基督，正是祂为救赎我们流出宝血，赐下各种福气给求告祂名而得救的人们。

结论

在此，总结一下我们从神赐给亚伯拉罕的应许及其成就之中所学到的功课。

第一，神是掌管历史的神

历史不是无数事件的随机拼凑，因为神在万古以先已经预先定下了祂的计划，并工作直到如今，为要在将来的永世中最终成就。亚伯拉罕的后裔，耶稣基督是整个历史进程的核心。我们如今若是作了基督的门徒，就是亚伯拉罕的后裔，我们为此欢喜快乐；因为现在已经归入了属灵的族裔之中，得到了因信称义的祝福，被神接纳，又有圣灵住在我们里面，享受到亚伯拉罕在四千年前得到的应许。

第二，神是立约的神

神的恩慈满溢，赐人宝贵的应许，并且永远持守祂的应许。神的慈爱坚定不动摇，祂的信实直到万代，当然这并不表示神总是立刻成就自己的应许。亚伯拉罕和撒拉"都是存着信心死了的，还没有得着所应许的"（来11:13）。也就是说，尽管他们生了以撒，神赐给他们的应许已经部分实现，但是他们的后裔尚未变得无以数算，还没有得到那应许之地，万国也还没有因他们得福。神的应许全都要成就，不过要"凭着信心和忍耐"来承受（来6:12）。我们必须安心等候神的时候到来。

第三，神是满有祝福的神

神对亚伯拉罕说："我……必赐福给你。"（创12:2）彼得所说的"神先给你们兴起祂的仆人（耶稣），差祂来祝福你们"（徒3:26），与创世记中神的应许遥相呼应。神的心意总是积极赐福和建立祂的子民，审判实在属于神所行的"奇异之事"（赛28:21）。神的主要和本质工作乃是赐救恩于人。

第四，神是满有怜悯的神

我读到启示录七章9节时，总是颇得安慰，因为，到那时得救进入天国的人将会"有一大群，没人能数得过来"。这超过了我的理解能力，因为基督徒在任何时代看起来都属少数群体。然而，圣经如此明说，也是要让我们多受安慰。尽管高举圣经的基督徒都不会承认普救论（相信所有人最终都会得救），圣经经文也确实告诫我们，永世当中地狱的刑罚何等真实而可怕，但是我们可以坚信，到时候得救的人将是来自各国各族的一大群，多得甚至无法数算。神的应许必将实现，而亚伯拉罕的后裔也将如地上的尘土、天空的繁星、海边的细沙一般数不胜数。

第五，神是一位宣教的神

地上的万民不会自动聚集在天上。神既然应许要赐福"地上的万族"，透过"亚伯拉罕的后裔"让地上万国得福（创12:3，22:18），如今我们因信成了亚伯拉罕的后裔，但除非我们愿意将福音带给万民，否则他们就无法蒙福。这是神一清二楚的旨意。

我祈求神将"地上的万族"铭刻在我们的心上，正是这句话向我们显明圣经所

> **如今我们因信成了亚伯拉罕的后裔，但除非我们愿意将福音带给万民，否则他们就无法蒙福。**

启示的永生神是一位宣教的神。这一点，猛烈地鞭笞着我们狭隘的宗教地盘观念、偏狭的民族主义思想、种族优越感（不管是何种肤色）、居高临下的家长制作风以及傲慢的强权意识。既然神是"地上万族"的神，我们怎么敢用敌视、轻蔑或无动于衷的态度对待任何与我们的肤色和文化不同的人呢？我们迫切需要成为具有普世眼光的基督徒，因为我们的神是关注全人类的神。

因此，求神帮助我们切莫忘却祂四千年前赐给亚伯拉罕的应许："地上的万族都要因你和你的后裔得福。"

附注

1. J. Jeremias, *Jesus' Promise to the Nations*, SCM Press, 1958, p. 48.

研习问题

1. 圣经一开始讲到的是创造的神，而不是亚伯拉罕的神。这有何重大意义？

2. 请简述作者提到的"三重应验"。从土地、后裔和福分的层面来看，这个应许在过去如何成就？现今如何成就？将来如何完全成就？

第 2 章　以色列的宣教呼召

华德·凯瑟 (Walter C. Kaiser, Jr.)

作者是戈登康威尔神学院荣誉退休校长，亦是科尔曼·莫克勒教席著名的旧约教授。曾任教于三一神学院和惠顿学院，并担任过牧师。代表作有如《旧约神学探讨》 (*Toward an Old Testament Theology*) 以及 *The Promise-Plan of God*。本文改编自作者在伊利诺州迪尔菲尔德市 (Deerfield) 给三一神学院学生的一篇演讲。版权使用已蒙许可。

一般人都有个普遍的错误观念：认为旧约只是为犹太人和他们的历史所写的，没有提及宣教使命。然而这个说法与旧约本身的宣称不符。我们只要从旧约的三段主要经文来探讨这个问题，很快就会发现这里提及有关宣教呼召最有力的论述，同样可见于圣经的其他地方。

你若是细查旧约的起头，或许不会这么快断定旧约并未提到宣教。创世记开始几章的信息就是放眼全球、心怀普世的。我们难道不能看到创世记第一至十一章提到的三个特别关键的事件，都是神针对"地上万族"所施的救恩吗？在人类堕落、洪水灭世和巴别塔之乱后，神向全人类赐下了有关救恩的宏大信息（创3:15，9:17，12:1-3）。

如果我们怀疑神对亚伯拉罕的应许（创12:1-3）是放眼全球、心怀普世的话，那么，我们就应注意在创世记第十章所提到的分散到世界各地的"家族"，即所谓的"七十列国表"。该表所列出的全部族群、语言和家族，都是神在创世记第十二章3节要祝福"地上万族"之应许的背景。

旧约中的外族人得到信心

据旧约记载，信心临到外族人是借着"那一后裔"或是"应许之子"，一个例子是麦基洗德，他是统治撒冷（或耶路撒冷）的君王兼祭司（创14章），他公开表明对耶和华（雅威）的信心。另一个例子是摩西的岳父，米甸祭司叶忒罗；从叶忒罗把燔祭和平安祭献给神，并与摩西和亚伦在神面前吃饭，就可看出他已经委身于摩西的神（出18章）。还有巴兰的例子，没有人认为他的心是向着犹太人的。巴兰为了极力讨好摩押王巴勒，就诅咒以色列。他一开始表现不佳，连他的驴子都比他有属灵洞见，但是神仍然对他说话并使用他；总之，巴兰的故事有两章精彩的记载，其中还包括关于弥赛亚之星的伟大（也是仅有）的预言（民23-24章）。

旧约中也有因为一个犹太先知的讲道而使整个外族城邑悔改的

记载。约拿被派遣到尼尼微这件事就是个典型的例子，约拿因为邪恶的尼尼微人对犹太人的大屠杀而不愿去向他们传道。然而当他落入鱼腹，在鱼腹中经历苦难之后，才不得已去向尼尼微人传道。尽管约拿认为反正只是讲一次道，那些人是不会信的，但是城里的很多人居然都相信了。

在旧约时代，神是否明确地派遣以色列人去外族人中宣教，仍然有人对此心存疑虑。现在让我们来看看能够让人打消这一疑虑的三处旧约经文。

三处基本的经文

这三处基本经文清楚地讲到神将宣教的使命赋予以色列民：创世记十二章 1-3 节、出埃及记十九章 4-6 节和诗篇六十七篇。如果不从宣教的脉络来查考这些经文，那我们根本无法正确理解旧约。以神的计划和目的来说，以色列一直担负着对万民传达神恩典信息的责任。神定意让以色列作一个传递信息的民族。

为了避免认为这些经文只是给当时人的使命，而与生活在基督教世代的我们无关，我们应该首先明确指出，这个命令也是给我们的呼召。从下面的大纲可以清楚地看出，神给予他们的信息也正是给我们的呼召：

1. 宣告神祝福万族的计划（创 12:3）
2. 以这一福分的传递者身分，参与到作为神的祭司的服事当中（出 19:4-6）
3. 显明神祝福万族的计划（诗 67 篇）

创世记 1-11 章的序文：放眼世界的应许和目的

没有人可以说旧约一开始就充斥着民族中心观，或说旧约的神非常亲犹，以至到了外族人的时代才有拓荒宣教。其实创世记一至十一章的记载清楚地反驳了这样的观点。从这十一章经文中可以看出：救恩是给全世界所有相信之人的。然而这些章节也指出了一个对立的主题，即各个民族都在竭力地为自己立名。从创世记六章 4 节和十一章 4 节中可见，当时人类唯一的目的就是为自己立名，提升自己的声望，哪怕牺牲神的名也在所不惜。

于是乎，"神的儿子们"（我认为在创世记第六章的脉络里，"神的儿子们"是指那些残暴专制、妻妾成群的暴君）为了自己的私欲滥用神赐的头衔与其附带的特权，扭曲了神所设立的公义之道，结果导致了大洪水的灾难，这是创世记第一至十一章所记载的前族长时代的第二次大失败，发生在创世记第三章人类堕落的失败之后、创世记第十一章巴别塔的失败之前。

创世记 12 章 1-3 节：宣告神的计划

然而，在每一次的失败中，我们的主仍然赐下拯救的应许：创世记三章 15 节、九章 27 节、十二章 1-3 节。创世记第十二章 1-3 节中记载的应许关系重大，因为这里强调神的恩典能够超越和胜过人类的失败及其为了给自己立名而离弃神的恶行。在本段经文中，神先后五次赐下祝

福："我必赐福给你"、"我必赐福给你"、"我必赐福给你"、"我必赐福那祝福你的"、"地上的万族都要因你得福"。

显而易见，这里主要的字眼就是**赐福**或**福分**。祝福这一词在神起初对亚当和夏娃说的那一段话也很醒目："神就赐福给他们，对他们说，'要繁衍增多，充满这地'，正如祂之前应许要造的动物。"

尽管世人得到这么多关于这个福分的应许，人类仍然不遗余力地为自己"立名"，以寻求自己认定的意义。正当人类远离神，沉迷于对社会地位、名声和成就的虚空追逐中时，创世记第十二章2节突然宣告神要使亚伯拉罕的名为大。这并非出于亚伯拉罕不懈的努力，而是从上面来的福分。

蒙福并成为祝福

我们必须清楚地认识到创世记第十二章2-3节中包含了三项赐福的应许，才能完全领会这篇最伟大的宣教经文的意义：

1. "我必使你成为大国，"
2. "赐福给你，"
3. "使你的名为大……"

然而应许之后紧接着一个目的从句："**这样**，人要因你蒙福。" 这三大赐福的应许并非只是为了提升亚伯拉罕的地位或自我形象，而是要使他和他的民族因蒙福而使别人得福。但是让什么人得福呢？他们又是如何得福呢？要回答这两个问题，我们得继续查考另外两个应许：

4. "给你祝福的，我必赐福给他，"

5. "咒诅你的，我必咒诅他。"

同样，创世记的作者又使用了一个目的从句。不过他改变了动词的时态，从而使作者的目的能够得到更完整的呈现。这句的意思就是 "**这样**，地上的万族都必因你得福。"

这样一来，神为何应许赐给亚伯拉罕和他的子孙如此多的福分，就不言而喻了。他们从一开始就是要成为宣教者和传播真理的管道。

我们要清楚认识到，"祝福" 这一希伯来文动词在此处必须译为被动语态（"蒙福"）而不是反身形式（"给自己祝福"）。这一点至关重要，并且早期的希伯来文语法、译本和新约对此的解读都坚持这一个观点。蒙福源自恩典而非功德。

万族蒙福

万族要因这人的**后裔**蒙福。创世记三章15节中提到的女人的后裔，创世记九章27节提到神要住在闪的帐篷里，或是说要在闪的后裔中设立帐幕，现在又提到亚伯拉罕的后裔。这些后裔形成一个整体，他们把神的祝福由此代沿袭，直等到基督自己出现在这一家谱上，成为这一整体的一部分。

首先接受这个福分的是创世记第十章所记载的七十族，他们代表了地上的"万族"。这一章之后是人类在巴别塔的第三次失败，再接下来就是神突然给亚伯拉罕的启示，表明神的目的和计划是使世上的万民归向祂。神给亚伯拉罕的话语旨在对地上的万民产生巨大的影响。这实在是一个崇高的宣教呼召！

话虽如此，有人还是会怀疑，声称在创世记十二章2-3节看不到任何有关福音或宣教使命的信息。若是如此，那么就想一想保罗为何在罗马书四章13节称亚伯拉罕是整个世界的承受者，然而所承受之物的本质是属灵的。再者，保罗在加拉太书三章8节直截了当地指出，亚伯拉罕在接受创世记十二章3节中"万族都必因你得福"的应许时，神就预先把好消息传给了他。自始至终，这一好消息都是福音。

亚伯拉罕属灵后裔的使命

如果今天我们相信这福音，就成为亚伯拉罕的后裔（加3:29）的一分子。我们信仰的核心和所信靠的对象仍然是一样的。以色列和地上万民，都聚焦于那位"应许之子"。祂是亚伯拉罕和大卫的后裔，就是耶稣基督。如此说来，神的目的是要建立一群国民，为他们立名，赐福他们，这样他们就有可能成为照亮万族的光，并作为亚伯拉罕的后裔使万民蒙福；反之，以色列若是退却，便是行恶。以色列原是神为世界所预备的宣教士，我们作为亚伯拉罕属灵的后裔，也同享这一使命！这个使命如今并没有改变。神的原意并非是让亚伯拉罕及以色列成为"那一后裔"的被动传承者，对我们来说也是如此。神的原意是让他们成为祝福，积极地对世界传播神的恩赐。

神看待万族和祂看待以色列是不同的。然而，神对万族的作为取决于他们如何回应这一"应许之族"，以及他们如何回应出于以色列民族的"应许之子"。拣选、呼召以色列并不意味着神偏袒她或是拒绝其他民族。相反地，神定意让以色

> **以色列原是神为世界所预备的宣教士，我们作为亚伯拉罕属灵的后裔，也同享这一使命！这个使命如今并没有改变。**

列成为祝福万族的途径。虽然神乐意将祂自己的名赐给人类，但是迄今人类仍然不懈地为自己"立名"。尽管如此，神仍将祂特殊的名赐给那些信靠那位"后裔"的人。这是他们和他们在地上的同伴，可以蒙福并加入神的家庭的唯一途径。

有些人会赞同信心确实出于亚伯拉罕的家族，但他们不一定赞同神给了亚伯拉罕和他的后裔一个宣教使命。也许他们认为旧约的神一直在唱独角戏，而以色列完全是被动参演。不过，以下的经文却不支持这样的观点。

出埃及记19章：参与祭司的事奉

在摩西有名的"鹰之翼信息"（Eagle's Wings Speech）中，神提醒以色列人自己如何把他们带出埃及，如同老鹰把还在学飞的雏鹰背在翅膀上一般。因为他们承受了这拯救之恩，经文马上很有针对性地接着说，"现在你们要……"。这意味着，在神以神迹奇事帮助他们离开埃及之后，自然而然应当产生一个结果。

当我们读出埃及记十九章5节时，如果只强调"若是"，而不理会"你们要"，

那便错失了重点。这节经文和出埃及记二十章1节一样，其开始的背景都是神的恩典："我是耶和华你的神，曾经把你从埃及地，从为奴之家领出来。"之所以会有"现在你们要……"，是因为之前神已经先赐恩典。

出埃及记十九章5-6节接着又说："现在你们若是实在听我的话，遵守我的约，你们就必在万民中作属我的产业，因为全地都是我的。你们要归我作**君尊的祭司和圣洁的国民**。"这是神指定给亚伯拉罕后裔的三项具体事工。

特别的产业：神流转的珍宝

首先，他们要作神特别的产业，早期译本称之为"特别的子民"，古英文中的"特别"（peculiar）源于拉丁文，意思是贵重物品，或是相对于不动产或附着地面的财产而言的流动型的财产，如宝石、股票或债券。实际上，以色列是神的儿子、祂的子民和长子（出4:22），现在是祂特别的珍宝。这么说旨在强调神的信息是流转的，并且神把人视为至宝，正如玛拉基书三章17节将我们描写为"珍宝"。

君王与祭司：中保与仆人

第二，以色列为神扮演君王和祭司的角色。这里"君尊的祭司"最好译为"君王兼祭司"、"君王般的祭司"或者"皇家祭司"（根据六处经文所提到的）。这里将以色列民族的宣教角色一清二楚地表明出来，让所有疑云一扫而光。整个以色列民的作用应该是代表神的国度，作神与万民之间的中保。

事实上，新约中"信徒皆祭司"的著名教义（彼前2:9；启1:6-5:10），就建立在这段经文之上。可惜，以色列人不想全都成为祭司，而要求摩西代表他们上西奈山。虽然神原来的计划受挫并推延到新约时期，但这一计划没有因此遭到失败、取代或废弃。神对信徒有祂不变的计划，他们终将有祭司或中保的角色！

圣洁的国度：使者

第三，以色列要作一个圣洁的国度。圣经上说的圣洁不是主日早上宣讲的那些令会众听得无精打采、意志消沉的空谈。成为圣洁意即完全属于主。

以色列要被分别为圣、完全归给主，这不仅包括他们的个人生命，还包括事奉。神呼召并拣选他们出来事奉，而事奉从亚伯拉罕时代就已开始了。

正如祭司代表神，将祂的话传达给人，以色列作为圣洁的国度身兼两重责任：一是对神，一是对万族。从某种意义上说，他们无异于随身携带了一个公事包，上面写着"将要来临的应许之子的使者"。他们要为历世历代的万国万民分别为圣，作一个特殊的民族。然而，以色列一开始只为自己着想，变成一个宗教的团体，忘了她领受的呼召是要去向万民分享祝福、真理、恩赐和"那后裔"。

同为神的子民，同心合意

我没有忘记以色列与教会的区别。这区别显而易见，好比男女的区别一样。然而，基督之死已经拆毁了圣殿里隔在犹太人和外族人之间的墙（弗2:14）。不管是男是女，是犹太人还是外族人，为奴的还是自由人，都不再是问题，因为凡相信的都是"神的子民"。事实上，历代都是用"神的子民"这一表达来称呼那些归于救主的人。彼得更是让这一延续下来的表达变得更加清楚，他把当时的外族信徒称为"蒙拣选的族类，君尊的祭司，圣洁的国民，属神的子民"（彼前2:9）。显而易见地，这里引用了出埃及记第十九章的内容。关键是，**我们是否能从中看出神的旨意和计划的连续性**？

彼得继而阐明这一观点。神以这四个头衔称呼祂的子民，"为要叫你们宣扬那召你们出黑暗入奇妙光明者的美德"（彼前2:9）。以色列与外族信徒被称为君尊的祭司、圣洁的国民、神的子民、祂的选民、祂的珍宝、流动的产业，正是为了让我们宣扬祂，成为祂的见证人与宣教士。

神所赐的任何礼物都不是只供我们自己享用，也不是徽章或头衔，而是为了宣扬祂的美好作为，并呼召人们进入祂的奇妙光明。正如彼得所说（借用何西阿子女的名字），我们原本是"非我民"（罗·阿米）和"不蒙怜恤"（罗·路哈玛），但现在我们成为神的子民，并接受了祂丰富的怜恤和恩典。

彼得这是在努力让我们明白，神历世历代的子民纯属一体。虽然在神的子民内部有些区分（例如以色列和教会），但是历代的信徒都是一个整体。虽然神要赐福地上万族的唯一计划和目标有不同的方面，但是我们可以确信：神在新、旧约时代的工作是连续不断的。无论是在旧约还是新约时代，神都定意让我们成为君尊的祭司，成为把祝福带给地上万族的传递者。出埃及记十九章清楚表明这就是神的计划。

> **神所赐的任何礼物都不是只供我们自己享用，也不是徽章或头衔，而是为了宣扬祂的美好作为，并呼召人们进入祂的奇妙光明。**

诗篇67篇：显明祂的目的

现在来看第三处、也是最后一处经文。前面已经看到神如何呼召我们：在创世记第十二章，神让我们**宣扬祂对万国的计划**。在出埃及记第十九章，神让我们**参与祭司的职分**，祝福万民。现在我们一起来看神在诗篇第六十七篇中，如何呼召我们去达到祂赐福万民的这一目的。这首诗源自民数记六章24-26节所记载的亚伦的祈福：

> 愿耶和华赐福你，保护你；
> 愿耶和华使祂的脸光照你，赐恩给你；
> 愿耶和华敞脸垂顾你，赐你平安。

我们今天在教会崇拜结束后常听到这段祝福的话，不过我们得仔细看看，诗篇作者在六十七篇里使用这个祝福是什么目的。他没有用耶和华这一与以色列立约之神的个性化名字，而是用了"以罗欣"。这一名字常用于描述神与整个人类和受造物的关系。由此诗人祷告说："愿神恩待我们，赐福给我们。"

再者，诗人稍微改用了别的字眼，例如用"我们当中"（直译）来取代"临到我们"，结果变成"愿祂用脸光照在我们当中"。颇为显著的是，这首诗将神透过亚伦和祭司们所赐的祝福传达给万民。第2节道出了扩展这一伟大祝福的目的："好使全地得知祢的道路，万国（或外族人）得知祢的救恩。"

神立约的爱将在万国中清楚显明，以至于祂的祝福在祂的子民中明确地彰显出来。这个普世性的计划，就是神赐福以色列、最终赐福所有相信之人的原因。

这首诗表达了这样的情怀：以色列同胞啊，愿神赐福于我们。愿祂乐于使我们受惠。愿我们五谷丰收、六畜兴旺。愿我们家庭多子多孙、灵里蓬勃昌盛，以致万民看到我们，就知道神确实赐福于我们。我们的丰富表明神赐福于我们。因此，愿神目的中的其余部分可以实现，就是透过赐福以色列，让地上的万民能够认识祂。

诗篇六十七篇堪称旧约的"主祷文"。全篇分为三段：

1. 1-3节（以"愿众民都称谢祢，愿万民都称谢祢"结尾）
2. 4-5节（用同样的迭句结尾）
3. 6-7节（以"神要赐福给我们，全地都要敬畏祂"结尾）

本篇中三次提到神赐福（1、6、7节），句子的结构几乎是创世记第十二章2-3节的翻版：赐福给我们，赐福给我们，赐福给我们……好让地上的万族能够认识耶和华。这一诗篇也许是在五旬节庆祝夏季收获初熟果实时吟唱的诗歌。更值得关注的是，后来也正是在五旬节这天，神将祂的圣灵浇灌在从世界各地回到耶路撒冷的犹太人身上，由此开始了一场非同寻常的丰收，比以往的庆祝更加壮观。诗人有意将收获地里的出产比喻为日后大丰收的定金，象征着将来在各支派、各民族、各方言中的属灵大丰收。因此，愿主恩待我们，赐福给我们。

基于三个原因，诗人呼吁我们成为神的计划的活见证。

神恩待了我们

我们成为神旨意的活见证的第一个原因，在于我们饱尝过祂的恩典之道。诗人在1-3节里见证说，我们作为神的子民已经饱尝了祂的恩典。诗人宣告这一恩典将要传扬到万国之中，当然前提是世上所有的族群都来亲自品尝这一恩典。

神统管并引导万族

第4-5节讲到神是一位伟大的统管者。此处描绘的神并非是一位公正执法，奖罚分明的法官，而是以公义正直审判的贤明君王（赛11:3）。祂是诗篇第廿三篇所讲的引导万族的伟大牧者。因此迭句里反覆提到：世上的万民，听呐！称谢主的时候到了！

神的美善

因为神如此恩待我们，我们必须明白神赐福万族的目的。正如6-7节，地生出丰盛的土产就证明神回应了亚伦和祭司的祷告（民6:24-26）。神的大能在大丰收中显现，神对子民祝福满满的场面成为祂的作为与荣耀的明证。

神的大能带来五谷丰收，也能带来属灵的丰收。诗人并非在空谈，而是希望借由诗歌的表达，让以色列和我们经历真正的生命改变。如果神的大能在我们的生命和传讲中更加显明，那么，在我们的民族中和其他万族中，每个人就都会亲眼看见那属灵的果实。神赐福我们，是为了让属灵的福分传遍地极。我们所得的物质上的福分，只是那更大的属灵福分的预示而已。

"神要赐福给我们，全地都要敬畏祂"（v. 7）。这里"敬畏"一词并非指惊恐、惧怕。出埃及记第二十章20节叫我们不要害怕："不要惧怕，而要敬畏主。""敬畏主"的意思是相信并全心交托于祂，敬畏这个字眼在旧约里是信靠与相信的意思。敬畏耶和华是一切的开端：包括智慧、生活、圣洁以及个人与神这一至关重大的关系。神恩待以色列，其实是使地上的万族归向祂，也就是说，让他们相信那将要来的应许之子，我们的主耶稣基督。

神的目的是要以色列成为一个见证、宣告和宣教的国度，把外族人带入这真光之中。神对以色列的这一目的在另一处经文，也就是以赛亚书论述"神的仆人"的第四十二章及第四十九章讲述得更加清楚，不过我们不在此详加讨论。整个以色列是神所拣选的仆人，而弥赛亚则是全体仆人的最终代表。正因如此，以色列要成为"外族人的光"。就像亚伯拉罕蒙神吩咐、出埃及记作者勉励以及诗人吟唱的那样。诗人迫切地渴望神，就是以色列的王，在全地的万民中被尊为主和救主。我们岂不更应如此？神不也呼召我们，与以色列一起，去证实祂在诗篇第六十七篇所启示的目的吗？神对以色列的挑战也正是祂对我们的挑战，要我们作为传递者在万族中宣扬祂的名。这始终是神的目的。你的生命是否在成全神的这一目的呢？

愿蕴藏于创世记第十二章1-3节的福音之火，以及成为圣洁国度和君尊祭司的呼召，点燃我们日后传扬福音的心志！愿我们为父神的荣耀，不只在自己的民族，也在世界上的每一个族群中宣告耶稣是主！

> **诗人迫切地渴望神，就是以色列的王，在全地的万民中被尊为主和救主。我们岂不更应如此？**

研习问题

1. 作者认为神在旧约中就赋予了以色列人宣教的使命。这一使命的根据何在？

2. 祝福的传递不应该是被动的，这一点至关重要，为什么？

3. 根据作者的观点，祭司的作用是什么？这一作用与宣教使命有何关系？

第3章　神的计划

斯坦利·埃里森（Stanley A. Ellisen）

圣经描述神是一位永恒的君王，"耶和华作王直到永永远远"（诗10:16）。圣经也宣告神统管万有（诗103:19），他是无限的，是无所不在的。因此，无论在何时、何地，在他所创造的宇宙的任何角落，他都掌权。神的至高主权从不妥协；若是妥协了，他就不再是名符其实的神。要想正确地认识神的国度，就必须认识到神的主权永不减弱。神的创造之工虽然看起来蕴涵风险，却仍是出于他的主权。

最早的反叛

神以授权原则实行国度的统治。他把不同等级的职分授予天使，并层层分配他们事奉的许可权。神委任了一位特别的天使长作得力助手，帮助管理这一国度。神使他全然美丽，满有智慧和能力（结28:12-17；犹9）。神给他取名为路西弗，并赐给他施行管理的宝座（赛14:12-14）。这个天使以神国最卓越的首相身分来施行权柄。

这种和谐美好之局到底持续了多久，圣经上并没有记载。对于任何一个被赋予自由意志的受造物来说，是否能忠于神的旨意是他们所面对的最为严峻的考验。当路西弗将眼目定睛于自己并神所赐的荣耀时，他面对的就是这样的考验。他为着自己所谓的伟大沾沾自喜，于是就声称自己是独立的，视自己"像那至高者一般"（赛14:14）。就在路西弗做出这一抉择的那一刻，便脱离了神旨意的中轴，开始在没有神同在的那万劫不复的深渊之中打转。他横下心，走上了这条不归路。

然而，并非只有路西弗自己作出这一错误的选择，天堂里三分之一的天使也跟随了去（启12:4-7），由此可以窥见他极具蛊惑之能。还利用这群叛逆的天使建立了一个自己的王国，一个黑暗权势的伪国度。从此更名为撒但（就是"敌挡者"的意思），与其恶行名符其实。有人也许会问，如果神掌权的话，为何不立刻毁灭这个叛党主谋？为何不处死这一大群背叛的天使？至少把他们永远关押在地狱或无底坑中？

原因是这样的。神确实有这样一个计划，只不过神暂时要用这些叛逆的天使去成就他的另一个计划。神在实行祂计划的过程中，并非受限于单一的方法，而是在任何情况下都能够从容面对。神的主权深不可测，能使充满忿懑的人转而赞美祂，使所有的仇敌来事奉祂（诗76:10）。

极具讽刺意味的是，尽管本身不愿如此，但神的仇敌到头来还是得事奉祂。神已经把一些堕落的天使捆绑，直到审判的那一天；但对另外一些，神则给他们有限的自由，直等到神完成那长远的目的。

请留意神允许黑暗国度的存在这一重要的事实：这个国度是由撒但领头的那一群自愿的匪徒组成，而非神所创造的。他成为一股敌对神光明国度的力量，也成为人在使用自由意志时所面对的极具诱惑的选择。这个伪国度和神公义的国度并存。乍看之下，伪国度似乎还占了上风，不仅胁迫了不少男女，还使他们甘愿屈服。出现这种情况，撒但的诡诈多端是其中部分原因。那些天真的想法都错估了，撒但不是张牙舞爪的妖怪，而是个大好人。他终极的目标就是要假冒神的工作，这是自从他堕落以来最大的野心。圣经如此记载这样的居心："我要使自己像那至高者一般"（赛14:14）。假冒神的举动是他最有效的手段，因为对神的工假冒得越像，就越能让人不去寻求神，不去寻求神的旨意。

神地上国度的开启

在撒但堕落之后，神开始了另一个创造，就是人类。尽管这是第二次冒险，但祂同样将自由意志赋予所造的人。自由意志是人性的核心。如果神是照着祂的形象造男造女的话，那最伟大的设计就是把祂自己的形象放入人类的性情，特别是将祂的爱和圣洁置入其中。神的这些特性只有在道德自由的土壤里才能成长。与神相交需要人类做出道德上的抉择。

神渴望赋予人类这种自由，使人类能与祂的主权建立健全的关系。祂试图用爱与人沟通，而非强迫。这种爱的力量绝对超过任何人为的力量。由此，祂让亚当和夏娃与祂一同来治理。神最初对他们的考验是禁止他们吃"那知善恶树的果子"（创2:17）。神赐给他们顺服祂或是违抗祂的自由意志，这一命令简单明了。

其实，安置在园中的那棵树，既不是作弄他们，也不是给他们设陷阱，而是一场不可避免的考验；考验这对夫妇是运用自由意志来表示对神旨意的忠心，还是屈服于眼前蛇对他们的引诱。假如他们从蛇罪恶的建议转向对神坚定的委身，他们或许会有机会吃到"生命树上的果子"而永远活着（创3:22；启22:2）。但不幸的是，他们没有顺服神清楚的命令，由此带来了人类的堕落。

他们这样明知故犯，等于宣布脱离神旨，要与撒但黑暗的国度联合。导致这场灾难的原因其实不是这棵树，不是蛇，也不是蛇背后的魔鬼（启12:9）。这一切只是为他们二人提供一个机会，在面对神的旨意时表达他们的自由意志。所以导致这场灾难的真正症结在于他们的抉择。在这场忠贞与否的考验中，他们没有过关，而是堕落了，正如先前堕落的天使一般。

从所有的表面现象来看，神所造之物的第二次堕落似乎破灭了神想透过敬虔之

人拓展国度的崇高期望。神给了人治理宇宙的责任，且让他们管理全地，然而人却在一个果子上跌倒了。难道神所赐予的这自由意志太冒险了？是否这个赋予将会导致人类的灭亡？从某种角度来看，这显然是与神的目的背道而驰，罪似乎得胜了。

总结两个问题

我们暂且可以把这样的矛盾归结为在神的创造过程中产生的两个问题。一个问题是祂所信任的得力助手路西弗背叛祂并勾结了一群天使叛变，建立了一个伪国度。另一个问题就是按照神形象所造的人，也背叛了神，堕落犯罪，不再忠心。由此，神的国度分裂了，部分还被篡夺了。

我们心头萦绕着一个问题，神为何还要费心来挽救这一局面？为什么不毁灭这一切，重头再来？当然，这不在神的权能计划之列，也不是解决这些背叛者所引发的问题的最佳办法。神不但要对付隐伏的罪；祂满怀恩典的心，还开始施行伟大奇妙的救赎计划。在此计划中，神要解决两个问题：

1. 怎样收复被篡夺的国度；
2. 怎样为人类提供救赎。

神要一箭双雕，找到同时解决两个问题的方法。因此祂设计了一个在摧毁伪国度的同时又能赋予人类救赎的两全其美的方法。这方法不是靠神动用强大武力，也不是靠威逼胁迫。由此，大灾难和全面的审判将要延迟。这个方法得靠神伟大而长阔高深的大能，就是爱，才能得胜。

神的国和救赎的过程

亚当和夏娃犯罪之后，神对蛇做了审判（创3:14-15）。审判的同时，他提出福音的雏形，宣告祂对人类救赎的计划。祂对蛇如此说：

> "我要使你和女人彼此为仇，你的后裔和女人的后裔，也彼此为仇，他要伤你的头，你要伤他的脚跟。"

显而易见，这信息既是针对人，又是针对撒但的，或许对撒但的针对性更强。神预言双方相互的仇恨会产生两种击伤：女人的后裔会打碎蛇的头，蛇会伤女人后裔的脚跟。圣经后来宣告这个冲突的双方分别为基督——女人的后裔（加4:4），以及撒但，又被称为"古蛇"（启20:2）。

分析这两种"击伤"，我们得见神对撒但和人的计划的梗概。神首先声明："女人的后裔要伤你的头"，这预言了耶稣会打败魔鬼。基督自己也说过祂将捆绑撒但，这世界体系的"壮汉"（太12:29；约12:31）。基督在十字架上的受死注定了撒但最后的灭亡，因为"撒但是自食其果"。在最后的审判中，这个伪国度最终会灭亡。我们可以把神收复所有领域的主权，并永远终结所有背叛力量的过程视为"神国的计划"。

创世记三章15节宣告的第二个挫伤是蛇要伤女人后裔的脚跟。这个恶毒的攻击已在十字架上实现了。撒但是基督被钉十字架这一事件背后的元凶。脚跟受伤指基督暂时的死亡，与蛇的头受伤形成鲜明的对比。

基督在十字架上的死成为神救赎计划的基础，而这计划为人类提供了救恩。由此可见，神在伊甸园里引入了福音的雏形，勾勒出祂为神国和人类的救赎所定的双重计划。透过摧毁撒但及其黑暗国度，神最终会完全收复神国，并在此过程中因基督之死来拯救相信的人。

> 透过摧毁撒但及其黑暗国度，神最终会完全收复神国，并在此过程中因基督之死来拯救相信的人。

展开双重计划

旧约其余的经文描述神的双重计划如何在地上渐进地展开。神拣选了两个大有信心之人，从他们启动救赎计划。第一个人是大约生活在公元前两千年的亚伯拉罕，神与他立约，应许给他诸般的祝福，其中一个应许讲到万国必因他的一个特别的后裔得福。保罗指出这个后裔就是基督，将来的祝福都由祂而来。保罗将这祝福称为救赎或称义（加3:6-16）。亚伯拉罕的后裔会把救赎带给人类，完成神救赎的计划。

为了完成神国的计划，神在公元前一千年左右从同一个谱系里挑选了大卫，与他立约，要坚固他的国并兴起他的后裔（撒下7:16）。大卫的这一后裔将永远地治理以色列。圣经稍后表明这一受膏者不仅要统治以色列，还要将祂的治理扩展到全世界（摩9:12；亚14:9）。透过大卫的这一后裔，神将消灭叛逆者，以公义统治世界，最终成就祂的国度计划。

两个预表性的儿子

有趣的是，他们各自都得到一个儿子，以之预表神所应许的那一后裔。亚伯拉罕的儿子以撒预表基督的救赎，作为活祭献在摩利亚山上。大卫的儿子所罗门预表基督的王室谱系，指出祂是一位荣耀显赫的君王。这两个儿子预表了旧约余下部分人们翘首以待的亚伯拉罕的后裔和大卫的后裔。如此看来，神的灵在新约开始之时，以"大卫的子孙，亚伯拉罕的后裔"来介绍新约的主要人物就不足为奇了（太1:1）。

两种预表性的动物

旧约用两种象征性的动物来描绘基督的救赎功能和国度功能。献祭的羔羊预表基督的救赎功能，说到祂是"神的羊羔，是除去世人的罪孽的"（约1:29）。圣经也将祂描绘为神的仆人，"像羊羔被牵去屠宰"（赛53:7）。

旧约里预表基督的另一种动物是狮子（创49:9-10）。约翰在启示录五章5节将基督形容为"那从犹大支派出来的狮子"就是引用了旧约的比喻。狮子为百兽之王，代表王权。意思是，从犹大支派出来的那一位王将统治以色列和全世界。

荣耀的弥赛亚

尽管神的国度计划目的广泛，延伸到整个灵界，但是若没有对人的救赎，就无法完成这一计划。请留意约翰在启示录

五章里怎样将二者联系起来。在看到基督如狮子和羊羔之后，约翰听见一大群天使大声宣告："被杀的羊羔是配得权能、丰富、智慧、力量、尊贵、荣耀、颂赞的"（启5:12）。那时，我们必将看到，基督不仅有神的狮子之权，同时也配得狮子之尊，因为祂是为神的缘故而被杀的羊羔。

基督最终将把收复的国度交还父神（林前15:24），这其中包括成就天父所托的使命，就是作为女人的后裔击败撒但。尤为重要的是，祂是透过救赎的大爱，而非胁迫的大能得回国度。这救赎的恩典是神的双重计划的特性，也是祂与人永恒团契的基础。神与人的相交关系不是基于畏惧或是武力，而是基于深切的爱。

研习问题

1. 神如何应对撒但和人的背叛？请描述神对撒但和人的不同应对的重要性。

2. 神对撒但伪国度的应对，如何帮助我们深入了解神的宣教计划？

3. 现今"犹大的狮子"如何继续败坏撒但的工作？"神的羔羊"又是如何继续拯救人？

第4章　圣经与普世宣教

斯托得（John R. W. Stott）

作者（1921.4.27.—2011.7.27.）生前是伦敦万灵堂荣休教区长，伦敦当代基督教学院主席，亦是英女王的皇家牧师。著书等身，其中有《真理的寻索》、《信仰与社会责任》，以及《使徒行传注释》等。他曾在五届的尔班拿学生宣教大会上讲道，多年来他在全球推动大学生当中的宣教行动。本文改编自作者于1980年六月在泰国芭提雅世界福音大会中的演讲。版权使用已蒙许可。

若是离了圣经，普世宣教不仅不可能实现，更成了一件不可思议的事。圣经给予我们向世界宣扬福音的使命，赐给我们一个要传扬的福音信息，指示我们如何传扬，并且应许这福音乃是神救赎每一个相信之人的大能。

此外，过去和当代的史实表明，教会有多坚信圣经的权威，便有多委身于普世宣教。一旦基督徒对圣经丧失信心，他们就会失去传福音的热忱。反之亦然，每当基督徒完全信服圣经，他们就能坚决委身在福音事工中。

以下四方面说明了圣经之于普世宣教是必不可少的。

圣经明示普世宣教的使命

首先，圣经明示普世宣教的**使命**。我们的确是需要这个使命。现今世界有两种现象越来越普遍：一种是宗教狂热主义，另一种是宗教多元主义。宗教狂热分子怀着不可理喻的热情，迫使人接受其信仰，铲除异己，即使采用暴力也在所不惜。宗教多元主义则走向另一个极端。

只要宗教狂热主义或与其相对的宗教多元主义（无差别主义）大行其道，普世宣教就会遭到忿恨。狂热派无法容忍福音事工的并存，而多元主义者则拒不接受福音的排他性。福音派基督徒被视为非法闯入他人私生活的不速之客。

面对这些对立，我们需要认清圣经给我们的使命。这不仅包括大使命（尽管它很重要），更是整本圣经的启示。让我先来简单解释一下。

世上只有一位又真又活的神，祂是宇宙万物的创造者，也是万族的主和一切有血气的生灵之主。大约四千年前祂选召了亚伯拉罕并与他立约，应许不仅要赐福给他，还要从他的后裔赐福给地上的万族（创12:1-4）。这些经文是基督教宣教的基石。亚伯拉罕的后裔（在他们里面万族都要受祝福）其实就是指基督和在基督里的人们。我们借着信而归入基督，由此成为亚伯拉罕属灵的子孙，也就肩负

了祝福全人类的重任。因此，旧约的先知预言，神要使基督成为那个后嗣和万族的光（诗2:8；赛42:6，49:6）。

耶稣一来就公开支持这些应许。固然，祂在地上的事工仅限于"以色列家的迷羊"（太10:6，15:24），但祂也预言道："必有许多人从东从西来到，和亚伯拉罕、以撒、雅各在天国里一起吃饭。"（太8:11；路13:29）此外，复活后，即将升天时，祂作了一项惊天动地的宣告："天上地上一切权柄都赐给我了。"（太28:18）因为祂掌管一切的权柄，祂就命令跟从者去使万民作祂的门徒，给他们施洗，归入祂所造的新群体，又要教导他们遵守祂的一切教训（28:19）。

紧接着，当赐真理和能力的圣灵临到众人身上时，初代的基督徒就迈开了传道的步伐。他们成为耶稣的见证人，甚至直到地极（徒1:8）。更重要的是，他们所作的一切都是"因祂的名"而行（罗1:5；约三7）。他们深知，神已将耶稣升为至高，让祂坐在神宝座的右边，又把至圣的尊名赐给祂，全地的人都将宣认祂的主权。初代信徒们渴望主耶稣的名得到当得的称颂。不仅如此，有一天祂终将在荣耀中归来，要施行拯救和审判，最终还要作王掌权。那么，在祂升天和再来之间的这段时间里，我们当做什么呢？就是执行普世宣教的使命！耶稣说，这福音要传遍天下，直到地极，然后结局才会到来（太24:14，28:20；徒1:8）。普世宣教完成之日，就是历史完结之时！

整本圣经明示了我们普世宣教的使命。这使命包括（1）护理神的创造：我们全人类都要向神交帐。（2）向人传扬神

的本性：慈爱、怜悯、乐于亲近人，不愿任何人灭亡，只愿所有人都悔改。（3）神的应许：万族都要因亚伯拉罕的后裔蒙福，又要与弥赛亚同作后嗣。（4）神所差来的基督：如今已升至万有之上，配得万有的称颂。（5）神的圣灵：这圣灵能定人的罪，为基督作见证，又能催促教会去传福音。（6）神的教会：普世性的宣教团体，领受传福音的使命，直到主基督再来的日子。

对于基督徒来说，基督教宣教的普世性是无可回避的。不管是个人还是某间本地教会，若是没有委身于普世宣教，那就是直接抗拒（要么无视，要么悖逆）神赐予他们的新身分。我们无法逃避圣经所要求的普世宣教使命。

圣经明示普世宣教的信息

其次，圣经已经将普世宣教的**信息**告诉我们。洛桑信约以福音为本来界定布道工作。信约的第四段如此说：

> 布道就是将福音传扬出来。这福音是照经上所记：耶稣为我们的罪而死，从死里复活，掌权的主赦免我们的罪，而且将释放我们的圣灵赐给所有悔改相信的人。

我们从圣经里得来这福音的信息。然而当我们揣摩这信息时，很快就陷入一个困境。一方面这信息是一个既成的事实，不是我们的发明；我们既受神的托付去看管这笔"财富"，就要作神忠实的管家，不但守护，还要在神的家中分享这财富

（提前6:20；提后1:12-14；林后4:1-2）。另一方面，这信息不是一个死板、僵化且单一的数学公式，而是有着丰富多彩的表达，包含许多不同的比喻和画面。

福音只有一个，这是所有使徒都认定的（林前15:11）。保罗严厉地指出，任何人，包括他自己，若是向世人传一个不同于使徒原本所传的福音，这人就当受咒诅（加1:6-8）。然而，使徒却从许多不同的角度来阐述这不变福音：有的从牺牲（基督流出的宝血）着手；有的从弥赛亚的身分（神所应许的统治进入世界）着手；有的从律法的角度（宣判不义的为有义的）着手；有的从个人关系（父亲与浪子重归于好）着手；有的从救赎（属天的救赎者赎回无助之人）着手；最后，还有人从宇宙（宇宙万有的主宰宣告对宇宙施行统治）的视角着手。不过就连这些角度也未能包罗万象。

因此，福音看上去只有一个，但却多姿多彩。福音是神所"赐下"的，然而其文化表达形式也因接受对象而定。一旦我们抓住这个精髓，就能够避免以下两种截然相反的错谬。第一种误区叫做"完全流动"（total fluidity）。我最近在一位英国教会领袖的讲道中听到这种观点，意思是除非我们在具体情况中去见证福音，否则根本没有福音可言。"我们只有到了要传福音的环境中，才开始发现福音。"诚然，我完全赞同我们要敏锐地观察每一个具体的处境，但如果这就是那位教会领袖要表达的重点，那么他就有言过其实之嫌。神所启示的福音是你我都不可删改的。

与之相反的误区则称为"完全僵化"（total rigidity）。在这种情况下，传福音的

> **为了向世人启示自己，祂倒空自己，自甘卑微。这才是圣经赐予我们的布道模式。**

人好像把福音当作神所列出的一连串数学公式，传福音无非就是照本宣科重复每一个字句和特定的概念，结果福音被这些固定的字句或比喻所束缚。有的福音工作者陷在枯燥术语的"安全区"内；另一些则自觉有责任寻找每一个机会把诸如"基督的宝血"、"因信称义"或"神的国度"等概念塞给福音对象。

在这两种极端之间，其实有一个更好的办法。这个方法不仅完全忠实于神的启示，而且还能进行实在的处境化。那就是认为只有圣经对福音的表述是永久不变的规范，任何以现代习惯用语宣讲福音的做法都需要经过检验，以证明其是否合乎圣经的福音表述。

这种方法既拒绝丢弃圣经的表述，也拒绝以呆板僵化的方式依样画葫。而是，我们必须借着祷告、学习和研讨，持续不断地竭力将神所赐的福音应用在具体的处境中。福音是从神而来，因此我们必须维护它；而福音也是为着现代的男女而写，因此我们有义务用现代人的语言来诠释。我们需要将对福音的忠贞（不懈地研习圣经的文字）和对环境的敏锐（不断地摸索当代的情形）结合起来。只有这样，我们才能既忠实又适切地将神的话语与世人、福音与具体处境、圣经与文化对接起来。

圣经明示普世宣教的榜样

第三，圣经给我们提供了普世宣教的**榜样**。我们不单要知道该传什么信息，还要知道该如何去传。圣经在这方面给了我们教导：圣经并不只是包括福音，圣经本身就是福音。综观圣经，神亲自把好消息传到世人当中。保罗如此论到创世记十二章3节："圣经既然预先看见神要使外族人因信称义，就预先把好信息传给亚伯拉罕。"（加3:8）整本圣经都在传讲福音。神借着圣经向人传扬福音。

如果圣经本身就是神向人传福音的具体表现，那么我们显然可以用思索神传福音的方式来学习如何传讲福音。圣经的默示过程向我们显明了一个传福音的美好范例。

神极大的谦卑如何令人不惊叹！神启示了有关自己、基督、祂的怜悯、公义和完备救恩的崇高真理。然而祂却选择使用人类语言的词汇和语法，透过人类和人类的概念以及文化，来向人类透露这一切奥秘。

神使用人类卑微的词汇和概念传扬祂的道，神所说的是祂自己的话语。福音派的圣经默示观强调圣经有双重作者。圣经是人的话也是神的话，人受到圣灵的感动而说出从神而来的话（彼后1:21）；同时神也透过人说话（来1:1），圣经的话语既是神的又是人的。神完全决定自己当说的话，但让圣经作者保持自己的文风；执笔者自如地运用自己的才智，却没有歪曲神的旨意和信息。

"道成了肉身"（约1:14）是神自我表达的巅峰。这就是说，神那永恒的道，

自太初就与神在永恒中同在。神借着这道创造了整个宇宙，但祂现在却成了人的样式，第一世纪巴勒斯坦犹太人有什么样的特点，祂便有什么样的特点。祂变得有限、卑微、贫穷和软弱。祂历经痛苦和饥饿，也经历人所受的一切试探。这一切也都包含在祂的"肉身"之中，毕竟，祂已成为人。祂虽然取了我们的样式，却没有丧失自己的神性。祂仍然永远是永恒的道和神独生的爱子。我们基督徒就是要效法这个模式。

圣经来源的双重性和圣子道成肉身，说明了同一个原则，即神的道实实在在地成为肉身。神透过人与我们交流。这位道成肉身的神竟然与我们认同，却不失其神性。这个"保持本质的认同"之原则，是所有福音事工的范例，特别是在跨文化宣教中。

我们有些人拒绝与服事的对象认同，一成不变，不愿成为他们的样式，所以总是有距离。我们不顾一切，紧紧抓住自己的文化传统不放，误以为这是我们身分的核心元素；不单固守自己的文化习俗，还无礼地对待所服事地区的文化。这样，我们便实施了双重的文化帝国主义，一方面把自己的文化强加给别人，另一方面歧视别人的文化。然而这绝不是基督的做法，祂倒空自己的荣耀，降卑服事众人。

另一些跨文化的福音使者则犯了与此完全相反的错误。他们为了与所服事的群体认同，甚至放弃基督徒的标准和价值观。然而这也绝不是基督的做法，基督虽然取了人的样式，却仍保持神性。洛桑信约清楚地表明了这个原则："传扬基督的人必须谦卑地倒空自己，但仍保持以他们

的真诚去服事别人"（第十段）。

我们必须深谙人们敌挡福音的原因，尤其应当重视文化因素。有些人拒绝福音，并不是他们认为福音是错谬的，而是因为他们觉得福音是一种有害的舶来品。

勒内·帕迪拉（Rene Padillá）博士在1974年的洛桑世界福音大会上的发言引起一片哗然，人们批评他的言论过于放肆。他指出欧美宣教士所传的是"文化基督教"，其中的福音信息已经被物质主义和西方消费文化扭曲。听到这席话我们大家都很难过，但他确实言之有理。我们所有人，都需要更认真地审视我们所传的福音。在跨文化处境中的宣教士需要虚心地向当地基督徒求教，以便辨明自己所传的福音有无遭到自身文化的扭曲。

还有一些人敌挡福音的原因是感到福音对自己的文化形成了威胁。固然，基督一定会挑战每一种文化。不论何时，只要我们把福音传给印度教徒、佛教徒、犹太人、穆斯林、世俗主义者或马克思主义者，耶稣基督都会亲自挑战并取代这些人的归属感和安全感。耶稣基督是所有文化和个人的主，这样的威胁与冲突在所难免。然而，福音是否对我们要去服事的对象造成了不必要的威胁呢？宣教士是否会要求人们废除无害的风俗，或者要求人们自毁本国艺术、建筑、音乐以及节庆？宣教士分享福音的时候是否带着文化优越感或盲点？

总而言之，神借着圣经与我们沟通时，用的是人类的语言，而祂在基督里向我们讲述真道时，祂成了肉身。为了向世人启示自己，祂倒空自己，自甘卑微。这才是圣经赐予我们的布道模式。真正的布道需要倒空自己、谦卑自我；若是不愿做到这两点，我们便是敌挡福音，扭曲了基督的真实面貌。

圣经明示普世宣教的能力

第四，圣经赐予我们开展普世宣教所需的**能力**。无需赘言，我们何等迫切需要能力！我们深知，自己的资源与这项重大的任务相比何其匮乏无力；我们也知人心何其顽梗悖逆；雪上加霜的是，我们知道魔鬼何其真实，充满恶毒和权势，还掌管着大批邪灵。

一些自诩高雅老到的人为了哗众取宠而奚落和讽刺我们的信仰。然而，福音派基督徒就那么天真，依然坚信耶稣以及使徒的教导。约翰说："我们知道我们是属于神的，而整个世界是伏在那恶者手下。"（约一 5:19）这是何等严肃的一个事实！除非耶稣基督将人们从捆绑下解救出来，带入祂的国度，否则这些罪中的男男女女都是魔鬼的奴隶。不仅如此，魔鬼的权势在现今世界随处可见，拜偶像的行为和对诸灵的恐惧，迷信和悲观宿命论，敬拜假神，西方的物质主义，无神论的散播，丧失理智的邪教滋生蔓延，暴力和侵略此起彼伏，绝对真理与良善逐渐丧失等等，不一而足。这一切都是魔鬼的作为，圣经管它叫说谎的、骗子、毁谤者以及凶手。

因此，基督徒归主和重生都是神的恩典。基督与撒旦之间的斗争终必结束。要进到壮汉的家里抢夺财物，就必须先把它捆绑起来。如今有一个比它更强的人来了，那就是基督。基督借着自己的死和复活胜过了撒旦，夺去了它所倚靠的武器，

神话语的能力完全可以自证其神圣的来源。让神的话语自由驰骋于全地吧！

废除了它一切的邪恶权势（太 12:27-29；路 11:20-22；西 2:15）。

那么，我们该如何进入基督的得胜，推翻魔鬼邪恶的统治呢？我们不妨来看看马丁路德的答案：ein wörtlein will ihn fällen（德文，意即"只需一个小小的字就能将他打倒"）。神的话语和福音大有能力。新约关于这一真理最富戏剧性的表达莫过于哥林多后书四章，保罗说："这世代的神弄瞎了他们的心眼，使他们看不见基督荣耀的福音的光。"（林后4:4）

心被蒙蔽了，人怎能看见真理？当然只有靠神的话语，因为是神亲自说出"要有光从黑暗里照出来"，并且这光"已经照在我们的心里，要我们把神的荣光照出去，就是使人可以认识那在基督脸上的荣光"（4:6）。使徒保罗由此将顽固不化的心比作太初的黑暗混沌，将重生归因于创世之初"要有光"的神圣命令。

如果说魔鬼是要蒙蔽人的心，而神要把光照进人的心里，那么我们能在这场较量中贡献什么呢？我们是否应该从这角斗场的泥泞里退出，让神与魔鬼分个胜负呢？不！这不是保罗的结论！

恰恰相反，哥林多后书四章在描述神与魔鬼的行动的4节和6节之间，插入了有关福音使者工作的描述："我们……传扬耶稣基督是主。"既然福音是魔鬼想要阻止人看到的光，也是神要照入人心的

光，那么我们最好就去传扬这光！福音不仅是必要的，而且是不可或缺的！福音就是神命定的道路，要让真光在人心中得胜，又要打败黑暗势力的王。神的福音大有能力，满有神拯救的大能（罗1:16）。

我们或许已经软弱至极。可是有时，我倒希望我们更软弱一点。面对恶者的权势时，我们会受到试探，想要用自己的力量演一场"福音武打戏"。然而基督的能力正是在我们的软弱上显得完全，在我们人软弱的话语中，圣灵得以彰显祂的能力。我们什么时候软弱，什么时候就刚强（林前2:1-5；林后12:9-10）。

让神的话语在全地驰骋

让我们开始好好运用神的话语，而不是在辩论神的道上徒耗精力。神话语的能力完全可以自证其神圣的来源。让神的话语自由驰骋于全地吧！只要每一个宣教士和布道者都忠实、贴切地传扬圣经的福音，只要每一个基督的传道者都忠心地解释神的话语，神就会在其中显明祂拯救的大能。

离了圣经，普世宣教根本无法实现。离了圣经，我们便没有福音可传给万族，也没有要传给他们的依据，无法知道如何执行神所嘱托的任务，更没有胜利的希望。是圣经给了我们使命、福音的信息、榜样以及普世宣教的力量。因此，让我们开始以勤学和深思重拾圣经，让我们留心聆听圣经的呼召，抓住圣经的信息，跟随圣经指明的方向，信任圣经的能力，让我们用更响亮的声音使万族都听到福音。

研习问题

1. 作者如何解释整本圣经就是普世宣教的使命所在？

2. 谈到普世宣教的"信息"时，作者对"完全流动"和"完全僵化"两个错误的观点做了阐述。请将这两种极端的错谬与宣教"榜样"范例那段提到的文化身分认同上所犯的类似错误进行比较。

3. "神的权能"和"祂仆人的软弱"，在战胜恶者这件事情上有何关联？

第5章 宣教与受造界

基斯·书特（Christopher J. H. Wright）

作者是国际灵风合作伙伴组织（Langham Partnership International）的国际总主任（在美国名为约翰·斯托得事工）。他曾在印度普纳的联合圣经学院教授旧约，之后在英格兰威尔的万国宣教学院（All Nations Christian College）担任校长。他还担任过洛桑神学工作小组主席，并且是伦敦万灵教会的同工。本文摘自他所著的《宣教中的上帝》（The Mission of God）一书，版权所有，2006年。版权使用承蒙许可。

看哪，天和天上的天，地和地上的一切都是属于耶和华你的神的。（申10:14）

这个宣告壮阔雄伟，指出以色列的神是整个宇宙的拥有者。众所熟知的诗篇廿四篇1节呼应道："地和地上所充满的，世界和住在世上的，都是属于耶和华的。" 其实约伯记里也有一节较为类似的经文，是神对约伯亲口宣称："天下万物，都是我的。"（伯41:11）

大地属乎神

大地是神所造的，理当属于神。我们不是大地的主人，尽管我们自诩如此。不，神才是大地的所有者，而我们只是租户。神将大地的居住使用权赐给我们（诗115:16），但是地契并不属于我们。如同任何一种产权者和租户之间的关系一样，神可以对我们如何对待祂的财产进行问责。因此，"神是大地的所有者"这一概念，具有深远的伦理和宣教意义。

受造界的美好

创世记第一、二章最强调的是，神的创造是美好的。[1]在整篇叙述之中，神六次宣布祂的创造是"好的"。这荡气回肠的简单肯定，让我们明白以下两点：

1. 受造界的美好只可能源于一位良善的神

希伯来人的创世观念有别于其他近东古文明。后者的神明多是自然界的诸神和力量，被描绘成凶暴的化身，自然界中的各个方面只不过是这些神明凶暴性情的展现。在圣经旧约中，自然界从根本上说是好的，是独一良善之神雅威所创造的。圣经中关于受造界之美好的见证反映出造物主的美好性情。

2. 受造界本质上的美善

创世的记载中多次提到"这是好的"，这不是亚当和夏娃发出的，而是神的亲口宣告。受造界的美好不管在神学意义上，还是在时间顺序上都先于人类的观察。这不是人看到美景时发出的舒心赞叹，也不是因其是有益于人而作出"好"的评价。神肯定受造界的美好，证明了神对整个宇宙的认可。从创造光，水和大地，太阳和月亮，植物，到创造水中的鱼、天空的飞鸟和地上的走兽，神在创造的每个阶段都宣称"这是好的"。这些得到神肯定的受造之物，在人类被造之前就已经存在。

因此，大地本身有其价值。也就是说，神看它为有价值的，而神是一切价值的源头。神因自己造了大地并且拥有它，就看重它，因而，光说大地对我们有价值是不够的。我们在考量生态层面的宣教时要谨慎，首先掂量的不是大地能为我们提供什么价值，而是思考大地可以如何荣耀神。

受造界的神圣性（却不是神性）

圣经在造物主和受造物之间作了清楚的区别：受造界没有一样本身具有神性。这排除了主张自然界里都有神的多神教，就是当时以色列周边地区盛行的宗教。在多神论的宗教系统中，自然界的各种力量都被认为是神明（或是由神明操控）。许多宗教仪式意在安抚或召唤自然界的男神女神，以期带来好收成。

然而在以色列人的信仰中，自然界本身并没有神性。这些自然之力或许看起来巨大可畏，却只不过是神所作的工，也完

> **大地本身有其价值。也就是说，神看它为有价值的，而神是一切价值的源头。神因自己造了大地并且拥有它，就看重它。**

全在祂的掌管之下。因此希伯来圣经虽然教人要尊重和看护人以外的万物，却反对把自然事物神化或人格化，或是赋予那有位格的造物主之外的能力。

旧约圣经不断从与造物主的关系来说明受造物。受造物的秩序由神掌管，听从神的指令，彰显神的荣耀，也从神的护理和供应中得益处，并执行神的旨意。从本质上来说，视受造界为"神圣"不同于视之为"神明"。以色列的律法、敬拜和预言要求尊重人类以外的受造之物，我们也理当如此。不过崇拜自然就等于把造物主和受造物本末倒置。以色列反覆受到警告，不要参与此类的偶像崇拜（例如申4:15-20；参伯31:26-28）。保罗则把这种偶像崇拜与人有意的悖逆和社会罪恶联系起来（罗1:25 及整段经文）。

万物受造的目的是荣耀神

《威斯敏斯特小教理问答》关于人类存在的意义和目的提出了这样一个问题："人生的首要目的是什么？"这答案基于圣经，简明扼要："人的最终目的是荣耀神，并且永远以神为乐。"我们完全可以基于圣经向整个受造界来问这个问题，而答案也是一样。受造物存在的目的就是赞

受造物存在的目的就是赞美和荣耀造物主，也是让受造物与造物主彼此为乐。

美和荣耀造物主，也是让受造物与造物主彼此为乐。以神为中心的特性并非人类与其他受造物的分水岭，而是二者共通之处。荣耀神，以神为乐是所有受造物的首要目的。

人类以特有的方式荣耀神，因为人类是唯一按着神的形象受造的。因此，我们不单用我们的心灵、双手、声音和理性来赞美神，也用情感、语言、绘画艺术、音乐、精巧的手工，以及一切能够反映出神的形象的事物来赞美神。我们受造就是按照这位神的形象。

事实上，其他受造之物早已受神不断的呼召而去敬拜祂了（诗145:10、21，148章，150:6）。不仅人类以感恩回应神慷慨的赐予，其他受造物也同样如此（诗104:27-28）。我们或许无法解释其他受造物怎样敬拜造物主，因为我们只了解人的属性，只明白我们赞美神是怎么回事。然而，我们不能因为不清楚其他受造物如何赞美神，以及神如何接受这些敬拜，就断然否认受造界赞美神这一事实。整本圣经都极为肯定这一点。

这种感恩礼赞可以说是一切受造之物所共有的基本特征，无论是地球、人类、动物、风景、海洋、山峰、土壤、空气、风雨和水火，都是如此。诗人认为受造之物最首要的道德义务就是敬拜和赞美造物主……在古希伯来人的观念中，人类和宇宙都具有道德意义，而且二者都有义务对造物主做出道德回应，就是彰显神的荣耀，报之以感恩、赞美和敬拜（诗150篇）。[2]

最终，当我们的大君王再来恢复受造界的时候，一切受造之物都将欢喜快乐、感谢着迎接祂。（参诗96:10-13，98:7-9）

受造界盼望得赎

我们看到，在思考受造界的时候，圣经有关创造的教导何等重要。然而，正如驾车不能只看后视镜，还必须注视前路达到目的地，单单回顾创世记并肯定其有关自然的伟大真理还远远不够。圣经教导我们不仅因为大地的源头造物主，也要因大地的终极目的而看重它。所以要以圣经的创造论和末世论作为生态伦理和生态层面的宣教基础。

新天新地：以赛亚的异象

旧约圣经中的以赛亚书蕴藏着有关这一基础的丰富信息。我们大可从以赛亚书十一章1-9节荣耀的异象说起，看看将来公义的弥赛亚君王如何带来受造物之间的和睦共处。在卅五章，受造界改换一新的气象也伴随得赎之民归回锡安。然而，圣经旧约有关受造之物在末世的异象要等到以赛亚书六十五章才达到高潮，这一章值得通篇诵读。

我把彩虹放在云彩中，作我与大地立约的记号。我使云彩遮盖大地时，彩虹出现云彩中，我就记念我与你们和一切有生命的活物所立的约：水不再成为洪水，来毁灭凡有生命的。（创世记九章13-15节）

看哪！我要创造新天新地；
先前的事不再被人记念，
也不再涌上心头了。
你们要因我所创造的永远欢喜快乐；
因为我创造耶路撒冷成为快乐，
使她的居民欢乐。
我必因耶路撒冷快乐，因我的子民欢喜；
他们中间必不再听到哭泣的声音，
也不再听到哀号的声音。
那里必再没有数日夭折的婴孩，
也没有不满寿数的老人；

因为百岁而死的人，仍算是年轻人；
有活不到百岁而死的人算是被咒诅的。
他们必建造房屋，住在其中；
他们必栽种葡萄园，吃其中的果子。
他们不建造由别人来居住的房屋；
他们不栽种由别人来享用的葡萄园；
因为我的子民的日子必像树木的日子；
我的选民必充分享用他们亲手作工得来的。
他们必不徒然劳碌，
他们生孩子不再受惊吓，
因为他们都是蒙耶和华赐福的后裔，
他们的子孙也跟他们一样。
那时，他们还未呼求，我就应允，

他们还在说话，我就垂听。
豺狼必与羊羔在一起吃东西，
狮子要像牛一样吃草，
蛇必以尘土为食物。
在我圣山的各处，
它们都必不作恶，也不害物；
这是耶和华说的。

（赛65:17-25）

这个异象描绘了神所创造的新天新地，多么鼓舞人心。那是一个充满喜乐的地方，没有泪水和悲痛。那里生机盎然，洋溢着工作的满足，再也没有令人沮丧的徒劳，也没有环境污染！这个伟大的异象让当今新纪元运动的幻想相形见绌。

这些旧约经文是新约盼望的根基。新约的盼望既没有否定大地本身，也不是要人魂游象外，而是期待一个全新蒙赎的受造界（罗8:18-21）。公义要充满其间（彼后3:10-13），因为神会亲自与祂的子民同住（启21:1-4）。

展望全新的创造

新旧约里有关创造的末世异象大都是

积极肯定的。那我们如何看待圣经中关于受造界最终要遭到烈火般毁灭的观点？彼得后书三章10节告诉我们："在那日，天必轰然一声地消失，所有元素都因烈火而融化；地和地上所有的，都要被烧毁。"

在各种英语版本的圣经中，我倾向于将该节经文的最后一词译为大地"将被（人）发现"（比较英文不同版本：NIV 译作 "将被揭发开来"，NRSV 译作 "将被显露出来"，REB 译作 "将被带来审判"）。我不赞同其他译本的措词，例如 KJV 和 NASB 都译作 "要被烧毁"。[3]

我认为包衡（Richard Bauckham）对此的解读较有说服力：大地以及其上的万物 "将要被找出来"。也就是说，将完全赤露敞开地暴露在神的审判之下，以至一切作恶的不再有隐藏或庇护之所。[4]换言之，这里所说的 "烧毁" 并不是把整个宇宙消灭，而是洗净我们现今寄居的罪恶世界，透过烈火将一切罪恶毁灭，好为全新的创造铺平道路。这也与彼得后书三章6-7节中记述的大洪水的审判一致。这次大洪水明确地预表了末日的审判："当时的世界，因被水淹没而消灭了。但现在的天地，还是因为同样的话可以存留，直到不敬虔的人受审判和遭灭亡的日子，用火焚烧。"

那时的罪恶世界在洪水中覆灭了，然而神所创造的受造界却得到了保全。以此类推，恶贯满盈的世界和受造界中的邪恶与罪污，都将在神烈焰的审判中被铲除，然而受造界本身却要得到更新，成为神携得救之人同住的居所。

圣经里面对大地满有尊荣的盼望为我们的生态伦理观增添了一个重要的层面，就是不只是回顾神起初的创造，还遥盼神更新的创造。这表示我们的宣教动机具有双重的力量，仿佛推拉效应。目标已经在望！诚然，这目标最终只有靠神自己的大能才能达到；然而，正如圣经末世论的其他方面，我们对神的期许必定影响到我们现在如何生活，如何调整我们应有的目标。

为何呵护受造界也是宣教？

源于神使命的圣经宣教神学，需要将生态圈纳入宣教的视野，将切实可行的环保行动视为宣教的当然成分。基于下列四方面的缘由，基督徒参与神的使命时，应当考虑将呵护神的创造纳入其中。

1. 呵护受造界延展了人类使命

人类在大地上奉命统管、监护和照顾其他的受造物。神不但命令人类遍布全地（神也给了其他受造物同样的命令），还要人类驯服（希伯来语：kabas）大地，且要统管（希伯来语：rada）各样的生物（创1:28）。"kabas" 和 "rada" 是两个语气强硬的词，既有费力又有努力的意思，意即将意志强加于人。然而，与当代喜好讽刺的 "生态迷思"（ecological mythology）不同，此二词并无 "暴力" 和 "滥用" 之意。有人认为这两个词可能包含暴虐和剥削之意，亦即间接地指责基督教从其本质上而言对生态怀有敌意。这是比较晚近的观点。[5]到目前为止，这两个词在犹太传统和基督教传统中主导的诠释是 "人类受托精心照管其他受造物"。[6]

从一个层面讲，kabas 一词表示神授

权给人类像其他物种一样利用自然环境，繁衍生息。其实所有物种为了繁衍都在某种程度上"驯服了大地"。这也是地球上的生命之本性。根据创世记一章28节，*kabas* 的范围应该不超过农耕的范畴。人类为了自己的益处，发明各种生产工具和技术征服大地，虽然在征服的程度和对生态环境的影响方面与其他物种差别巨大，但二者并无本质上的区别。

rada 一词则比较能显明人和其他受造物之间的区别。它指明了神要人类管理或施行统治的职责，这一角色并没有赐给其他任何受造物。创世记一章28节告诉我们，神将自己对整个大地的主权托付给人类。古时的君王或者皇帝往往会在其统治的边陲树碑立像，表明自己对该地区及人民的主权。王的形象代表王权。同样，神将人类设立在受造界中，代表那属于祂这位创造主和全地之主的权柄。照着神的形象所造的人在执行指定的管理时，反映出神的品质应当是顺理成章的事。故此，人类施行的统治必须体现出神王权的品质。

这个"形象"带有皇家气质，神托付人类的这种治理应当合乎理想的君王特点。这些理想特点不是滥用或无用，不是暴政，也不是任意操纵和剥削臣民，而是满带公正、怜悯和对一切受造之物福祉的关怀。[7]

若神是这样作工的，那我们这些照着神的形象受造，奉命成为祂的样式的人，就更要义不容辞地像神那样管理和爱护祂所托付给我们的万物。

这一认识会颠覆人类至上主义。若我们在治理方面像神，那么就必须在施行统治时"效法神"（弗5:1）。的确，神的形象（imago Dei）制约着我们，无权对大地任意妄为。我们要作贤王，而不是暴君。如果我们作了暴君，那就等于否认、甚至摧毁自己身上的神的形象。那么，神到底是如何施行统治的呢？诗篇一四五篇告诉我们，神有恩典、怜悯、良善、信实、慈爱和慷慨之心。祂不单爱护人类，也爱护"一切祂所造的"。神一贯的行动是祝福，也正是神从不止息的护理使牲畜、雄狮、飞鸟以及水里的鱼都得到供养（诗104篇；太6:26）。[8]

2. 呵护受造界体现出圣经关于怜悯和公义的平衡

呵护受造界体现出神的怜悯，因为看护本身就是一种无私之爱的表达，而许多受造物是无法答谢或报偿我们的。从这个角度上说，我们呵护受造之物的爱，就反映出与神之爱相同的品质——对万物一视同仁的怜悯。神不单对与祂为敌的人，更对"一切所造的"（诗145:9、13、17）都投以怜悯和无私的爱。耶稣还用神对天空的飞鸟和野地的百合花的悉心眷顾，来说明神对人更大的爱。如果神对人以外的受造物都如此关爱，那就不用说对愿意仿效祂的人有多么爱惜了！

对受造界的呵护体现出神的公义，这是因为环保的行动体现出对弱者的保护、对恃强凌弱者的反抗、抵抗暴徒对手无

寸铁者的攻击、替无发言权者开口回击好恶。这些同样是神公义之性情的体现。诗篇一四五篇指出，神对万物不仅施慈爱，也施公义（诗145:13-17）。实际上，诗人在此把神对受造界的呵护和神解救子民并判之无罪相提并论。这将旧约中关于创造和救赎的传统完美无瑕地结合起来。

3. 呵护受造界挑战其他意识形态

若是教会今天觉醒过来，开始重视生态危机，并在基督信仰的框架内来处理，那么难免在两种意识形态上发生直接冲突，遑论其他。

(1) 破坏性的全球资本主义及其背后的贪婪

当今环境的恶化，毋庸置疑，是由全球化资本主义的贪婪所致。圣经指出贪婪便是拜偶像，贪爱钱财更是万恶之源。资本主义对以下各方面垂涎欲滴：

- 不惜代价开采矿产和石油。
- 可用于畜牧以获取肉类的土地。
- 捕杀珍禽异兽，迎合人类对于时尚、饰物、奢侈品和把玩之物的虚荣心。
- 为商业或旅游目的开发脆弱或无法替代的生物栖息地。
- 为占有市场，剥削国以最低成本生产，而让受剥削的国家、百姓承受环境、资源和人身健康的代价。

教会若要参与环境保护，就不得不预备应对经济实体背后的贪婪势力，迎战各种既得利益集团和政治阴谋，还要意识到有许多事情比善待人和动物更为严峻。教会甚至应当借助科学研究，使自己的主张有理有据。就如宣教的其他方面一样，教会也当准备好走一条漫长而艰辛的道路，要在这个堕落的世界中争取公正和怜悯。

(2) 其次，泛神论、新兴异教和新纪元灵性追求

我们经常发现，受泛神论、新兴异教和新纪元运动的哲学所吸引的人，从一个非常不同于圣经的角度对维护自然界大发热心。教会在宣教上必须要见证圣经关于"大地属于神"这一真理。大地不是希腊人所说的"盖亚"（Gaia），也不是泛灵论所谓的"大地之母"（Mother Earth）。它没有独立的超自然力量，也不是能自给自足的有意识之存在体。我们不可把献于有位格的独一真神的崇拜、敬畏和爱戴归给大地。我们在环境方面的宣教不该浪漫化或神秘化。圣经没有叫我们"与大地联为一体"，而是要我们呵护大地，体现我们对大地的创造主和救赎主的爱与顺服。

4. 呵护受造界源于神的使命

神的使命必须成为圣经宣教神学的起点和终点。那么，神在历史之中一直投身的首要使命是什么呢？这个使命不单是要救赎人类，还要完成对整个受造界的救赎。神正在照着圣子耶稣复活的模式转化和更新受造之物，以建立一个全新的受造界，使之成为祂所有被赎之民将来复活后的居所。

这样一来，宣教如果只包括人类，哪怕是全人的救赎，而将基督以其宝血所救赎、使之与神和好的其他受造物（西1:20）排除在外，就绝非整全的宣教。那

些回应神的呼召而投身于照顾非人类生物的生态工程的基督徒，实际上是参与了一项在神的全部计划中占据重要一席的特殊使命。他们的动力来自神对受造物的爱。

像神一样呵护受造界

上述几点是基于两个原因：一是受造物在神心中有其本身的价值，二是神命令我们如同祂一样看顾受造物。这使命并不取决于这些行动的实用性或结果，例如得到的好处或者宣教成果。我们眷顾大地的唯一理由在于神是大地的拥有者，并且吩咐我们要如此行。

毋庸置疑，从长远来看，对受造界有益的，终究对人类也有益。此外，既然人类的罪恶在哪里增多，自然界的哀鸣就在哪里显多，那么，给受造界佳音，就是给人类喜讯。福音对一切受造物都是好消息。

基督徒的环保行动也会带来福音的硕果，但不是因为它可以为"真宣教"开路；单纯因为关注呵护受造界就是用言语和行动宣告了神对祂所造的一切饱含永无止境之爱（这其中当然包括祂对人类的无私之爱），同时尽显造物主为救赎人类以及非人类受造物所付出的巨大代价。这样的行动充分体现出圣经的真理，即神深爱祂所造的一切。

神爱世人，甚至将祂的独生子赐给他们，叫一切信祂的，不至灭亡，反得永生，并最终要叫天上地下的万物都借着十字架上流出的宝血，与神和好，因为神在基督里使世界与自己和好。

附注

1. Ron Elsdon 在其所著 *Green House Theology: Biblical Perspectives on Caring for Creation* (Tunbridge Wells, U.K.: Monarch, 1992) 一书中，认为受造界的良善是贯穿圣经两约的主题。

2. Michael S. Northcott, *The Environment and Christian Ethics* (Cambridge: Cambridge University Press, 1996), pp. 180-81.

3. "经文表述" 指在一些希腊文新约圣经古抄本中发现几处经文有些微差异时，不同的圣经翻译团队必须选择他们认为最能反映圣经原作者本意的经文表述。NIV 指新国际版；NRSV 指新标准修订版；REB 指英文修订版；KJV 指英王钦定本；NASB 指新美国标准版圣经。

4. Richard Bauckham, *2 Peter and Jude, Word Biblical Commentary 50* (Waco, TX.: Word, 1983), pp. 316-22.

5. 这个广为流传的观点认为，基督教由于创世记一章28节记载，以致于用工具主义的角度来看待自然界，所以应该为当代生态危机负主要责任。这个观点源于 Lynn White 一篇常为人复制和引用的文章，"The Historical Roots of Our Ecologic Crisis," *Science* 155 (1967): 1203-7, 1967。许多人曾就此文作出回应，表明 Lynn White 的观点其实基于一个对希伯来文创世记文本的误解。例如，James Barr 在1972指出，"人的'管理'根本没有明确包含剥削的含义。它的意思大致相当于东方的一个著名概念，即牧人式君王……因此犹太基督教有关受造界的教义根本不像

Lynn White所说的那样当为生态危机负责；正好相反，这一教义的圣经基础表明一个与其截然相反的立场。圣经不是许可人去剥削，而是赐给人尊重和保护受造界的职责。" 见 James Barr, "Man and Nature—the Ecological controversy and the Old Testament," *Bulletin of the John Rylands Library of the University of Manchester* 55 (1972), pp. 22, 30。

6. 有关基督教历史上对该观点代表性表述的综览，见James A. Nash, "The Ecological Complaint Against Christianity," in *Loving Nature: Ecological Integrity and Christian Responsibility* (Nashville: Abingdon, 1991), pp. 68-92。

7. Robert Murray, *The Cosmic Covenant: Biblical Themes of Justice, Peace and the Integrity of Creation* (London: Sheed & Ward, 1992), p. 98.

8. Huw Spanner, "Tyrants, Stewards—Or Just Kings?" in *Animals on the Agenda: Questions About Animals for Theology and Ethics*, ed. Linzey Andrew and Dorothy Yamamoto (London: SCM Press, 1998), p. 222.

研习问题

1. 简述受造界的 "神圣性" 与 "神性" 两种说法的不同之处。这个区别为何重要？
2. 作者将呵护受造界纳入基督教宣教事工，是基于哪些缘由？

第6章 满有转变大能的祝福

萨莉塔·加拉格尔（Sarita D. Gallagher）、贺思德（Steven C. Hawthorne）

萨莉塔·加拉格尔是阿兹塞太平洋大学国际研究兼职教授。她曾在澳大利亚和巴布亚新几内亚的大学和圣经学校教授神学和跨文化研究。她专门研究亚伯拉罕的祝福的宣教学意义。

贺思德现任 WayMakers 的总干事，该组织开展宣教和祷告动员事工。在1981年共同参与编辑《宣教心视野》课程和读本后，他发起了"约书亚计划"，主要针对亚洲和中东的未得之民进行一系列研究考察。他与 Graham Kendrick 合著了 Prayerwalking: Praying On-Site with Insight 一书。

神对亚伯拉罕的应许实际上是给全世界的应许。神在创世记十二章1-2节中宣告说，祂不单要祝福亚伯兰（亚伯拉罕当时的名字），还要让他成为别人的祝福。下一节经文揭示了这一祝福的奇妙宏大："地上的万族，都必因你得福。"只是一个人怎么可能祝福世上的万族呢？

虽然亚伯拉罕顺服神，但他不可能马上就领会了这话的普世性含义。在后来的年月中，亚伯拉罕再次听到神的应许。完整的应许有三个部分：土地；后裔和祝福。前两个关于土地和后裔的部分还算好懂，但神应许要透过他的后裔祝福地上的万族，则始终是一个奥秘。

多年过去了，亚伯拉罕仍未得到神所应许的土地和子孙。想必亚伯拉罕已经仔细地琢磨过了——神的应许若是实现了会是怎样一番景象？对此，我们最好也细加思索一番。"万族得福"这一应许如今还在成就之中。一个国家或民族得到祝福究竟是什么意思？我们因信基督也承受了神应许亚伯拉罕的祝福，作为神的管家，我们应当有何期待呢？

究竟"祝福"是什么意思？

就算只有创世记作为唯一的资料来源，我们依然能够充分地认识"祝福"的含义。在创世记里，"祝福"一词有两种独特的用法。第一，表示宣告或赐予祝福：先说出未来有何命运或福分，然后再赐予承受祝福的人或物。第二，指应许之福的实现，包括物质层面和非物质层面。因此，祝福一词既指该祝福所带来的礼物、礼遇，也指赐福之举。

赐予之福

神早在创世的第五天就宣告了祝福。他创造了第一批动物之后便说水中的生物和空中的飞鸟是"好的"，并随即予以祝福，赐予能力实现在各自领域里"生养众多，遍满地面"的使命。神如此祝

福，并非只是让它们"好"而已，还赋予它们生养和繁盛的能力。在创世的第六天，神造了动物和人类，神再次宣告这一天所创造的一切都是"好的"；接着祂又祝福人类，赐给他们"生养众多，遍满地面"的使命和能力。

自此之后，祝福在圣经中的概念便一直与"生命兴盛，趋向神所命定的丰盛和完全"这个概念联系在一起。当祝福在生物、个人、家庭和民族中实现时，他们便得以向着神所预定的结局迈进。这种改变或快或慢。祝福从未被视为魔术，而是神生命本质的活力彰显，祝福乃是神的良善更美好的体现。

在创世记余下的记述中，我们看到更多宣告祝福的例子。雅各和哥哥以扫争夺父亲的祝福，是最突出的例子（创27章）；他与天使（可能是与神）摔跤，直到获得祝福。这非常值得注意："如果你不给我祝福，我就不让你走。"（创32:26-29）无论如何，像这种口头宣告的祝福远非说说而已，而是表示所传递的神特别的能力和丰盛坚决不改变。

实现之福

在创世记中，我们也看到祝福的应许以可见的方式实现。圣经上说，亚伯拉罕年纪老迈之时"耶和华在一切事上都赐福给他"（创24:1）。究竟神如何在一切事上祝福亚伯拉罕呢？

我们在创世记的记载中看到三大类别的祝福。第一，物质财富以及丰盛。第二，蒙神恩惠，经历神的同在。第三，家族以及族群之间的和睦。

1. 物质财富

亚伯拉罕的仆人列举了神给亚伯拉罕的祝福："耶和华厚厚地赐福我主人，他就昌大起来；耶和华又赐给他羊群、牛群、金银、仆婢、骆驼和驴。"（创24:35）请留意"耶和华大大地赐福……使他……"这一表达。显然，仆人明白这一切财富都是神祝福的结果。

神也在物质方面祝福以撒。"亚伯拉罕死后……神赐福给他儿子以撒"（创25:11），这段记载显明了很典型的祝福行动——使不孕的能生育。"以撒因为自己的妻子不生育，就为她恳求耶和华。耶和华应允了他，他的妻子利百加就怀了孕。"（创25:21）

以撒在物质上得到丰盛的祝福："以撒在那里耕种，那一年丰收百倍，耶和华实在赐福给他。他就日渐昌大，越来越富有，成了个大富翁。他拥有羊群、牛群和很多仆人。"（创26:12-14）神赐以撒充足的水源可以使用，这意味着他"必在这里繁盛"。周围的非利士人看到水源，推测到这是"神对以撒的祝福"（创26:15-22）。

亚伯拉罕的孙子雅各同样物质丰盛，这也是神的祝福。雅各因拉结的缘故，多服侍了拉班七年。工期满后，拉班坦言自己的经济和物质的成功都与雅各有着直接的关系，"耶和华赐福与我，是因你的缘故。"（创30:27）雅各认同他说的，告诉拉班："耶和华随着我的脚踪赐福给你。"（创30:30）

我们必须留意到，世界上不少地方的人通常认为祝福是一种魔法或神秘力量，可以令人得到所渴望的好处。在这样的思想中，祝福莫过于好运，有时靠一些操纵手段或是某些具有法力的人就可得到。这种世界观是把祝福降格为从神获取财富的方法，所谓的"成功神学"与之有许多相似之处。

2. 超过物质财富：神同在之福

祝福不单是家财兴旺，亚伯拉罕的邻族都看到一些非实物方面的祝福，最显著的莫过于神与亚伯拉罕同在。

亚比米勒和他的军长对他说："在你所作的一切事上，神都与你同在。"（创21:22）声名显赫的麦基洗德当着围观的所多玛城人，公开称赞亚伯拉罕蒙神喜悦："愿……至高的神，赐福给亚伯兰。把敌人交在你手里的至高的神。"（创14:19-20）

同样，以撒的邻族也说："我们实在看见耶和华与你同在。"（创26:28）

3. 不只与神立约：各族和睦之福

非利士人认识到神与亚伯拉罕大而可畏的同在，就与他商订和平条约（创21:22-23）。这个条约和平地解决了水源引发的争端，并且使"亚伯拉罕在非利士人的地方寄居了许多日子"，长期得到当地人的厚待（创21:24-34）。

后来到了以撒的时候，亚伯拉罕家族与非利士人的关系又紧张起来。非利士人想把以撒和他的家室赶出去（创26:12-17），但是神一次又一次地帮助以撒找到水源，结果有充足的水源足够大家使用，于是非利士人来找以撒"立约"。他们最终向以撒表明："你是蒙耶和华赐福的。"（创26:18-29）

福泽外族

我们看到亚伯拉罕及其家族是如何得享神的祝福。但我们在创世记中亚伯拉罕家族的故事里是否也看到其他民族蒙了神祝福呢？

这不算蒙福

亚伯拉罕领其家室两次在外族中寄居，又在妻子的事上撒了两次谎（创12，20章）。每次撒莱（她当时的名字）被外族君王带入宫中，该国就遭受惩罚。在第二次的时候，王意识到神的忿怒将临到他和他的臣民，就来质问亚伯拉罕："我在什么事上得罪了你，以致你给我和我的国带来这个大罪呢？你对我作了不应该作的事。"（创20:9）虽然亚伯拉罕祷告，使王家中的妇人恢复了生育能力，但我们很难将整个事件视为神对另一个民族的祝福。

祝福满溢，惠泽外族

虽然发生了以上诸多事件，但神确实透过亚伯拉罕和他的后裔帮助了其他族群。例如，当所多玛和蛾摩拉（创14章）被敌人攻占和抢掠时，"所多玛和蛾摩拉所有的财物，以及一切粮食都（被）拿走"（创14:11），亚伯拉罕前来救援。不久之后，亚伯拉罕又求神放过所多玛全城的人（其中当然包括一些曾被掳又被他救出的人）。他为他们不惜与神辩论，不单为罗得一家，也为"整个所多玛城"祈求神开恩怜悯（创19:28）。虽然所多玛终究被灭，但重要的是，亚伯拉罕主动为拯救这城而代求。

先前谈到以撒掘井取水供非利士人饮用（创26:12-22），以及神借着雅各祝福拉班（创30:27），这些都是神祝福他们四周的邻居和邻族的例子。

尤其是在创世记接近尾声之处，我们看到亚伯拉罕的孙子雅各本人给法老祝福。圣经并未记载祝福的具体内容，但我们知道，雅各是在一个非常正式的场合

"给法老祝福"（创47:7-10）。

创世记的高潮是约瑟的故事。正如亚伯拉罕和以撒，约瑟工作惊人的果效令旁观的外族人认识到，神与约瑟的同在带来出人意外的丰盛："耶和华与他同在，耶和华使他手里所作的尽都顺利。"（创39:3）他的主人明白"他家里和田间所有的一切，都蒙耶和华赐福"（创39:5）。

附篇 6-1　祝福战胜咒诅　包衡（Richard Bauckham）

创世记前十一章全面叙述了整个世界的情况。十二章紧接着便记述亚伯拉罕蒙神拣选一事。至此，挪亚的三个儿子（见创世记十章）的后裔——七十个族群，即世上万民的族谱便呈现在我们眼前。自十一章所讲述的巴别塔事件之后，人类便分散在全地，因语言和地域而形成各种不同的民族。可以说，创世记十至十一章给后面的圣经故事布设了一个国际舞台。神之后拣选亚伯拉罕，绝不可理解成神放弃了万族。相反地，神拣选亚伯拉罕恰恰是要使祝福临到万族，就是那曾经被神分散到全地的七十个族群。

在神给亚伯拉罕的应许之中，关键字是"祝福"：亚伯拉罕自己必蒙祝福，因他的后裔必成为大国；而亚伯拉罕也必使别人得福，因世上的万族都必得福（创12:2-3）。"世上万族"必得福这一应许在创世记里又重复了四次（创18:18，22:18，26:4，28:14），最后一次是给亚伯拉罕的儿子以撒和孙子雅各。此外，在雅各与众子的故事中，祝福万民就已经开始，至少是作了预表。一路下来，我们看到雅各给拉班带去祝福（创30:27），约瑟给波提乏带去祝福（创39:5）。尤其重要的一幕是，年迈的族长雅各一到埃及便给高高在上的法老祝福（创47:7）。

"祝福"一词在圣经里是一个内涵丰富的概念，但在神学里却备受冷落。圣经中，"祝福"指神独有而慷慨丰盛的施予，将一切美物赐给受造物，不断更新他们的生命，可以享受到神的丰富。"祝福"是神为了人的兴旺而赐下的供应。然而，它也涉及到关系：蒙神祝福的人不仅会认出这美好礼物是神所赐的，也会认识这位厚赐百物的神。因为祝福具有关系性，所以祝福也是双向的：从神而出，又回到神那里。神对人们的祝福满溢，得福者便祝福他人。经历到神赐福的人转而将称颂归给神。这就是说，他们将受造物所能献出的一切——感恩与赞美——献给神。

"祝福"突出了创造与救恩的关系，这与其他描述神在世上的作为不同。神在创世的第五天就开始施行祝福（创1:22）。"祝福"乃是神使受造物丰盛繁衍，滋长兴旺的途

福泽埃及和全地万族

神将预言七个荒年异梦的解法赐给了约瑟，法老承认约瑟的智慧来自耶和华，并宣告说："你看，我任命你治理埃及全地。"又说："如果没有你的许可，没有人可以随意作事。"（创41:41、44）当饥荒真的来到，灾情"遍及全国"（创41:56）。神使约瑟身居高位，得以向各国广施恩惠。"各地的人都到埃及去，向约瑟买粮。"（创41:57）

七年饥荒中的第二年，约瑟用粮食换得银子和牲畜（创47:14-17）。到了最后一年，他又施政保全埃及的人民，以土地收归国有和20%的税率（相比大多数封建制度，这个税率算是非常优惠）为条件，让人民来换取种子，以便在大饥荒之

径。这是神对受造物最全面的旨意。每当人类享受神创造的美好事物，或是人类活动结出美好果实的时候，那就是神在倾倒祝福。而人类为神的祝福而称谢祂时，也就是在宣扬神是美好的创造主，人的丰富都从祂而来。神的祝福是普世性的。

然而，我们不能以为"祝福"只是描绘神的创造之善，其实还包含神的救恩之善。救恩也是神的祝福。尽管恶者给神的受造界带来破坏，神的旨意仍然在救恩中成就。神给亚伯拉罕的祝福不仅是创造之福，更是以祝福来对付和战胜其对立面——神的咒诅。

因为罪，神的诅咒与祝福一道进入了世界。在创世记十至十一章有关各族的记载中，我们看到了神给亚伯拉罕祝福当时的世界背景。可以说早在创世记三至四章，圣经就已记载了创造的祝福转变为诅咒（创3:17，4:11）。诅咒甚至进入了神对亚伯拉罕的应许中，看上去与祝福并行。在创世记十二章，神对亚伯拉罕说："给你祝福的，我必赐福给他（复数）；咒诅你的，我必咒诅他（单数）。"（创12:3，参27:29；民24:9）但应许仍是以祝福为主，这可以从"给你祝福的（复数）"与"咒诅你的（单数）"之间的差异看出来。显而易见，神呼召亚伯拉罕的目的是祝福，而不是咒诅。因此，神的应许最后是以祝福收尾："地上的万族都要因你得福。"

纵观以色列的历史，咒诅与祝福一直形影相随（例如申7:12-16，27-28），但神给亚伯拉罕的应许最终目标是祝福胜过咒诅。这在神特别拣选的亚伯拉罕的后裔弥赛亚身上实现了，祂"替我们受了咒诅……这样，亚伯拉罕所蒙的福，就在耶稣基督里临到外族人"（加3:13-14）。这就是为何保罗将神叫万国得福的应许称为"好信息"（加3:8）。这应许的秘诀就是基督担当了咒诅，使祝福最终得胜。好信息就是在耶稣基督里咒诅已被挪去，神在受造物身上祝福的旨意得以坚立，再也无法遭到逆转。祝福是神恒久不变的话语，大有能力。这一特别的话语从耶稣的生命、受死和复活表明出来；能力如此巨大，那些像保罗一样的人不由自主地将这祝福传扬开来，凡是领受祝福的人，也满溢出祝福，成为他人的祝福！

作者曾任圣安德列大学新约研究教授，出版过历史神学和新约研究方面的许多著作。本文摘自《圣经和宣教》(*Bible and Mission*)，2003年出版。版权使用承蒙许可。

后可以重新播种（创47:18-24）。饥荒终于结束，可以好好过活的前景在望，人民不禁欢呼："你救了我们。"（创47:25）[1]

后福更大：应许在后裔中应验

亚伯拉罕明白神应许他要成为万族的祝福是什么意思吗？尤其是，他知道这祝福最终何等宏大吗？神五次应许祝福万民。请留意，每一次神是怎样详细阐明会如何实现这个应许。

三次向亚伯拉罕宣告

神在最初的呼召和应许中告诉亚伯拉罕他将"成为大国"。这应许的遣词造句似乎表明是透过一个人，"地上的万族，都必因你得福"（创12:3）。

在第二次宣告中，应许和第一次看来无异。要因为一个伟人，"万国都必得福"（创18:18）。但下一节补充道："好叫我耶和华应许亚伯拉罕的话都可实现。"（创18:19）这话指的是那个应许，与他的"子孙，和他的家属……秉公行义"（创18:19）密切相关。自此，应许的重心转移到了在亚伯拉罕后裔身上发生的事情。

创世记廿二章记载了神的第三次宣告。在此我们看到一个戏剧性的转变。亚伯拉罕顺服神，将儿子以撒献给祂。神为他预备了一只替代的祭牲后立即重申应许。虽是重申，但其中有重大区别。这应许不再成就在亚伯拉罕有生之年，而要应验在他未来后裔的时代。"地上万国都要因你的后裔得福。"（创22:18）单数的"后裔"乃是一个笼统的词，表示亚伯拉罕将来的子孙。这次，神的应许格外地庄严慎重。祂发出誓言："我指着自己起誓。"（创22:16）起誓的目的是使亚伯拉罕的后裔确信，神必实现祝福万族的应许，且要透过他们来实现。

向以撒以及后来向雅各宣告

神第四次作出应许，这次是直接给以撒的。神再次说："地上的万国都必因你的后裔得福。"（创26:4）"后裔"一词的含义在此有了说明，指将来多如天上繁星的子孙（创15:5，22:17）。在第五次宣告中，神应许雅各的子孙众多，"必向东、南、西、北扩展"（创28:14）。当时，雅各可能认为家族地界的扩张无非就是在眼前的应许之地上生养众多。但是，这种地理意义上的扩张可能表示这个应许最终在全球实现。

应许在基督身上应验

大多数基督徒都很清楚，耶稣基督来是预备道路，使世人成为神家的儿女。保罗在加拉太书说，"但到了时机成熟，神就差遣他的儿子……好让我们得着嗣子的名分"成为神的儿女（加4:4-5）。但就在几节经文之前，保罗说凡相信基督的人都已经与基督联合成为亚伯拉罕的后代。"如果你们属于基督，就是亚伯拉罕的后裔，是按照应许承受产业的了。"（加3:29）

神给亚伯拉罕的应许指出，福分将会透过亚伯拉罕的"后裔"实现。"后裔"一词通常用作单数集合名词，指很多后裔；所以，既可以指单个的子孙，也可以指众多子孙。那神所说的后裔究竟是指哪一种呢?

保罗如此回答这个问题:两种都是。亚伯拉罕有一个后裔卓尔不群:"那些应许本来是给亚伯拉罕和他的后裔的。神并没有说'给众后裔',好像指着多数;而是说'给你的一个后裔',指着一个,就是基督。"(加3:16)基督是亚伯拉罕的一个后裔,但是保罗也指出,既然人们因信成为亚伯拉罕的儿女,那么他们就继承了这一应许,并且要因他们的信心实现这个应许:

> 所以你们要知道,有信心的人,就是亚伯拉罕的子孙。圣经既然预先看见神要使外族人因信称义,就预先把好信息传给亚伯拉罕:"万国都必因你得福。"这样看来,有信心的人,必定和有信心的亚伯拉罕一同得福。(加3:7-9)

如今,基督已经消除了诅咒,打开了神家的门,现在世上各族的人都可因信基督而成为亚伯拉罕家的一员。他们继承这整个家的产业,就是领受祝福,从而成为万族的祝福。

神的应许成为吾辈使命

神应许透过亚伯拉罕的后裔祝福万族。这一应许对于凡因信与基督联合的人来说相当于一个使命。这应许清楚地启示了神的目的,让基督徒正确地认识到自己是神所授权的使者,要将祂的祝福带给世上的万族。[2]我们在基督里得到祝福,其目的是将这福分带给世上的万族。但我们所

盼望的是什么呢?使万族得到祝福又是什么意思呢?我们当怎样去实行呢?祝福的应许从两方面构成并整合了我们的使命。

关系上的祝福:归属神家

人所能想像的最大福分莫过于归属成为神的子民,荣幸地作神的儿女。基督已将亚伯拉罕的家向世人开放。如今,我们看到,各个族群、部落和宗族的人,因信归入基督而成为神的子民。邀请更多的人加入神的家,乃是将祝福带给万族的重要部分。如果基督的福音尚未清楚地传给每一个族群,那我们实难想像亚伯拉罕的祝福如何临到他们。

神这方面的祝福,应验以后将是怎样一番情形?我们大可期盼,有一天这世界上每一个民族中至少有一部分人相信并跟随基督。虽然使万族得福远不只是传福音给他们,但如果还有任何族群尚未得到福音,那万族得福无异于空谈。

我们在创世记中看到神彰显了祂在子民中又真又活的同在,神也同样与各族中日益增多的基督跟随者同在。正如创世记所表明的,今天神与祂的子民同在,是赐给祂的子民更多有形祝福的开端。这表示传福音何等紧要,神要祝福万族的应许正是基督大使命的框架。这个应许使基督的跟随者有理有据地盼望神的生命丰满地彰显在万民之中,并且为之努力。

物质与社会方面的祝福:丰盛与和平

我们不单期望属神的祝福在万民中实现,还可以期盼更多!期望见到神丰盛生命的更大的彰显。那不是乌托邦式的完

美，但我们可以怀着坚定的盼望去作工和祷告——相信神必和祂的子民一起将宏大的祝福带给世上的万族。这是创世记中的信息告诉我们的。

因此我们要再问，神祝福万族的应许实现时将是怎样一番景象？当然，这会因人因地而异，但我们理应期望神带来各种各样的祝福。例如，经济和公平公义共同繁荣，工业发达和农产丰富，群体、民族和种族之间和睦共处。我们可以期待神使祂的子民有能力向疾病宣战，打破贫穷的恶性循环，供水给沙漠之地，为饱受灾害的人带来医治。

我们理应相信，因信成为亚伯拉罕子孙的人当中能有人被神使用，效法约瑟，保全多人的性命。如今，在很多城市，我们可能已经看到创世记十八章中神对亚伯拉罕为所多玛祈求的回应。神对亚伯拉罕说，只要所多玛城中有几个义人，全城就可免受犯罪的直接后果。在亚伯拉罕的日子，所多玛连十个义人都没有。现今在世上无数的城市中，则有数以百万计的人因信基督而成为亚伯拉罕的族裔。

满有转变大能的祝福

近来，"更新转变"（Transformation）一词表达了很多人的期盼，那就是基督徒不仅要成功地传讲福音，还要竭力影响转变社会，让基督的公义和属性不断地反映出来。这种将传道和社会活动结合起来的思想，在圣经中的依据不计其数，常见于与"神国的盼望"和"神国的实现"相关的经文。圣经中有大量真理支持一种既有活力又有策略的整全思想，这一点我们可

能一直没有注意到。但神在古时的应许之福为我们提供了一个清晰、丰富而有效的原则，使我们可以将改变社会和完成普世福音化结合起来。

有下列六个原因，神赐福亚伯拉罕的应许为我们提供了一个框架，使我们知道如何为把福音传给天下万民而祷告、计划和同工，同时期待社会发生重大的更新转变。

1. 神透过子民作工，又与子民同工

神的子民用神所赋予的一切恩典、技能和资源，意志坚定、运用策略、存着盼望去作工。但同时，神也使子民的工作满有祂自己的能力和生命。祝福乃是神的子民作工和神的同在共同产生的作用。祝福总是超过人一切的努力。

2. 增长与丰盛

一个蒙福的城市或民族不见得就是一个完美的社会。相反地，对祝福的盼望给我们勇气去祷告，并为建立方方面面都兴盛发达的社会而努力，这些方面包括：灵命、人际关系、身体健康、经济、艺术以及环境等。

3. 不只限于神的儿女

虽然神的百姓是特别蒙福的一群人，但神定意把福分惠及祂百姓以外的人群。我们可以为整个城市和民族争取福祉，不必顾虑人们可能如何接受和反对福音。

4. 增多而非重新分配

合乎圣经的慷慨，是任何想要祝福他人的人必备的一种美德。但是成为别人的

祝福，并不只是为了平等而与别人均分自己的财富。祝福的基本意义在于神的作为，使祂的生命加倍倾注在蒙福者身上，以致达到丰盛。

5. 来自穷人和卑微之人的祝福

在整卷创世记中，神借着软弱、相对贫穷和卑微之人带来祝福。成为神手中的祝福所按照的绝非世界上的那些标准，所以不是富人或权贵者独有的特权。

6. 祝福没有定式，形成缓慢但长久

神所祝福的改变，通常要历经多年甚至几代人的时间。祝福的成果有相似之处，但对于不同地方和不同的人，其实现方式不尽相同。

与神同工，带来祝福

我们看到，创世记预言性地勾勒了神为祂子民所定的旨意有多么广泛，这个画面相当地清晰。既然神给亚伯拉罕的应许包括了神的旨意和我们的使命，那我们就应当期望这使命带来社会和物质生活上的变化和转变。神要我们关怀社会和物质方面的需要，这不是我们要学的主要功课；我们要学的最大功课乃是如何与神同工，使祂的祝福开花结果。我们是神在万民之中的祝福管道，需要倚靠神那赐予生命的奇妙大能，并全力以赴。

今天，神的应许仍在实现之中，我们可以从亚伯拉罕及其家族身上学到如何与神同工的重要功课。在创世记中，最能说明神和子民同工带来祝福这个奥秘的人，莫过于亚伯拉罕的曾孙约瑟。

1. 与神同工

约瑟与神同工，神也借着约瑟作工。波提乏的家受到祝福，其奇迹般的兴旺被人称为"耶和华的赐福"，但这些家财的兴旺也是出于约瑟的智慧和勤奋。我们看到神以超自然的方法帮助约瑟解梦。但也是约瑟借着神所赐的能力和智慧，制定了长期的计划才帮助埃及人渡过饥荒，带来经济及农业的复苏。

2. 不论地位，忠心作工

当约瑟仍身为奴隶的时候，他的勤劳工作使他在主人家所作的尽都蒙福。甚至在法老的狱中坐监时，他因诚信而被指派管理其他囚犯，"因为耶和华与约瑟同在，使他所作的尽都顺利"（创39:23）。后来在这个辽阔的帝国，他居然位居一人之下，万人之上。在这个高位上，神用他拯救了许多生命，又恢复了埃及富饶的农业经济。

3. 以神差遣者的身分作工

约瑟渐渐觉察到自己是神所差派的。他其实可以以受害者的心态度日，因他遭到家人的虐待、受到主人的恶待；又被污蔑，在监狱里惨遭遗忘；但他没有这样！他看出神要透过他实现的目标远远超过自己的好处。神把人原先的恶意转为有益的（创50:20）。约瑟对他的兄弟们说："这原是神差派我在你们以先来这里，为要保全性命。"（创45:5）有人说，约瑟是圣经故事中蒙神特别差遣去完成某项使命的第一人。

4. 完成神的旨意

正如约瑟所说，神差派他的目就是为"保全生命"。约瑟保全了自家人的生命，而埃及百姓溢于言表的感激"你救了我们"（创47:25）则看出这个圣经故事更广的一层意义——埃及全地和迦南全地的百姓都得救了。

如果不清楚多年以来神不断地在展开更大的计划，恐怕约瑟根本不会明白是神差了他。约瑟原可安排一个辉煌的埃及式葬礼埋葬自己的遗骸，但他却坚持要运回神应许亚伯拉罕之地（创50:25；来11:22）。约瑟明白自己所追求的神的旨意，在有生之年无法实现完成。

翘首以盼

我们知道，亚伯拉罕曾经举目看天、数算繁星，深信自己的子孙必繁衍众多，数以亿计。但根据耶稣的说法，亚伯拉罕看到的不只是夜空；他还看到了那日，就是基督的日子，就是他众儿女蒙神祝福继而祝福世上万族的日子，难怪他心中充满了喜乐。

耶稣说：

"你们的祖宗亚伯拉罕，因为可以看见我的日子就欢喜，既然看见了，他就很快乐。"（约8:56）。

附注

1. 有人将约瑟的作法视为一个压迫人民的狡猾行动，借此剥夺了穷困潦倒之人的土地所有权；但圣经的记载强调许多人的生命得到拯救。在古代世界，类似的饥荒往往夺去数百万人的性命，而且统治者一般都任凭大部分人民慢慢地因饥饿而死。考虑到这样的历史背景，约瑟的作法完全可以视为救人的善举。并且因为将来这些土地会重获农业上的丰收，所以约瑟的作法应当视为祝福之举。

2. 在创世记十二章2节中，"使别人得福"在希伯来文中是祈使语气。单从这个动词来看，我们应当把它理解成神给亚伯兰一个清楚的命令，要他成为一个祝福。不过，即便该词本身是祈使语气，整个句子的语法结构表明这个短语是为了强烈地表达在其之前的三个劝告语气的希伯来文动词的目的。这三个动词分别是"使亚伯兰成为大国"、"赐福给他"，和"使他的名为大"。

第 7 章　普世宣教的圣经基础

约翰尼斯·沃库尔 (Johannes Verkuyl)

二十世纪源源不断出版的著作，大都将旧约视为教会普世宣教不可或缺也无可取代的圣经基础。笔者常常参阅这些著作，因而想探究旧约中的四个主题，分别是：普世、救赎、宣教和对抗。这四个主题为新约里敦促教会参与普世宣教奠定了必要的圣经基础。

一、普世主题

旧约中那位显明自己是亚伯拉罕、以撒、雅各之神，又向摩西揭示祂名为雅威（Yahweh，《和合本》译为耶和华）的，乃是全世界的神。先是几个族长经历了这位神的同在，其后是以色列国。再后来，普天之下都有人经历了祂的同在。下面仅引述几处旧约经文来阐述这个普世主题。

作者曾任阿姆斯特丹自由大学宣教学和布道学系的教授和系主任。1940 年，他前往印尼从事多年的宣教工作。当日本在二次世界大战期间占领该国，他拒绝离开，结果在日本集中营里度过了三年的时间。著作超过两百五十种。本文摘自 1978 年版的《当代宣教学导论》（*Contemporary Missiology*）。版权使用承蒙许可。

创世记十章的列族表

创世记第十章中的列族表，对于理解旧约的普世主题来说非常重要。格哈特·拉德（Gerhard von Rad）称之为"创造史的总结"。万族都出于神奇妙创造之手，也在祂忍耐与审判的注目之下。这些民族不是神人大戏中纯粹的舞台装饰；相反地，列族，也就是人类整体，本身就要出演这出戏。神各样的作为都是针对全人类的。

这既是记载人类历史起源的创世记一至十一章中的一个基要真理，同时也见诸于有关人类历史终结的生动记录，即约翰所写的启示录。这位亲自向以色列启示自己，并在耶稣基督里住在我们中间的神，表明自己是阿拉法和俄梅戛（启 1:8），是创始和成终的。祂会一直作工，直到"各支派、各方言"中"没有人能数得过来"的人围绕在祂的宝座前（启 5:9-10，7:9-17）。祂在人类沉重不堪的历史中开辟道路，以成就祂对万民的心意。

心系万族，拣选以色列

创世记关于巴别塔事件的篇章生动地描述了神对列族的审判。紧接着在创世记十二章，话题转到了神呼召亚伯拉罕离开迦勒底的

神拣选以色列，就是期望她向万民作见证。

吾珥。乍看上去，似乎"全地的神"的兴趣缩小了，只关心一家一族的历史，但事实绝非如此。正如格鲁修（Groot）所说的："以色列是神宣告救恩的开幕辞，而不是闭幕辞。"[1] 的确有一段时期，"亚伯拉罕的子孙"以色列在万邦中被分别出来（出19:3及其后；申7:14及其后），但只有这样，神才能借着以色列为普世救赎的目的铺平道路。尽管神拣选了以色列这一小部分人，祂却从未转眼不顾其他国家和民族。以色列是一个蒙召去服事"多数族群"的"少数族群"。[2]

神对亚伯拉罕和以色列的拣选关系到整个世界。祂之所以如此高度关注以色列，正是因为要维护祂对世上万族的主权。及至时候满足，神要对世界说话，为此祂需要一个民族。近来无数的研究都在强调：神拣选以色列是为了完全揭示和显露祂对万族万民的心意。

神拣选以色列，就是期望她向万民作见证。因此，每当她忘了这本分、耽于自傲、不顾外族时，就有诸如阿摩司、耶利米、以赛亚这样的先知兴起，严厉抨击以色列自命不凡、自以为是的民族优越感，控诉他们破坏了神真正的心意（参摩9:9-10）。

被掳时期普世观念的突破

主前六、七世纪的经历终于使以色列眼睛得开，看到神对普世的心意。以色列被巴比伦彻底击溃，被掳到外族的悲惨遭遇中，先知们终于看到以色列的命运和列国的历史是何等紧密地联系在一起。在亲身经历的审判中，以色列绽放出对新的盟约、再次"出埃及"以及另一位大卫子孙的热切期盼。先知耶利米、以西结和以赛亚的视野都被大大拓展，见证到万民都在神的应许范围之内。但以理所见的末后异象预言了人子的到来。祂的国度将推倒世上残暴的列国，祂的统治也将遍及地上的万民（但7:1-29）。

二、救赎和释放的主题

耶和华——以色列的救赎主

圣经中的救赎主题，也就是神对以色列和列族的救赎，是与普世主题紧密相连的。耶和华全地的神施展大能的膀臂，将以色列从奴役的捆绑中释放出来，以此彰显了祂的慈爱和信实（参申9:26，13:5，15:15，24:18）。这是以色列根本的信念，对于理解第一条诫命至关重要。这位施行拯救与释放的神乃是独一的神，"除我以外，你不可有别的神。"（出20章）这一信念将原本与地上万民无异的以色列转化成选民，因着神的救赎得以存留，转以诗歌和祷告来感谢赞美神。

耶和华——万民的救赎主

以色列的先知们愈加意识到，不单以色列有分于神的救赎；有一天，神会降临世界，恢复祂救赎世上万民的主权。

那时，外族都将到神的圣山锡安朝圣。众先知描绘了外族民众归回耶路撒冷的场景（参赛2:1-4；迦4:1-4；耶3:17；赛25:6-9，赛60；亚8:20及其后）。在那里，以色列的神将显明为万民的神。

有几首诗篇也反覆颂扬了这一主题。诗篇八十七篇宣告耶路撒冷是世界城，他日其城民将来自万族万邦，甚至包括那些曾经强烈敌对以色列神的民族，他们会一同庆祝神与世人关系的修复。

神成就救赎的方法

圣经也描述了神救赎以色列和列族的方法。旧约中对此阐述最为精深的，当属以赛亚书四十到五十五章中的“仆人之歌”。仆人之歌明确地讲到救恩将遍及整个世界，这位仆人要将救恩传到地极（赛49:6）；不到公义在全地得胜，祂绝不甘休；众海岛的人，都在等候祂的教训（赛42:4）。

第五十三章里的第四首仆人之歌，揭示了主的这位仆人将如何履行使命。这段感人至深的经文形容祂遭受了人间最野蛮的戕害，尝尽了人类所能想到的种种酷刑。然而，在受苦之际，这位仆人同时也作了代罪的羔羊；不但为以色列，还为普世的万国万民担当了他们本该承受的审判。除此之外，这段经文还描述了神将万族赐予这位仆人，作为祂顺服至死的回报。祂获得了权柄，将救恩和医治带给全人类。

三、宣教主题

与上述两个旧约主题相关的另一个主题就是宣教。众先知不厌其烦地提醒以色列，神的拣选不是她可以自私独占的特权，乃是服事的呼召，要以色列承担起在万族中作见证的责任。以色列必须向外族显明——耶和华既是创造主，又是救赎主。有一首仆人之歌（赛49:6）说以色列的使命是成为外族人的光。

几乎所有作者在解释以色列的呼召时，都会提出“同在”的概念。也就是说，被神选召，特蒙祂恩典和公义的以色列，有相应的义务，要作为神国的子民住在列族中，彰显出神的恩典、怜悯、公义和使人自由的大能来。但众先知何等失望，他们一次又一次无奈地记录以色列如何不断地破坏这神圣呼召。但不管众先知对以色列不顺服的义怒燃烧得何等炽烈，他们都一直提醒：以色列受命的真正目的，就是要作被分别出来的族群、有君尊的祭司，住在万民当中。

值得注意的是，从第二次世界大战以来，很多宣教学者都主张将“基督徒的同在”作为开展现代宣教工作的主要方法之一。他们列举多种原因，也以各样方式来阐述，最合宜的见证方式就是住在世人当中，活出不同的样式。笔者在此无意深入探讨这个概念，只想指出“同在即见证”（presence is witness）的观念源自旧约。众先知不断地宣告，只要以色列能够践行神所赐的服事之职，就能够向外族彰显神，成为外族归向神的桥梁。

然而，笔者认为，单从同在的概念来看宣教主题有失妥当。我非常不解，何以不同的作家都宣称旧约中从未提及宣教使命。事实上，为数众多的信徒个体正是因为受到“言传身教”（word-and-deed）见证的影响，才脱离异教崇拜，转而信靠、服事向他们施怜悯的永活之神。可以说，

麦基洗德、路得、约伯、约拿书中的尼尼微人以及旧约中许多其他的例子，都如同一扇扇窗户，使我们透过他们，看到以色列以外的广大族群，也隐约听到那针对所有人的宣教呼召已经发出。

旧约智慧文学的形式和内容与希腊、埃及的文化相似；故此，以色列的文学也毫无疑问地成了向周围列邦传递信仰的一种方式。

此外，散居时期的犹太教发挥了强大的宣教影响。[3] 原因何在？当然是这些散居的犹太人从**起初**就听到并明白了神给他们的呼召，要他们借着直接传讲或与人同在的方式向外族人见证神。

四、对抗主题

上述旧约中的宣教主题尚不完整。还有一个主题与之错综复杂地交织在一起。这个主题就是对抗（antagonism），也就是说，对于那些违逆祂解救和施恩之权的势力，耶和华神会强力地对抗。

主耶和华——以色列立约的神——如何与妄图阻挠、破坏祂对受造物的计划的势力争战，这类记载在整本旧约中随处可见（新约亦然）。神与诸多假神争战，就是那些人类因私欲而模仿受造物所制作、崇拜和利用的假神。比如，巴力与亚斯他录。其崇拜者将自然、部族、国家、民族等物高抬到"神明"的地位。神也与行邪术、占星术的争战，因为根据申命记的记载，这些东西混淆了神与受造物之间的界线。神还与社会中各种不公义争战，扯下它们赖以隐藏的遮盖布（参阿摩司书和耶利米书）。

整本旧约都熊熊燃烧着要彻底击溃这些敌对势力的炽烈期盼。一些恢弘的伟大异象揭示了在即将到来的国度里，各种关系都将恢复正常，人类、动物、植物以及其他一切的受造物都将完美地契合神的计划（参赛2章；弥4章；赛65章）。

旧约不但深切地期盼这国度的最终显现，并且毫不含糊地宣告了耶和华最终必然得胜！这也是参与宣教的一个相当重要的主题。因为与神的心意敌对的各种事物，无论在哪个层面，包括在教会里、世上的国家，还是在自己的生活当中，我们若不和神那样与之对抗，就谈不上有真正参与在宣教之中。

旧约将对抗与颂赞的主题紧密地结合在一起：主耶和华的荣耀将在万民中彰显。那时，每一个人都将按着神真实完全的属性认识祂：祂是"有恩典有怜悯的神，不轻易发怒，并且有丰盛的慈爱，转意不降灾祸"（拿4:1-2）。

约拿书

约拿书对于认识宣教的圣经基础真可谓是意义深远，它探讨了神让祂子民传福音给外族人的使命，为新约的宣教使命做预备。但这卷书的重要性还体现在另一方面，就是让我们瞥见这个宣教使命会遭遇何等的抗拒，而且还是被神自己所拣选的仆人所抗拒。

今天有很多讲座与著作强调在宣教方面如何培养"会众"和"人才"，约拿书就是教导我们培养宣教士的功课：一个人只有在本性彻底扭转，生命完全重塑之后才可能参与宣教服事。

约拿书的背景

这书名取自于一个不情愿受差遣的先知约拿，这名字使人想起一位叫约拿亚米太的先知所在的耶罗波安二世时代（主前787-746年）。此卷书的作者用这个名字，为读者详细描述了一个对外族人毫无热心的宣教士。他同后来的法利赛人一样，无法容忍神向外族人施怜悯。

荷兰作家米斯科特（Miskotte）这样说："作者想要描绘一个和使徒完全背道而驰的人。"约拿书的作者告诫读者不要有此偏狭的态度，并提出一个问题：你是否愿意转变成为一个竭力完成神大使命的仆人？

正如作者所见，以色列变得专顾自己，不再顾念世上的其他民族。他们得到了神全部的启示，却拒绝踏足异族土地，将神的审判和救恩信息传于这些人。其实，约拿书的信息，也是针对新约时代以各种方式逃避宣教使命的信徒。

约拿自以为聪明地逃避神的呼召正是教会懒散、不忠、不听主命的写照。神必然对付以色列人狭隘的民族主义，因他们将神的作为局限在以色列本族；若教会也一样自我中心地拦阻有宣教使命的人进入世界，去宣告神的信息、为主作工，神也必然对付。约拿书的作者定意向读者证实：神救恩的范围何其广大，足以包括以色列和外族人。

约拿书这本强烈反对民族中心主义的书卷，居然被收录进圣经正典，这真是一个奇迹。这里对于人如何破坏神普世计划的企图陈述得淋漓尽致，使古今读者——以色列、新约时代的教会以及你我——都能够听见圣灵借着这卷小书所说的话。

八幕场景的简短回顾

第一幕开场就是约拿受命去尼尼微。旧约通常都是呼吁外族"**来**"神的圣山锡安，约拿却像新约中的门徒一样（参见太28:18-20）受命："去"。七十士译本（较早的旧约希腊文译本）在一章2-3节和三章2-3节用的"*poreuomai*"（希腊文的"去"）和马太福音廿八章中耶稣颁布大使命时所用的"去"是同一个字。

约拿必须去哪里呢？去哪儿都行，但偏偏要他去尼尼微，一个极权主义、凶恶残暴、穷兵黩武的邪恶中心；这个尼尼微是个因为无耻追杀、恶毒拷打、肆无忌惮残害异己而恶名昭彰的都城。神要祂的仆人去警告尼尼微审判将至，呼吁他们悔改。神竟然想救**尼尼微**！

约拿拒绝了。他的确准备好上路，但却是为要逃离超乎万有之上那位神的面。

在第二幕，神兴起了一场大风暴来回应约拿的逃离（1:4-16）。风都听命于神，但不顺服的约拿却在船舱大睡，全然不知这场风暴是冲他而来。教会有时也会如此，在神审判世界的风暴中昏睡不醒，还笃定外面的风暴与己无关。船员们寻找风暴的起因，却是徒劳无功。约拿后来承认，他敬拜和畏惧造陆地、洋海并超乎万民之上的神，现在正是这位神向他发起了控诉，使海水平静下来的唯一办法是把他丢进海里。

在这一幕中，船员们代表了外族人。尽管约拿完全不在乎他们，他们却想保住约拿的性命。直到约拿再次要求，他们才把他抛出船外。果不其然，风暴止息了。水手们几乎不敢相信自己的眼睛，也由此迸发出对约拿之神的赞美。他们的顺服超

> **耶和华信守了祂的应许。时至今日，祂对莫斯科、北京、伦敦、阿姆斯特丹的旨意仍是"恩典和满有怜悯"，较之当年的尼尼微丝毫不减。**

过了搞破坏的约拿，因为他们的心对神比这位先知更敞开。

第三幕（1:17）记载了一条大鱼按着耶和华的吩咐，张开大嘴吞下了约拿，又适时将他吐在岸上。约拿无法逃避神让他宣教的使命。神曾兴起暴风，又引导水手们达成祂的心意，如今还指示一条鱼参与到拯救尼尼微的计划中。耶和华为重塑和预备祂的宣教士，成为完成计划的合用器皿，锲而不舍。

第四幕（2:1-10）中，约拿切切地恳求神救他脱离鱼腹。虽然约拿对外族人毫无怜悯，拒不承认神的应许广及万民，此时却引用了诗篇中诸多经文来呼求神的怜悯，他渴望得着那些敬拜者在圣殿中所宣告的应许。

耶和华垂听了他的祷告，吩咐大鱼，约拿就被吐在岸上，安然无恙。此次拯救，使约拿无意间见证了神的怜悯和救赎。尽管黑压压的海草盖顶，约拿还是成为见证人，体认到神并不喜悦罪人和拦阻祂心意的人灭亡，而是喜悦他们悔改归向祂。

在第五幕（3:1-4），神向约拿重申命令。约拿的存活恰恰证实了他在鱼腹中承认的真理——救恩出于耶和华。七十士译本在三章1-2节及其后的经文中用了"kerygma"一词。这个词总括了约拿的使命：他必须向尼尼微宣告——不管尼尼微何等邪恶，仍有神的关爱，但若不悔改，必遭毁灭。约拿的信息既是威吓，又是应许；既是审判，也是福音。

在第六幕（3:5-10），尼尼微回应了约拿要他们悔改的呼吁。骄横跋扈的尼尼微王走下宝座、脱去朝服、披麻蒙灰，并且昭告所有百姓与牲畜都要照样去行。这群外族人做了以色列一直拒绝遵行的事，残暴的尼尼微王竟然成为那不顺服神的犹大诸王的反面教材。

民众与王一同悔改。他们停止一切恶行，那令人胆战心惊、威胁逼迫人的政治不公"引擎"也停了下来。人们深刻悔改，远离偶像，转而事奉万民之主，造物之神。这一切的成就，皆因耶和华是神。不信的世界将成为丰收的宣教禾场，一切皆因耶和华是独一的真神。

这一场景以一段无比奇妙的叙述缓缓落幕："神看见他们所作的，就是悔改离开恶行，神就转意，不把所说的灾祸降在他们身上了。"耶和华信守了祂的应许。时至今日，祂对莫斯科、北京、伦敦、阿姆斯特丹的旨意仍是"恩典和满有怜悯"，较之当年的尼尼微丝毫不减。马丁路德钟爱传讲约拿书的信息，借他的话来说：神左手的忿怒已被右手的祝福和自由所取代。

第七幕（4:1-4）重述了一个事实，履行宣教使命要跨越的最大障碍不是水手、大鱼，也不是尼尼微的王和民众，而是约拿自己——桀骜不驯、心胸狭窄的教会。第四章记述了早已离开尼尼微的约拿在城东搭了一座棚。四十天悔改之期已过，但因神转意不毁城，尼尼微得以继续沐浴在神的恩典和怜悯之中。约拿因神怜悯的范围超出以色列，恩及外族而大发雷霆。他要的是一个合乎己意的"神"：冷酷、严厉、残暴、惩戒异教徒毫不妥协。想到外族人居然在救恩历史中有分，他简直无法忍受！

这就是约拿的罪，也是口是心非的宣教士之罪。在身陷鱼腹、与世隔绝、孤独凄凉之际，他恳求神施怜悯；当神向外族施怜悯时，他却满腔怒火。约拿书四章2节记录了约拿在祷告中发泄暴怒："耶和华啊！我还在本国的时候，不是这样说过吗？我知道祢是有恩典有怜悯的神，不轻易发怒，并且有丰盛的慈爱，转意不降灾祸，所以我才急忙逃往他施去。"这段祷告的部分内容来自以色列古老的祷文，是每个以色列人烂熟于心，哪怕在半梦半醒之间都能在圣殿或会堂里倒背如流的（参出34:6；诗86:15，103:8，145:8；尼9:17）。但想到这样一个祷文在神圣殿耶路撒冷之外，诸如尼尼微、圣保罗、内罗华、纽约或巴黎之类的地方也会生效，约拿就无法忍受。

约拿为何如此气急败坏？无非是因为神同等地对待立约之民和未立约之民。但约拿的愤怒其实是将自己推到了圣约之外，因他顽固地拒不承认圣约的目的，那就是要将救恩传于外族。他始终没有认识到，以色列不能自以为是，认定神就偏爱他们。他不明白以色列和外族一样，都是同样依靠神厚赐万物的恩典而得以存活。

所以神来到自己的先知面前，但此时不是以立约者的身分，而是以创造主的身分质问祂所造的人："你这样发怒对不对呢？"（拿4:4）

从第八幕（即最后一幕，4:5-11）能看出，神还不罢手，仍定意要给这位愚钝的宣教士一点教训。约拿不明白暴风、水手、大鱼以及尼尼微悔改的要旨，是因为他不愿意明白。现在耶和华又用了另外一种方法——一棵神奇的树。这种攀缘生长的葫芦科植物生长极快，为约拿遮挡了烈日，谁知被一条虫子吞吃立即就枯死了。这一下约拿恼火了。

就在这时，神再次以这棵树为实例给他的宣教士学生上了一课。这位掌管历史、辖管风浪并使尼尼微城百万民众悔改的神柔声问约拿："你因这株蓖麻这样发怒，对不对呢？……这棵蓖麻，不是你栽种的……你尚且爱惜它，何况这尼尼微大城，其中不晓得分辨左右手的有十二万多人，并且有许多牲畜，我怎能不爱惜呢？"

神会宽恕，也会拯救。耶路撒冷的神也是尼尼微的神。祂不像约拿，没有"排外情结"。祂从不强迫我们任何一个人，总是谆谆教诲、敦促我们全心全意投入宣教工作中。今日神仍热心要把那些顽固、暴躁、沮丧、易怒的无数约拿转化成为带给人自由的福音使者。

约拿书的结尾留下了一个叫人不安、悬而未答的问题："神成就了祂对尼尼微的心意，但是对约拿的呢？"答案无人知晓。以色列和教会以及他们是否会顺服神？这个问题仍然有待回答。

而且这个问题每一代基督徒都必须亲自回答。雅克·颐卢在其所著的《对约拿

的审判》一书中以这段话作结："约拿书没有结论，最后那个问题也无答案；只有认识到神怜悯之丰盛，并且把普世救恩变成真真切切的现实而非只是神话的人才能下结论，揭晓答案。"[4]

新约时代的教会必须加倍留心约拿书的信息。耶稣基督是"那位比约拿更大的"（太 12:39-41；路 11:29-32）。祂在十字架上舍命，悲痛地呼喊神为何离弃祂；祂复活了，带来胜利的喜悦欢呼。这一切都是为我们显现的约拿的神迹，指明了耶稣基督的一生所蕴涵的深刻意义，也清楚地证实了神是如此深爱世人。若有人从这一位比约拿更大的得了生命，却拒绝将福音传给他人，那这人就是在破坏神的心意。基督徒若只是期待被神拣选而得益处、蒙祝福，却拒绝履行福音使命的话，约拿正是他们的老祖宗。托玛斯·卡莱尔（Thomas Carlisle）的诗〈你这个约拿〉（You Jonah）最后几行是这样写的：

> 约拿怒冲冲　走到
> 阴凉树荫下
> 等待　神
> 回转
> 随从他　偏狭的心意
>
> 神仍在苦苦　等待
> 许多约拿　离开
> 舒适的家
> 回转
> 追随祂　大爱的脚踪

附注

1. A. de Groot, *De Bijbel over het Heil der Volken* (Roermond: Romens, 1964).
2. 见 J. Verkuyl, *Break Down the Walls*, 由史密德（Lewis B. Smedes）翻译及编辑 (Grand Rapids: Eerdmans, 1973), p. 40。
3. 编者按："散居期"指从第一圣殿于主前 581 年被毁到第二圣殿于主后 70 年被毁之间，犹太人被迫或自愿分散到其他民族中间的这段时期。散居犹太侨民中的会堂热切地希望吸引外族人皈依犹太教。许多犹太文士得到资助，到各处去争取有外族人背景的人加入犹太教，并且向这些刚皈依的人给予宗教上的教导。耶稣在马太福音廿三章 15 节对此有生动的描述。
4. Jacques Ellul, *The Judgment of Jonah* (Grand Rapids: Eerdmans, 1971), p. 103.

研习问题

1. 请根据作者所述，简述旧约中奠定新约时代敦促教会参与普世宣教的四个主题：普世主题、救赎主题、宣教主题和对抗主题。请就每个主题列举一个例证。
2. 作者称约拿书就是教导我们培养宣教士的功课。他这样说是什么意思？请举约拿书中的几个例子来说明。

第8章 诉说神荣耀的故事

贺思德（Steven C. Hawthorne）

从本质上来讲，圣经是神的故事。如果我们把圣经当作一本自助手册，必定会失望和烦闷：这本书怎么像个东拉西扯的故事集？反过来，如果我们认识到圣经更核心的主旨是关乎神，而不是我们，那么圣经的每一部分，包括对历史事件的记载，岁月中提炼出来的智慧箴言，以及如诗歌一般的预言，都汇集成为一部关于神的宏伟史诗，我们怎能不欣喜若狂？

我们早已熟悉圣经是真实的故事。这个故事如此真实，直到今天仍在继续。我们常听说圣经是一个爱的故事，但往往只看到神爱世人这一面；可是，如果圣经的主旨是神应当得到人全心、全性、全力、全意的爱戴，那我们最好从神的角度来理解整个故事。当我们完全从神的视角来看，这一宏伟的爱的故事就易于理解了；原来，神不只是爱世人而已，祂还在更新世人，使得他们能全心爱祂。神吸引人甘心乐意向祂献上因爱而发出的敬拜。

然而，只有先认识神，才谈得上爱祂。这就是为何圣经讲述了神向世人显明自己，好让所有世人都可以谦卑顺服、敬拜赞美祂、荣耀祂。圣经以神炽热的爱为核心，所以实实在在是神荣耀的故事。

一、"荣耀"的基本概念

若要厘清圣经如何展现神的故事，我们就需要在每个关键点上，准确地把握故事的三个相关概念：荣耀、神的名以及敬拜。

荣耀

不要被"荣耀"这个有宗教意味的词吓跑了。从关系的角度来说，荣耀是一种人人心中向往，甚至渴望置身其中的美妙。在圣经中，"荣耀"指人、受造物和造物主本质之美、意义和价值。希伯来语中"荣耀"一词的字面意思是"重量"、"实质"，也有"光彩"或"耀眼之美"的意思。"荣耀"某人就等于承认此人的内在之美和价值，并公开地谈论这个特点。荣耀神就是当众如实地赞美和讲论

贺思德现任 WayMakers 的总干事，该组织开展宣教和祷告动员事工。在1981 年共同参与编辑《宣教心视野》课程和读本后，他发起了"约书亚计划"，主要针对亚洲和中东的未得之民进行一系列研究考察。他与 Graham Kendrick 合著了 *Prayerwalking: Praying On-Site with Insight* 一书。

神向万族彰显祂的荣耀，是为得享世人向祂敬拜献上的荣耀。

神。在整部圣经中，荣耀都是真实敬拜的核心：

> 主啊！祢所造的万国都要来，在祢面前下拜，他们必荣耀祢的名。（诗86:9）
>
> 其实我们这些靠神的灵来敬拜，在基督耶稣里夸口……。（腓3:3）

"荣耀" 这个概念也指授予或获赠奖赏的荣誉。人受到高举，或被尊为大，从圣经的角度来讲，就是得到荣耀。神的荣耀如此丰富，祂将莫大的荣誉赐给自己的仆人：人类，也丝毫无损于自己的庄严和荣美。人类则不同，耶稣毫不留情地揭露了我们的本性：惯于寻求 "彼此的称赞"，却不 "寻求从独一的神而来的称赞"（约5:44）。

神的名

纵观圣经宏大的故事，圣经各书卷的作者把 "神的名" 视为一个关键的概念。为了帮助我们分清这个概念的指称、启示和名声三个不同的作用，我们可以用三个便于记忆的类别来厘清其用法："名牌名"，"展示名" 和 "声望名"。

名牌名（Name-tag Names）

首先，有些名字在圣经里用来指称独一的真神。神在自己的故事之中从不隐姓埋名，祂用了多个名字来指代自己。这些名字主要起指称作用，因此可将其称为神的 "名牌名"，正如名片的主要功用就是区分和指称某人一样。故此，称这位圣经中的神为 "万军之主"、"权能的神"、"全地的主" 或 "荣耀的王" 都是正确的，这些名字确实都是神的名。[1]

展示名（Window Names）

其次，神乐于透过圣经中的名字向人们准确地揭示自己。这种名字的主要作用是 "启示"。例如，任何人只要花上几分钟时间仔细默想圣经中神的名字 "耶和华我的牧人"，就会更容易理解神养育人类的仁慈属性。

声望名（Fame Names）

"神的名" 的第三种用法在圣经中最为普遍，尽管人们对此少有认识。"神的名" 常常指神远扬在外的声望。我称之为 "神的声望名"，其作用就是指神的名声。神的声望名就是神在地上的名。这种名是一种开放式的公共记忆，基于那些确立神的名声的历史事件，让后人认识到这是一位值得信靠的神。神的声望名就是一切关于祂的真理，是神在漫长的圣经故事中逐渐彰显和向世人宣告出来的。希伯来人不单要珍藏这故事，还要向世界宣讲。不同于许多其他宗教，神的启示并非只在一小群人中间流传的秘事。以赛亚呼吁以色列要在 "万民中传扬祂的作为，使他们谨记祂那至高的名"（赛12:4）。我们看到，圣经的故事主要是追述神的作为，使祂的名在万民中显为大。

敬拜

那么，神为何想要世人如此精准地认识祂呢？答案在于：神想要的不只是闻名于世，祂更渴望得到真正的敬拜。

神向人彰显荣耀，好得世人荣耀

神的荣耀具有双向性。首先，神的荣耀展现于世界，向全地的人彰显自己的荣耀。祂向世人启示自己的属性和作为，好让荣耀能反向地归回祂：人们在充满爱的敬拜中荣耀祂。神**向万族彰显**祂的荣耀，是为得享世人**向祂**敬拜献上的荣耀。

诗篇九十六篇明确描绘了双向的荣耀。在2-3节中，神命令要向万民宣告祂的荣耀：

> 要向耶和华歌唱，称颂祂的名，
> 天天传扬祂的救恩。
> 要在列国中述说祂的荣耀。
> 在万民中述说祂奇妙的作为。

这些经文多么生动地描绘了普世福音化的景象！然而诗人没有停笔，而是继续描述神的荣耀的第二个方面，指出普世福音化的目的：那就是7-9节中万民献上荣耀来回应神：

> 列国的万族啊！
> 你们要归给耶和华，[2]
> 要把荣耀和能力归给耶和华。
> 要把耶和华的名当得的荣耀归给祂，
> 带着礼物进入祂的院子。
> 要以圣洁的装束敬拜耶和华
> 全地都要在祂面前战兢。

宣教的实质就在于荣耀的这一奇妙互动：神**向万民彰显**自己的荣耀，为要**得享**一切受造物**献上**的荣耀。

超越救赎的目的

人们确实会因神的救恩在普世传扬而得救，然而他们蒙拯救的终极价值不在于神救他们脱离什么境地，而是在于神救赎他们的目的。人们得救的终极目的是在敬拜中事奉神。从这个角度来看，我们完全可以说普世宣教的根本目的是为了神；不论我们多么惯于看重人，圣经的立场非常清楚：宣教最基本的依据在于神本身无可比拟的价值。请看诗篇九十六篇2-4节所表明的理由：

> 要向耶和华歌唱，称颂祂的名，天天传扬祂的救恩。要在列国中述说祂的荣耀。在万民中述说祂奇妙的作为。因为耶和华是伟大的，该受极大的赞美，祂当受敬畏，过于众神之上。

比神的至高地位更美的依据

宣教的依据似乎再简单不过了：既然神是至高无上的，那每个受造之物都当臣服于祂。然而这真是整个宇宙运行的终极原理吗？我们是不会心悦诚服地接受这种理论的，一定还有更深的道理。圣经明言神就是爱这一真理，神呼唤人竭诚地爱祂，那么神的爱究竟在哪里呢？我们对祂的回应之爱又何在呢？

神若是只因为自己至高无上，就要求一切受造之物来拜祂，那祂大概不太可能是一位充满爱的神。实际上，这种神甚至不配人景仰。嗜赞美如命的神显得饱受自

> **敬拜成就了神的爱。神无比爱我们，甚至定意提拔我们到难以想像的地步——祂渴望把我们带到祂尊贵的身旁。**

我形象低劣之苦。若以为神有如一位遭到敌对神祇威胁而喜怒无常的部落神灵，妒羡人的敬拜，那就大错特错了。神不会受制于任何威胁，但祂却会因为错谬的敬拜而伤心；每当人去拜神以外的任何事物，就变得像自己所拜的偶像。但神对人却有更好的美意。

那什么才是真正的敬拜呢？只有当人们真正认识到神的属性、公开承认神、毫无保留地来到神的面前献上最真诚的谢意、每天向神献上自己的忠诚，这才是敬拜神。敬拜是与神真诚地互动。难怪神总是欢迎我们带上礼物来敬拜祂。神不缺这些礼物，但是礼物代表了献上者的心意。因此，神一直催促万民向祂奉上最好的献礼，表示将"耶和华的名当得的荣耀"（诗96:8及其他经文）归给祂。而且献礼者借着祭牲和礼物，把自己献给神。

完全赐下祂的大爱

神为何如此渴望人的敬拜呢？总的来说有两个原因：首先，神喜悦看到人们真心敬拜中所包含的真诚爱心；其次，将人们带入真正的敬拜之中，神得以将自己的大爱完全赐给他们。诗篇九十六篇6节将这一点表达得淋漓尽致：

尊荣和威严在祂面前，
能力和华美在祂圣所之中。

"尊荣和威严"并非指神自己的感受。相反地，这两样与"能力和华美"（在历代志上十六章27节的平行经文中是"能力和欢乐"）都是神同在的特征，是真诚敬拜神的人必有的经历。实际上，人类最尊荣、华美和威严的经历也莫过于被神提升到祂满有君王神圣的同在，享受祂那令人窒息的壮丽。

敬拜是人们荣耀神的途径。从神的角度来看，敬拜也是祂尊荣人的方式，把人带到最高的荣誉。敬拜成就了神的爱。神无比爱我们，甚至定意提拔我们到一个地步——祂渴望把我们带到祂尊贵的身旁，与祂亲近。尽情发挥你的想像力吧！我们绞尽脑汁也无法测透神为爱祂之人所预备的美善（林前2:9）。

也许，使徒约翰在启示录五章1-14节中，以惊鸿一瞥看到了与神同在当中的这一"尊荣和威严"。他听到天上千千万万天使齐声颂扬主的奇妙荣耀：主亲自从各个部落和讲各种方言的族群之中，赎回人来到祂自己的荣耀之中。这些人本身卑贱不配，为何神却甘愿以自己儿子宝血的重价将他们赎回呢？进一步说，祂为何从每个族群中都赎买一些人呢？这些人究竟有何价值呢？其实，他们的价值在于成为神的祭司。这些从万民中选召出来的人，会将富有本族特色的荣耀和得赎的荣美，甘心乐意地献给神。每一个族群因为基督的宝血而有了永恒的价值。每一个族群在神面前都有一个预定的位置，皆因神定意如此，这事必定成就！神对每个族群不求回报的炽热之爱正是宣教事工的精髓。

诗篇作者表达了神对世上各个族群的热心。神召唤"列国的万族"，也就是由血缘和婚姻联系起来的世世代代的人。这些"大家庭"各自都有在神面前的历史和命运，他们都受到神的正式邀请，进入神尊贵的圣所（诗96:7-9）。他们不会空手而至，而要向神献上本族特有的荣耀和能力。各族的人都要用自己独特的语言开口向神献上赞美，但无人能够妄断什么才是合神心意的赞美。只有神向人显明关于祂自己的真理，即"耶和华的名当得的荣耀"才是合神心意的赞美之内容和实质（诗96:8）。

二、圣经是神的故事

圣经是一部声情并茂的戏剧，描绘了神的爱如何激发万民的敬拜。请牢记这一点：**神向万民彰显**自己的荣耀，为要**得享**一切受造物**献上**的荣耀。荣耀的双向性，帮助我们从乱麻般的远古故事中理出头绪。

亚伯拉罕

当亚伯拉罕到达应许之地时，他谈不上是一个地地道道的宣教士；不过，我们还是要把他看作扮演了这个角色。从圣经的记录来看，他当然也不是一个了不起的福音使者，反而被羞愧地逐出埃及（创12:10-20）。亚伯拉罕害怕周围的人对自己不利，就谎称妻子是妹妹。亚伯拉罕这么做，表明他缺乏作为一位福音使者的信心，"以为这地方必定没有敬畏神的人"（20:11），不相信人的生命会发生改变。

尽管如此，亚伯拉罕在抵达异乡之时还是做了一件最具宣教意味的事情："亚伯兰就在那里为……耶和华筑了一座祭坛……呼求耶和华的名。"（12:7-8）他的第一个行动就是确立持续的公开敬拜。或许只有他一家在此敬拜，然而神还是得到公开地称颂和敬拜。

蒙福以使万族得福

有一次，亚伯拉罕把一些强大的邻舍，从豺狼一般抢掠的诸王联盟手中救了回来（创14章）。奇迹般地获胜后，亚伯拉罕却拒绝接受所多玛王的酬谢，那可是一笔横财。但他心里明白，假若接受了这笔不菲的赠礼，从此以后，他们全家就会被人视作所多玛的食客。因此，他选择作为一个蒙神特别祝福的人，一定要在万民前守住自己的本位。[3]

在诸王注目之下，亚伯拉罕坚决地指明独一的真神必祝福和赏赐他。他的大胆宣称（14:21-24）有他献给神的厚礼为凭证。亚伯拉罕把所多玛和其他诸王的财富中自己所得的拿出十分之一来献给神，相当于代表这些异国和外族向神献上了十分之一，这是对神公开的正式敬拜（14:18-20）。麦基洗德作为主持祭司，亚伯拉罕也像祭司一样，代诸王奉上敬拜的礼物。

亚伯拉罕蒙福是为了祝福外族（12:1-3），但神祝福他的目的远胜于此。神使亚伯拉罕蒙福的同时，自己也得到了称颂（英语是 blessing，与祝福同一个字）！麦基洗德公开承认亚伯拉罕蒙神祝福。亚伯拉罕正是凭着神的权能成为邻舍的祝福，救出了他们被俘的家人和财物。然而这一切最终的结果却是神自己在赞美中得到称

颂！且听麦基洗德是怎么说的："愿创造天地的主、至高的神，赐福给亚伯兰。把敌人交在你手里的至高的神，是应当称颂的！"（14:18-20）

我们在这一连串的事件中学到了什么？亚伯拉罕以不止息的敬拜传扬了神的名。神透过子民将自己的救赎大能临到众人，使自己的名为大；最终，诸王聚集起来公开感恩称谢神的美名，专注而真诚地敬拜神。

敬拜中的顺服印证神的普世目标

在亚伯拉罕一生中，有一次敬拜至关紧要，具有证明性的意义（创22章）。那时，神吩咐亚伯拉罕把儿子以撒献给祂，以表对祂的敬拜。这是一个试验，为的是证明亚伯拉罕和家人的心。亚伯拉罕对神有一颗火热顺服的祭司之心吗（22:12，字面意思是"敬畏神"）？亚伯拉罕是否真有热心献上神所要的呢？如果是，那么神就会看出亚伯拉罕真的相信神要他子孙繁衍在万民中为大。

余下的故事您恐怕耳熟能详了。就在亚伯拉罕在敬拜中遵循神的旨意的那一瞬间，神从天上用庄严的誓言，有力地宣告了透过亚伯拉罕及其后裔来祝福地上万民的普世旨意（22:18）。

出埃及

神为了祂的名，不只要得到亚伯拉罕的敬拜，在出埃及记中，我们看到神的作为还要向普世展现。乍一看，出埃及记的故事根本不像是跟宣教扯上关系。无数埃及人死了，当地可谓哀鸿遍野。神到底在

做什么呢？

出埃及记九章13-16节是一段关键的经文。摩西在此向法老发出最后通牒，大胆地宣告了神的旨意：

> 耶和华对摩西说："你要清早起来，站在法老面前，对他说：'耶和华希伯来人的神这样说："让我的人民离开这里，使他们可以事奉我。因为这一次我要降下我的一切灾祸，打击你和你的臣仆及人民，为要使你知道在全地上没有神像我的。如果我现在伸手用瘟疫去打你和你的人民，你就早已从地上消灭了。然而我使你存留，是为了使你看见我的能力，并且在全地上传讲我的名。"'"

请注意，神从来没有只说"让我的人民离开这里"。这只是句子的一半，若是没有摩西每次都清楚宣告的神的旨意，这句话就不完整。请留心听清整句关于救恩的呼喊："让我的人民离开这里，使他们可以事奉（敬拜）我！"（出8:1、20，9:1、13，10:3）。[4]

法老完全清楚摩西的要求：放以色列人走，好让他们去敬拜神。法老可能以为这种对于"敬拜假期"的要求只是个幌子，用来掩盖以色列人的逃跑计划。我猜想，不少犹太人也犯了同样的错误，以为到旷野中去敬拜神不过是一个冠冕堂皇的借口。难怪他们许多人一直醉心于享受、宴乐、安定的居所和消遣。

以色列人没有认识到，神要用他们"出埃及"这件事，在万民面前显明祂的旨意。他们把救恩的目的本末倒置，以为神的全部心思就只是救拔他们。其实，神

正在精心策划一个更宏伟的计划，吸引万民来注目真神。

神令自己的名举世瞩目

神要将自己和地上一切的假神区分清楚。祂在出埃及事件中为自己建立了荣耀的名（赛63:11-14；尼9:9-10）。神要埃及内外的人都知道，绝对没有别的"神"像祂，祂是独一永活的神。神要世人看到，一群无依无靠的奴隶是如何迈出坚定的步伐去敬拜祂。神为自己立名，让世人知道，祂极其伟大，与人凭空虚构的诸神截然不同。祂完全圣洁，而不只是"比诸神圣洁一点"。祂至高无上，尊贵崇高，充满辉煌的荣光。出埃及这个事件成为往后有关神的属性、圣洁和大能的启示的参照点。埃及的这场混乱何以见得显明了这位永生神呢？

审判埃及诸神

有些学者注意到：神降在埃及的每一种灾祸若不是针对那地的假神，就是针对那地暴虐的权力体系。这些神明和权力体系都是埃及人狂热崇拜的。[5]许多埃及的神祇，比如尼罗河神和至高的太阳神都在血灾和黑暗之灾中直接蒙羞。其他神祇则大失原本夸耀的权柄能力而间接地蒙羞。埃及人供奉一些号称能够治病虫害或牲畜瘟疫的神明。

此外，权力显赫的宗教精英也丢尽脸面。而埃及那名震四海的强大军队，也顷刻之间覆灭于红海之中。那么，神为何要在举世瞩目之下把埃及砸个粉碎呢？

实际上，神在"审判埃及的一切神祇"（出12:12）。祂不是定意要灭尽一切

人的性命，而是要摧毁世上最引人注目的一大堆假神。神若是果真想要灭绝埃及人，那不过是顷刻之间的事。"如果我现在伸手用瘟疫去打你和你的人民，你就早已从地上消灭了。然而我使你存留，是为了使你看见我的能力，并且在全地上传讲我的名。"（9:15-16）

列国看到了

这样做奏效了吗？世上的万民注意到神在使自己的名显为大吗？出埃及记中记载的灾祸并没有登上埃及象形文字报纸的头版头条。然而我们要懂得，当时让埃及蒙羞的事情不可能在埃及史料中记载下来。

圣经的记载之中，红海的巨浪久不平息，直到摩西领着以色列的百姓唱起："耶和华……祂的名是耶和华。耶和华啊，万神之中有谁像祢呢？有谁像祢荣耀圣洁，可颂可畏，施行奇事呢？"以色列人在歌中唱出一连串邻族的名称，清楚地记述下来："万民听见，就必战抖"（15:3、7、15）。

叶忒罗因联姻而进入摩西的家庭，然而他仍然是个名副其实的外族人。多年以来，他必定常常从摩西口中听到有关希伯来人的神耶和华的事情。也许有很多部族或城镇里的人都听过耶和华的轶事，但还未相信或敬拜祂。然而，让我们听听叶忒罗在瘟疫侵袭埃及以后说的话："现在我知道耶和华为至大，超乎万神之上，因为这在埃及人以狂傲的态度对以色列人的事上已经证明了。"（出18:11）叶忒罗在米甸人中原是位高的祭司，完全够格来评断宗教事件的意义（18:1）。

神亲自导演了整部出埃及记，好使祂的荣耀在普世彰显，圣名在万国传扬。

我们今天读摩西挑战埃及的故事，总觉得埃及不过就是一个虐待奴隶的残暴帝国，没什么特别。然而在摩西的时代，埃及可是众人心目中的泱泱大国，汇聚了宗教、经济和军事势力，与各种属灵权势盘根错节地交织在一起。

神将这团乱麻一刀斩开，让人看到其核心的本质——可怕的邪灵权势。这些权势一心想把人引上歧路，不去敬拜真神。神祝福了埃及，埃及却反目与神为仇。

神用瘟疫和壮观的红海奇迹（出12:12）施行审判，不只是惩罚恶行而已。神介入埃及的事务，是要打倒压迫人的邪恶势力，赐给众人自由。那么这些人得释放又是为什么呢？

"让我的人民离开这里，使他们可以事奉（敬拜）我！"神亲自导演了整部出埃及记，好使祂的荣耀在普世彰显，圣名在万国传扬。这样，祂就在举世的见证之下，为自己呼召出一群百姓，树立了一种万民都可以践行的敬拜方式。

征服迦南地

对迦南地的征服，同样应当放在神要建立一群来敬拜祂的圣洁子民的背景中来看。借着这群子民的见证，神要把其他每一个族群的人带入祂子民这个群体。

公正的报应

现代读者乍一看征服迦南地的故事，会觉得这无非是为了圈地而进行的一场种族屠杀，根本不可能是一位善良和慈爱的神所为。然而仔细读读圣经中的相关经文就知道，神透过征服迦南要达成两个目的。首先，神是在借此报应这地各个民族的"恶"行（申9:5）。早在此前，神就告诉亚伯拉罕，"亚摩利人的罪孽还没有满盈"（创15:16）。神容许这些民族的罪孽满盈。我们不禁会揣测迦南各族对神的震怒有何感想，一个迦南君王在对该地被征服的亲身记述中承认神是在执行公义："现在神照着我所行的，报应我了。"（士1:7）

粉碎虚妄的敬拜

第二个目的，也是希伯来人残忍征服迦南地最主要的原因，就是神要粉碎这些民族虚妄的敬拜体系，以保守祂的子民持守单纯的敬拜，维护祂名的圣洁。几乎每一段描述除灭迦南人背后的原因都指出，迦南的异教崇拜会在希伯来人中间，速速地"使你（以色列）的儿子离开我，去事奉别的神"（申4:15-24，6:13-15，7:1-8等）。

约书亚和摩西都向以色列人陈述过暴力征服迦南地的缘由：根本原因在于神要消灭虚妄的敬拜。神下令摧毁异教，好让以色列做到："他们的神的名字，你们不可提，不可指着他们起誓，不可事奉他们，也不可敬拜他们。"（书23:7）要完全理解神的选民的这一部分故事并非易事，但有一点非常清楚：征服迦南地主要是为了保全纯正的敬拜。神的目标不是要以色列成为唯一敬拜他的族类，而是确保他们单单敬拜耶和华神。

拜偶像会污秽神的名

拜偶像看起来对现代的大多数基督徒威胁不大。十诫的头四条诫命可能把我们搅得一头雾水，甚至感到烦闷。那么，神为何如此强烈地反对拜偶像呢？若是不明白祂要在普世中得荣耀这一旨意，倒好像是神对这种令人反感的原始习俗紧张过头了。

然而，让我们试着从神的角度来看看偶像崇拜。神已经将自己的名区别于万名之外，立于万名之上。任何一种拜偶像的行为实质上都会玷污（也就是俗化）神的名，就是神特别挑选出来向世界宣告的独一圣名。

让我们再来看征服迦南一事。入侵迦南的原因，根本不是以色列人配得他人的家园。神曾清楚地告诉以色列，他们受到特别的眷顾，完全不是因为他们内在有公义或某种高贵品质（申7:6-7）。神反覆警告以色列：若是以色列离弃真神，转向别神，神就要快快地除灭他们。

史料清楚地表明，希伯来人多次濒临毁灭的边缘。原因何在？神不是特别眷顾和拯救他们吗？神向亚伯拉罕的后裔应许了特殊的爱，就是为了坚决地实现祂的荣耀。神宁愿耽延，也不介意使用下一代人完成祂的计划。关键是，神的子民敬拜神，见证祂的荣耀。

有一个例子清楚地说明了这一点：以色列人在加低斯巴尼亚的悖逆。他们照着神开辟的道路跟从神，眼看就要实现神的目的了。首领派了探子去探明前方的土地和人民，其中十个探子回来以后用恐怖的言语吓坏了以色列民，掀起了一场歇斯底里的反叛，借口是为了生存（民13:17-14:10）。神当时已经准备毁灭全部以色列人，让摩西另起炉灶，使他的后裔"成为大国，比他们（希伯来人）还强"（14:12）。其实关键不是以色列人做了多么恶劣的事，把神惹得怒火冲天而想灭之。神只是要求一个民族愿意相信祂，这是成就祂旨意的最低要求。

实际上，摩西在此与神争辩了一番，这种情况之前就出现过（出32:1-14）。他争辩的依据也如出一辙：他提出，列国都在观望。他们在过去或多或少都听过神的名。但神接下来准备做的，会改变他们先前对神的名的认识。"现在如果祢把这人民杀死，像杀死一人，那些听见祢名声的万国就必议论说：'因为耶和华不能把这民领进祂向他们起誓应许的地，所以在旷野把他们杀了。'"（民14:15-16）摩西实质上是用激将法，告诉神如果真的这样做，列国会认为希伯来人的神耶和华太差劲了，做事半途而废。

接着，摩西求神按着神对自己圣名的总结来彰显自己："耶和华不轻易发怒，且有丰盛的慈爱……"[6] 神在天上沉默良久，然后表示因为摩西祷告的缘故，祂决定饶恕以色列人。接着，神就提高声音（至少在我的想像中），用最重的口吻说到："但是，我指着我的永生起誓，全地都要被耶和华的荣耀充满"（民14:17-21）。

神想表达什么意思呢？祂其实是在说，祂还会用以色列民，但要等下一代人兴起来。即便要延迟，祂仍然坚决要在全

地实现祂的旨意：使全地被"耶和华的荣耀"充满。为此，神需要一群满有顺服，虔诚敬拜，又勇于见证的人。

圣殿

或许，圣经第一次清晰地提到圣殿是在摩押平原，在约书亚带领以色列民进入应许之地之前。摩西在此颁布了神的命令，要毁弃"一切列国事奉假神的地方"。神没有让以色列人改造以前的敬拜场所，而是彻底摧毁，好叫"他们的名字从这地方除灭"。真神岂能容其他神祇和祂平起平坐，暧昧不清？以色列人要建造一个全新的特殊敬拜场所，成为"立祂圣名的居所"（申 12:2-14，尤其是 12:5）。

在此，请思量神所宣告的圣殿的目的："作立祂名的居所"。神要借着这个特别的地方成就两件事：首先，神要按着"祂的名"来揭示自己。敬拜者在此高举神的属性，颂扬神的事迹和作为，因此圣殿成为神的启示之地。

其次，神要圣殿成为祂与人相遇的地方，好让祂住在祂的百姓中间，与他们建立美好的关系。最早提及会幕的时候，神就暗示过想要一个与自己的百姓相近的地方，"使我可以在他们中间居住"（出 25:8）。"居住"显然表明一种关系，一种圆满合一的敬拜。当神的子民亲近神时，神也靠近他们。所罗门深知圣殿并非神的居所，所以他在修建华美壮观的圣殿时就祷告道：

"神真的要和人住在地上吗？看哪，天和天上的天也容不下祢，何况我建造的

这殿呢？"（代下 6:18）[7]

大卫把圣殿设计成一个便于赞美、接近神的地方。所罗门把当初父王安排的诗班和作祭司的乐师安置在圣殿里，这些诗班要用大卫写的一些诗歌日以继夜"向耶和华歌唱……在列邦中述说祂的荣耀"，也必定会用历代志上十六章 23-33 节中大卫所着的奉献诗歌（另一个版本见 p.83 提及的诗篇九十六篇）。这些诗歌呼唤着"万族万民"一起来敬拜神（代上 16:28）。

从所罗门献殿的祷告来看，圣殿要成为神看见、听到和回应祂子民的地方；然而，圣殿不只是为以色列预备的。所罗门特别提到"万族"，因为他深知神的旨意是欢迎万族到圣殿来敬拜他。

所罗门王深知神的心意。神已经使自己名声广传。外族要来亲自寻求与神的关系。请听所罗门响亮的祷告：

"至于不属于祢的子民以色列的外族人，为了祢的名的缘故从远地而来，因为他们听到祢的大名、大能的手和伸出来的膀臂，他们来向这殿祷告的时候，求祢在天上祢的居所垂听，照着外族人向祢呼求的一切而行，好使地上的万族万民都认识祢的名，敬畏祢，像祢的子民以色列一样；又使他们知道我建造的这殿是称为祢的名下的。"（王上 8:41-43）

所罗门所求的可不是寥寥无几的敬拜者从万国中前来，而是每一个族群中都有许多人前来敬拜神。所罗门向神祈求，当外族人来这殿祷告时，便得遇见神。他所求的不是让外族人用外族人的方式去认

识神，而是让他们像以色列人一样去认识神。所罗门憧憬万族都和以色列一道享受与神同行——谦卑、喜乐、充满敬拜赞美，"敬畏耶和华"。

万族开始来跪拜

神的名字当真传扬到普世了吗？外族人真的慕名来到神的殿，寻求认识那位配得敬畏的耶和华了吗？神回应了所罗门的祷告了吗？这些问题的最佳答案是既是也不是。

圣经的记载显示，当圣殿落成之后（王上9:25），示巴女王就"听到所罗门因耶和华的名所得的名声"（10:1）。示巴女王前来了解，亲耳听到所罗门的智慧之言（10:8），离开时认识了这位守约且"永远喜爱以色列"的神。只有像示巴女王这样处于君王位分上的人才看得出，神亲自立所罗门为王，并且透过神的掌管，"秉行公义"的希望将会实现（10:9）。

不过，这是不是一个孤立的事件呢？显然不是。仅仅几节经文之后，我们就读到"世上所有的人都要求晋见所罗门，聆听神赋予他心中的智慧"（10:24）。世上万民尊崇所罗门王，并非因为他聪明绝顶可以判断各样的官司，而是看到神亲自把智慧放到他的心中。所罗门首先向世界传达的箴言是什么呢？正是"敬畏耶和华是知识（智慧）的开端"（箴1:7；9:10）。所罗门这是在向世人介绍蒙神引领的智慧生活，使人知晓何为敬拜神。

神的旨意在此显然得到成就。神的名在列国中为大。以色列民传扬神的名，好让万民都来亲自认识主。那么，到底是什么耽延了神招聚万民来到祂面前的计划呢？只有一件事，就是神反反覆覆严厉警告自己的子民要禁戒的事情：拜偶像。

一切可怕的事都可能发生，但偏偏最糟糕的情况出现了——所罗门竟然荒唐到带头崇拜偶像！这实在是人类历史上最叫人哭笑不得的事情之一。试想一下，当年列国是怀着何等的厚望，带着金钱财宝和渴求敬听以色列的指教。而所罗门也曾在无比壮观的荣耀中奉献了圣殿，并在献殿结束之际为圣殿和以色列民祝福，为的就是"使地上万族万民都知道耶和华是神，除祂以外没有别的神"（王上8:60）。

所罗门为列国打开了认识和敬畏独一真神之名的大门。谁知，在此可谓高潮之举后不过三章，他的心就"偏离了神去随从别的神"，甚至在神的圣山的视野范围内建筑了异教的邱坛（11:1-8）。读到这些经文，试问有哪个跟随神的人能不失望透顶，厌恶至极呢？我们实在很难不去推测，倘若人们敬拜神的真心不变，哪怕再延续一代，情况该会有多么不同啊！

神不离不弃

神的计划很简单：神使自己的名为大，好让以色列去传扬。祂一直有意地把自己的名区别于其他所有的假神，并悦纳万民按照以色列民的见证所彰显的神的名来敬拜自己。

从此处开始，故事就成了真神敬拜和偶像崇拜之间此消彼长的持久拉锯战。在某些历史时期，人们心中重又燃起忠贞敬拜神的热情，随后又被前所未闻的恶行湮没，亵渎神的名。"是否敬拜神的荣耀"

是几代以色列人最重要的问题。有时，人们对敬拜神无视至极，甚至几代人对神命其先辈遵守的一些简单规定（摩西五经中与敬拜有关的典章）都不闻不问。某些先知书中也谈到，即便有人遵行敬拜之礼，也常常是草草了事，虚有其表。先知书中揭露了这种敷衍了事的敬拜行为，完全有悖常情，没有向神献供和祷告的行为背后应有的公正和仁慈（赛1:11-15；摩5:21-24；弥6:6-8）。尽管神延迟了以色列和犹大两国的动荡之局，最终还是使以色列人离开了那原本表明神的祝福的应许之地。他们被流放到遥远的异国他乡。然后便发生了最惨痛的悲剧：神的殿被火焚烧，成为一堆瓦砾。

在被掳的最后阶段，先知但以理呼求神兑现应许，复兴以色列民和圣殿。但以理深明神的故事全貌，明白神如何用自己大能的手，把自己的百姓领出埃及："使祢自己得了名，好像今天一样。"（但9:15）。但以理最关心的是耶路撒冷圣殿山上的废墟，因为那本是神荣耀的标志，如今竟然成为"四围的人"羞辱的对象。他求神复兴这民这城，以光复神圣名的荣耀。但以理如此呼求不是出于以色列自身的伟大，而是"为了祢自己的缘故，求祢不要耽延。因为祢的城和祢的子民都是称为祢名下的"（9:16-19）。

与但以理几乎处于同一时代的以西结也论到同样的主题。神已经在几个事件上抑制了自己的怒气，没有毁灭以色列，然而神缩手是为了自己的名的缘故（结20:5-22）。神这么做不是出于对以色列固执的偏爱，完全是为了自己在列邦之中的荣耀：

因此，你要对以色列家说："主耶和华这样说：以色列家啊！我作这事，不是为了你们，而是为了我自己的圣名，就是在你们所去的列邦那里所亵渎的，我要使我的大名显为圣，这名在列邦中已经被亵渎了，是你们在他们中间所亵渎的。我在你们身上向他们显为圣的时候，他们就知道我是耶和华。这是主耶和华的宣告。"（结36:22-23）

以色列的命定：
让万民荣耀神

以色列的故事不断发展，其核心乃是神的名和荣耀，看到这一点的不独有但以理和以西结。其他先知和诗人谈到以色列的历史和命定时，亦从神的名吸引万国献上异彩纷呈的荣耀这个角度出发：

全地的居民哪！祢们应当向神欢呼。你们要歌颂祂名的荣耀，把荣耀和赞美都归给祂。要对神说："祢的作为多么可畏！因祢伟大的能力，祢的仇敌必向祢假意归顺。全地的居民都必敬拜祢，向祢歌颂，歌颂祢的名。"（诗66:1-4）

耶和华啊！世上的君王都要称谢祢，因为他们听见了祢口中的言语。他们要歌颂耶和华的作为，因为耶和华大有荣耀。（诗138:4-5）

认识耶和华之荣耀的知识，必充满全地，好像众水遮盖海洋一样。（哈2:14）

那时我要使万民有洁净的嘴唇，他们全都可以呼求耶和华的名，同心合意事奉耶和华。敬拜我的人，就是我所分散的人，必从古实河外而来，给我献上礼物。

（番3:9-10）

万军之耶和华说："从日出到日落的地方，我的名在列国中为大；在各处都有人向我的名烧香，献上洁净的礼物，因为我的名在列国中为大。"（玛1:11）

以上仅摘录了先知话语中的一小部分。这些经文把以色列的身分和神旨意的最终成就紧密相连，神在全地的荣耀将引来万民齐来敬拜。因此当神的子民最终归回应许之地时，建造圣殿就成了首要的任务。先知哈该清楚地指出，圣殿是为神的荣耀且是前所未见的荣耀而造。"我要震动万国，万国的珍宝就必运来；我要使这殿宇充满荣耀。"（该1:8, 2:7）自被掳之后，以色列确实避免了偶像崇拜，但他们翘首以待的民族荣耀，一直没有实现。以色列人引颈渴盼一位弥赛亚，来救他们脱离压迫。难怪当耶稣到来时，他们几乎错过了这位弥赛亚，因为耶稣的救赎异象是神国在万民之中降临。

神在基督里的荣耀

基督乃是神荣耀故事的高潮。在一切告终了之时，祂必从各个部族和说各样方言的人中赎买多人，尊崇天父。如此看来，基督的所作所为都是在把神荣耀的故事带进为万民预备的圆满结局。

耶稣从为天父带来普世荣耀的角度总结了自己的事工：

"我在地上已经荣耀了祢，祢交给我要作的工，我已经完成了。"

> **基督乃是神荣耀故事的高潮。在一切告终了之时，祂必从各个部族和说各样方言的人中赎买多人，尊崇天父。**

那么，这工是什么呢？

"祢从世上分别出来赐给我的人，我已经把祢的名显明给他们了"（约17:4、6）。

使祢的名成为圣洁

耶稣教导门徒的祷告，很容易因为古旧的英语翻译而受到误解，变成"愿人都尊祢的名为圣"。实际上，这句祷文并非一句表示赞美的陈述。它在原文是一句清清楚楚的恳求："我们在天上的父……请祢使祢自己的名成为圣洁！"通俗地说，就是："父啊，求祢向全地的万民高举、突出、尊崇、彰显和揭示祢的名吧！按着祢自己本来的属性，使祢的名为万人所知吧！激发世上所有人都来认识和崇拜祢吧！"耶稣接下来的话表明这个祷告的普世意义："在地上，如同在天上。"这句祷文的至高地位对于所有信徒来说不言而喻，我们必须完全领会。毫无疑问，耶稣这是在教导教会，要为实现神显明在以色列的律法、历史、诗歌和预言中亘古的旨意而祷告，这一切都是为了神的荣耀。

在与一位非犹太裔的撒玛利亚妇人的交谈中，耶稣宣告了神为她和其他外族人预备的光明未来："然而时候将到，现在

就是了，那用心灵按真理敬拜父的，才是真正敬拜的人；因为父在寻找这样敬拜祂的人。"（约4:23）

万民敬拜的殿

在耶稣公开洁净圣殿的记载，特别看出祂对万族来敬拜神的关注。祂怒斥除掉圣殿中拦阻万民来亲近神的宗教性商业行为。引用的是以赛亚书五十六章7节："我的殿必称为万族祷告的殿。"听到这句话的宗教领袖，立即回想起以赛亚书五十六章6-7节的全部内容。耶稣实际上希望他们听到整段经文：

> 至于那些与耶和华联合的外族人，为要事奉祂，爱耶和华的名，作祂的仆人的……我必领他们到我的圣山，使他们在属于我的祷告的殿中喜乐；他们的燔祭和祭品，在我的祭坛上必蒙悦纳，**因为我的殿必称为万族祷告的殿**。（赛56:6-7）

耶稣在赴死之前显明了祂生命的目的，以及祂将要受死的意义（约12:24-32）。祂毫不隐瞒求神救自己脱离死亡的想法："我应该说什么呢？说'父啊，救我脱离这时刻'吗？"但是祂没有求神救祂逃离，而是说："然而我正是为了这个缘故来的。"这个"缘故"是什么呢？耶稣脱口而出的答案，成为总结祂生与死之意义的祷告："父啊，愿祢荣耀祢的名！"然后，在周围瞠目结舌的人们见证之下，天父从天上用洪亮的声音亲自回答耶稣："我已经荣耀了我的名，还要再荣耀。"

只要你愿意听，神从天赐下的回答如今依然如雷灌耳。对任何将自己的生命为了天父的圣名而摆上的人，这句话也是神给他们的答案。耶稣说，这个回答不是为祂赐下的，而是为着那些跟从祂的门徒赐下的，他们就是今后要在相似的事件上，选择效法祂，遵行神永恒旨意的人（约12:30）。耶稣的死能怎样荣耀神的名呢？"我若从地上被举起来，就要吸引万人归向我。"（12:32）

保罗事工突显神超然的荣耀

使徒保罗把自己的生命视为神亘古旨意的一部分，最终实现普世万民都由衷地发出顺服的敬拜美景。他精准地描述了宣教的目的："我们从祂领受了恩典和使徒的职分，在万族中使人因祂的名相信而顺服。"（罗1:5）在保罗看来，世界分为两类：一类已听闻基督之名，另一类尚未听闻基督之名，他坚决把在未闻基督之名的世界传福音作为首要的事（罗15:20）。[8]

从保罗的事工中，我们可以看出神荣耀运行的双重方向。一方面，保罗努力作工，向万民启示基督而荣耀神，也就是让基督在万民中得到"尊名"。然而他至高的热忱和最引以为荣的，莫过于万民献给神的敬拜：

> "但有些地方，我写得稍为大胆一点，是要提醒你们；我因着神赐给我的恩典，为外族人作了基督耶稣的仆役，作了神福音的祭司，[9]使所献上的外族人得蒙悦纳，靠着圣灵成为圣洁。所以，在神的事上，我在基督耶稣里倒有可以引以为荣的。"（罗15:15-17）[10]

保罗要"传扬福音"的雄心壮志基于一个更为基本的命令（用他自己的话来说："因着神赐给我的恩典"）：神要他"作福音的祭司"。这一比喻丝毫无误。保罗确实把自己看作一位侍立在神面前的祭司服事万民，指教和引导他们去亲近神，也帮助万民把自己族群的荣耀归给神，讨神的喜悦。保罗的职责可不是改良文化或者社会，因为神的灵一直在不断动工，更新和圣化万民向神献上的荣耀。

保罗为了前面这个光辉灿烂的异象而努力，不计代价。他深知，这个异象值得全力以赴和耐心企盼。来自不同族群的信徒，不拘是犹太人或是外族人，软弱的还是强壮的，都同心合意地"荣耀我们主耶稣基督的父神"（罗15:6）。

永恒荣耀的预演

在历史的尾声中，神的大爱在地上要成全到什么地步，会令我们大为惊叹；祂的大爱，将会赢得万民的热诚之爱。耶稣必完全实现对天父许下的诺言："我已经把祢的名指示他们，还要再指示，使祢爱我的爱在他们里面，我也在他们里面。"（约17:26）

除了历史以外，我们将会看到，历世历代无数族群的敬拜其实是预演更大的爱和荣耀，其中充满了每一个族群的荣美。

天地都要合一。"看哪！神的帐幕在人间，祂要与人同住，他们要作祂的子民[11]。神要亲自与他们同在，要作他们的神。"（启21:3）

所有族群要继续存在，直到永远。万族的君王要络绎不绝地将各自族群的珍宝和果实献到神的宝座前，妆饰这座地上的天国之城（启21:22-26）。我们要事奉神，时时为着神的名字写在我们额上而惊叹和感恩，并永远瞻仰祂的容颜，作为祂深爱的祭司事奉祂（21:1-5）！

世界福音化的目的

我们直到如今都在呼喊："让全地的人都听到神的声音！"让我们不断把祂的话语传给每一样有气息的受造之物。然而，根据大多数人的判断，全地都将听到福音的这一天很快就会到来。然后会怎么样呢？

有一个呼喊更为古老，就是扬声表明大地的终局，今天我们越发要高呼："愿万民都称谢祢。"（诗67:3-5）我们现今已经听到更多来自万民的赞美。"众族群尽都爱神，社会也呈现出圣化后的绝佳风貌"，让我们现在就把最深切的情感和雄才伟略都聚焦于这一壮丽奇景吧！这盼望何其美好！

三、宣教方式的变更

强调神的荣耀，绝不是大使命的一个点缀而已。我们现在更应怀着同样的热情齐心协力，使基督的名在每一个族群中为人所知，为人称颂。着眼于普世福音化的"荣耀颂"，切实地向我们指出完成未竟之业所需的智慧。走进祂荣耀的故事，将在三个方面切实地帮助我们。

> **"众族群尽都爱神，社会也呈现出圣化后的绝佳风貌"。让我们现在就把最深切的情感和雄才伟略都聚焦于这一壮丽奇景吧！这盼望何其美好！**

1. 对神荣耀的挚爱，使我们宣教的动机扎根更深

普世福音化是为神而作。但有一种常见的现象，我们的宣教事工常常是出于对人窘境的关怀，或是为了救人脱离地狱，或是为了实现社群的福祉，或者二者兼顾。这种同情心合乎圣经，也是必要的。然而，如果我们首要关心的是看到神在奉祂名所做的善举中得到尊崇，那我们对人的爱就更平衡，更有力。若我们最关注的是被福音大能更新之人能把感恩归给神，那就更可取了。

耶稣看到群众像迷羊一般，就动了怜悯之心，然而祂没有直接伸手满足他们眼前的需要。祂故意用一个不同的比喻，来形容这些失丧之人。祂不再管他们叫迷羊，而视之为对神极有价值的"庄稼"。谁能体会神从人生命中得到丰满果实而有的喜悦呢？耶稣明白到这一点。根据这个异象，祂恳求庄稼的主，差派工人来收割庄稼（太9:35-38）。耶稣深知，按着神的方式来说，人的自告奋勇往往价值极小。只有出于神的"差派"，才可能有持久的力量。真正受神差派的人，他的怜悯才会像江河一样源源不断。

如果我们的宣教工作，只是出于对人陷入窘境的同情，就不会持久。激起罪疚感来催促，确能稍为软化信徒的心，使我们看到受伤和失丧之人的需要。然而现实地讲，这些动机只会令信徒的心越发疲惫和刚硬，表面顺服。未竟之业需要付出沉重的代价和艰辛的劳动，不能靠"三分钟的热度"。人们可能会为救那绝望和将要灭亡的灵魂一时火热，然而这火热不久就会冷却。神的普世旨意自古就有，不是一时的迫切之需。如今的信徒真的比以前任何世代都更需要栽培，好从心底里发出对神荣耀的长久渴慕，笃信神会成就祂的应许。如此，我们既能被人们的需要深深触动，又能刚强壮胆地为神的旨意作工。

2. 我们的任务就是使神多得荣耀

历来基督徒从未像今天这样，重视向世上的所有族群传福音。从族群及其文化的角度出发，能够帮助我们制定向特定文化有效传播福音的策略。这种"族群方略"有助于评估进展，分配不同的任务，达成有效的协作。

话虽如此，族群方略仍然备受争议。多年来，有些人公开抨击这一策略，或说它是破坏教会合一的罪魁祸首，或说它是死不改悔的西方殖民主义的幌子。近来，还有一些人悄然放弃了这种方略，转向其他看似更为可行的宣教方式。即便有许多国家一夜之间四分五裂，但以国家为单位的宣教方式看来还是很受欢迎。其他根据地理位置来划分的宣教方式包括：标出各地区的中心都会；根据经纬度画出一个个"宣教之窗"，在地图上注明敌挡福音的属

> **神也渴望每个族群都涌现出富有自己民族特色的爱心、公义、智慧和敬拜形式。**

灵势力，不一而足。

固然，世上的族群会因地理、城镇以及国家的划分而产生区别，在针对族群制定策略时，我们确实需要参考这些因素。然而我们的目标，却不能只是把他们当作"进攻"的"对象"。我们的目标不能只是传福音，还要确保这个族群在顺服之中，向神献上带有其特色的敬拜。

我得承认，重点并不在于族群宣教**方法**本身，而是族群宣教所带来的**成果**。福音应当带来什么果效呢？我们当然不愿意看到福音只是在人们中间口耳相传，使得人人都有机会对之发表高见。神早已应许要因各民各族归向祂而得荣耀，神也渴望每个族群都涌现出富有自己民族特色的爱心、公义、智慧和敬拜形式。这是建立本土化教会的最佳依据。这个角度提升了每个族群独特的优点，同时肯定了福音在每个地方产生突破的价值。这样，地理位置反而更形重要；每个城市和地方，因为要成为彰显神国度的独特所在，而具有更为显著的意义。

3. 为神的荣耀而整合不同工作

以神的荣耀为大前提，可以消除布道与社会关怀之间错误的对立。多年来，人们为了人的哪个方面更重要而争执不休：拯救灵魂重要还是社区关怀重要？实际上不管谁听了这个问题都会觉得厌烦。对于这个问题最普遍的回答是模棱两可的态度：不要非此即彼，而是两者都重要。也许我们可以找到更好的答案；若是这类问题以神为出发点，岂不能找到更为圆满的解答？

不论是宣讲福音，还是奉神的名去做善行义举，都会给神带来荣耀。当整个社群看到基督的手亲自更新他们的生命时，更大的荣耀就会充满在他们当中。

有些人提出一种试图平衡布道和社会关怀的"双重使命"（double mandate），并没有什么建设性。"充满这地"即所谓的文化使命，与之平衡的就是普世福音化的福音使命。对此，我们要问：神的旨意不是只有一个吗？地上的万民不是都要事奉这一个旨意吗？万民的服事就是他们充满公平和公义的完全顺服的生命，他们的言行，就是他们借着基督来到神面前敬拜时，所献上的礼物。

都有对神荣耀的异象，才是教会之间真正合一的基石。当我们渴慕每一个族群都带着其独特的荣耀来到神面前时，我们就不会去强求统一的敬拜和举止。我们会渴慕大家都宣认基督这独一的真理，但我们会更加乐于见到公义、和平与喜乐，以丰富多彩的样式涌现出来。

附注

1. "雅威" 这个名字怎么样呢？有些译者将其译为 "耶和华"。毫无疑问，这是一个重要的名字。但我们必须谨慎，不要以为永活的真神实实在在有一个 "具有法律意义的" 真实名字，仿佛神有一张保存于某个地方的出生证明。圣经一贯强调，要让我们以神所希望在普世被人认识的方式来认识祂。因此，出埃及记三章13节的问题极有可能不是一个指代性的问题（摩西问，祢代表哪一个神呢？），而是一个关系到名声的问题（这位神到底为自己树立了怎样一个良好的记录，足以使我们愿意委身于反抗法老这样一个近乎自杀的行动？）我们完全有可能从动词的角度来理解这四个字母（YHWH）所代表的神的名字，即 "我要使一切当成的都成就"，其意思与神作为创造主和信守应许者的属性完全相符。从该节经文更广的脉络来看，神最后对百姓的问题的回答是整个事件的重点："你要对以色列人这样说：'耶和华你们祖宗的神，就是亚伯拉罕的神、以撒的神、雅各的神，差遣我到你们这里来；这就是我永久的名字，也是世世代代中我被记念的名字'（出3:15）。

2. 译为 "归给" 的希伯来原文一词意思很简单，就是 "给"。我采用了该词的 "给" 这个最直接的字面意思，因为 "归给" 似乎把整个行动都描绘成认知上的行为。这里的脉络将敬拜描绘成百姓带着礼物来献给神的一个行为，远不止一个单纯在认知层面上进行的脑力活动。

3. 亚伯拉罕认识到，神借着应许祝福他和他的家，实际上是要建造一个新的家庭。圣经中 "祝福" 的概念充满家庭的荣誉和传统内涵在其中。圣经中的祝福通常是一个带有能力的宣告，将最终的结局赐下来；一个来自家庭的祝福，通常成为遗产中最被看重的部分。现今有许多社会仍然设限，认为只能继承祖先生前没有花掉的财产；但是圣经中的遗产并不局限于一代人所剩下留给下一代消费的财物，祝福是给这个家庭未出生的后代一个特别的传承，并且会不断地增加和丰富。神应许给亚伯兰的祝福（创12:1-3）中有一个最令人震惊的特点，那就是神把一个特别的财富交给他，而这个财富会给星球上每一个家庭带来极大的福气，而不只是惠及某一个人的亲族。

4. 请参其他有关释放希伯来人的不同请求。这些表明，通常译作 "服事" 的希伯来文词语，一般都用在敬拜的脉络中（出3:12，4:23，5:1，7:16，8:27、29，10:9）。请特别留意出埃及记十章26节，这节经文清楚地表示 "事奉" 就是将祭物献给神。

5. 见 *Moses and the Gods of Egypt*, by John Davis, (Grand Rapids: Baker Book House, 1971)。

6. 神在西奈山对祂的名作出如此详尽的总结（出33:19；34:6-8）。它实际是将神如何带领人这一好消息简明扼要地总结起来。这是一个意义极为重大的宣告，后代的以色列人将其视为向列国传讲的概括性信息（诗86:9-15，145:1-2，8-12、21）。约拿承认这是自己所知道的真理，但是不愿意向尼尼微人分享（拿3:9-4:2）。

7. 不要以为所罗门提出 "神真的要和人住在地上吗？" 这个问题代表一个绝望的心情，似乎神从未与人同住过。他的祷告本意不是来界定宇宙的大小和分布，他的说法表明了一种来到至高神面前非常合宜的自我卑微的态度。接下来，他以正式的宫廷用语发出了一个极为谦卑的请求，要全地的君王俯就祂的子民，转眼眷顾与祂的子民相交之处，照祂的应许垂听他们的祈求（代下6:19-21）。比较历代志下六章1-2节，所罗门在此承认，代表神荣光的云彩完全充满圣殿，以致在场侍立供职的祭司都无法忍受夺目的光亮（代下5:13-14）。

8. 保罗提到"宣扬过基督的地方"。仔细审视其上下文能够发现他这句话的含义:"宣扬基督"并不只是某一个宣教士在某个地方讲过一次有关基督的信息,它的含义是在那里立下一个"根基"(罗15:20)。保罗在前面提到某个具体的地区,福音在那里已经"成就",也就是说实现了一个相当程度的完结(罗15:19)。"传讲开了"或"宣讲开了"等译法,强调的是福音信息在认知层面上的转移,而没有着重福音浪潮的推进,而后者正是十五章18-19节中所列出的福音行动所包含的意思。根据保罗在别的地方(尤其是林前3:8-15)有关"根基"一词的用法,我认为"宣扬过基督"的意思是,指在某个地方兴起了一个不断发展的顺服基督的浪潮,这个浪潮已经显明能够向整个群体清楚地表述和彰显基督的生命。这正是许多人所认为的教会。

9. 保罗将祭司这个概念动词化,表示他在像祭司那样来处理福音。这样的做法向读者描绘了一个希伯来人祭司,其主要任务就是帮助人们把他们敬拜的礼物献给神。

10. 意思是仿佛在圣殿中"朝向神的面"一样。

11. 某些有良好抄本见证的异文抄本,在这段经文中保留了"子民"一词的复数形式。

研习问题

1. 主祷文中呼求"愿人都尊称祢的名为圣"这句祷文怎样实现神亘古的旨意?
2. 请简述大使命的实现将怎样从"每个族群中"带来敬拜。
3. 请简述敬拜如何既揭示了神的荣耀,又让神可以完全实现祂对人的爱。
4. 作者认为整个圣经故事的目的就是为了传扬神的名,使祂得到敬拜。请对他的这一观点作出评论。圣经之中到底有没有一个连贯的故事?神的荣耀真的是最关键的主题吗?有其他可能性吗?

第9章　愿万族都快乐！

派博（John Piper）

作者自1980年起，就在明尼苏达州明尼阿波利斯市的伯利恒浸信会担任牧师。著作等身，其代表作有《渴慕神——论禁食祷告》（Desiring God）、《神就是福音》（God Is the Gospel）、《神喜欢》（The Pleasures of God）、《神的命令》（What Jesus Demands from the World）、Let the Nations Be Glad, 以及 Don't Waste Your Life。本文摘自 Let the Nations Be Glad 一书（1993年），版权使用承蒙许可。

宣教不是教会的最终目标，敬拜才是；正因为人不敬拜神，才要有宣教。敬拜是终极的，宣教不是；因为神是永远的，而人不是。当今世结束时，数以百万计被救赎的众生将俯伏于神的宝座前，那时宣教便可以停止；宣教是暂时的，敬拜却永远长存。

因此，敬拜是宣教的动力与目标。一方面是宣教的目标，因为我们宣教的目的就是要使万族尽情享受神的荣耀。宣教的目的是要使万民在神的伟大中快乐，"耶和华作王，愿地快乐，愿众海岛都欢喜。"（诗97:1）"神啊！愿众民都称谢祢，愿万民都称谢祢。愿万族都快乐欢呼。"（诗67:3-4）

然而，另一方面，敬拜也是宣教的动力。热心敬拜神在先，主动传讲神在后；你若不视为至宝的，就不会推荐给别人。宣教士如果不能先从心里说："我要因耶和华欢喜……我要因祢快乐欢欣，至高者啊！我要歌颂祢的名"（诗104:34，9:2），他们就永远不能喊出："愿万族都快乐欢呼！"宣教始于敬拜，也止于敬拜。

在人心的爱慕和教会的优先次序中，如果没有把追求神的荣耀放在寻求对人的益处之前的话，那么就不可能有好的服事，而且对神的崇拜也只会流于形式。这样说的意思不是要贬低宣教的价值，而是要抬高神的价值。当敬拜的火焰燃烧，并释放出神真实价值的热量时，宣教之光定会照亮地上那些最黑暗的族群。我真心盼望这一天的来到！

哪里对神的爱慕减少，哪里宣教的热心也会变得冷淡。不以高举神的尊荣与美好为中心的教会，很难有强烈的愿望去"在列国中述说他的荣耀"（诗96:3）。

世界上的第二件大事

在宣教中最关键的，是神要在教会的生活中处于中心位置。如果人不惊叹神的伟大，如何能奉差遣带去这响亮的信息："因为耶和华是伟大的，该受极大的赞美，他当受敬畏，过于众神之上"（诗96:4）？宣教不是始也不是终，唯独神是！这些并不仅仅是说说而已。这个真理是宣教士热心和忍耐的命脉所系。威廉·克里（William Carey）是现代宣教之父，他于1793年从英国航行到印度，曾经这样描绘其中的联系：

> 我离开英国时，对印度人归主的盼望十分强烈。然而遇到重重困难，若非由神托着，这盼望便会消失；多亏有神，并且祂的道是真理。就算这异教徒的迷信比现在厉害一千倍，就算欧洲人所树立的榜样比现在差一千倍，就算我被所有人弃绝和逼迫，然而我的信心，既定睛在这确定无疑的道上，定能越过重重障碍，战胜各种试炼。神的事业必要得胜！[1]

威廉·克里和千万个像他一样的人已经被一个异象所推动，这便是那位伟大并且要得胜的神。这异象必须在先，先要在敬拜中体验这一异象，而后才能在宣教中去表显这一异象。整个历史正朝一个伟大的目标推进，就是地上的万民要向神和祂的爱子献上炽烈的敬拜。宣教不是目的，乃是途径；正因为如此，宣教是人类活动中的第二件大事。

神对自己的热心是我们对神热心的基石

神使上述真理牢牢地抓住某个人或某个教会，其中方法之一就是让人们惊奇地认识到这个真理同样也适用于神。也就是说，宣教不是神的最终目标，敬拜才是；当这一点深入人心时，一切都随之改变。世界也会发生天翻地覆的变化，所有的观

宣教不是教会的最终目标，敬拜才是。

念都更新了——包括对宣教事工的认识。

我们热切地想看见神得荣耀。归根结底，这份热切的基础是神对自己要得荣耀充满了热心。在神自己的感情中，祂自己处于中心和至高无上的位置；也没有什么能比得上祂的荣耀。神不自铸偶像，也不会自己违背第一条并且是最大的一条诫命；所以祂是尽心、尽性、尽意、尽力从自己尽善尽美的荣耀中得到喜悦。[2]在全宇宙之中，对神显出的最大热心来自于祂自己。

较其他任何我所知道的真理，这个真理更能使人确信敬拜是宣教的动力和目标。我们对神的热心为宣教事业提供动力，最深刻的原因在于神为自己发的热心，为宣教事业提供了动力。宣教是我们从神里面得到的喜乐向外流露，因为神从自己的神性中得到喜乐。敬拜之所以是宣教的目标，最深刻的原因是因为敬拜是神的目标。圣经中记录了神不停息地寻求在万民中得到赞美，"万国啊！你们要赞美耶和华；万民哪！你们要颂赞祂"（诗117:1），[3]这就向我们证实了这个目标。既然这是神的目标，当然也必定是我们的目标。

敬拜是宣教的动力

神在自己心中的至尊地位并不表明祂没有爱。实际上，这正是爱的泉源；按照神充满了怜悯的旨意，祂对自我完美所存

的喜悦要涌流出来，并且要与万民分享。我们可以重申前面提到的真理，在宣教中，敬拜是我们的动力和目标；同样，敬拜也是神在宣教中的目标和原动力。宣教发自神为自己而有的那全然的热心，其目标是要与万民共用这一祂为自己所存的热心（参见约15:11，17:13、26；太25:21、23）。宣教事工的能力要扎根于神的目标与原动力，也就是扎根于敬拜。

唯有这独一的神为等候祂的人行事

我们能认识到这位"必兴起来怜悯你们"（赛30:18）的神，是推动普世宣教的异象，已经很不错；但这只是一个方面。我们尚未思想过的一个方面是，在万民所有的神祇中，我们这位神全然独一无二。以赛亚认识到了这一点，他说："从古时以来，人未曾听过，耳未曾闻过，眼未曾见过，在祢以外还有什么神，能为等候祂的人行事的。"（赛64:4）换句话说，使以赛亚震惊的是，神的伟大看似有矛盾的一面，祂不要人为祂做什么，如果人肯不靠自己并"等候祂"的话，祂反要借着为人行事来更加彰显祂的伟大。

保罗在使徒行传十七章25节中说："也不受人手的服事，好像祂缺少什么；祂自己反而把生命、气息和一切，赐给万人。"这一点以赛亚早已意识到了。从本质上讲，基督教的独特之处在于：神的荣耀彰显于自由的恩典中。祂满有荣耀，因祂不需要万民来为祂做什么。祂反而可以白白地为他们做事。"因为人子来，不是要受人服事，而是要服事人，并且要

舍命，作许多人的赎价。"（可10:45）可以说，宣教不是为神"雇佣劳动力"的工程，反倒是一个将人"从其他神祇的重担和重轭下释放出来"的工程（太11:28-30）。

以赛亚说在世界上任何地方也未曾看见或听说这样一位神。他在各处所见的都是受人服事而不服事人的神明。比方说，巴比伦之神彼勒与尼波：

> 彼勒俯伏，尼波弯腰；巴比伦人的偶像驮在走兽和牲口上。你们所抬的现在都成了重担，成了疲乏的牲畜身上的重负。它们一同弯腰、俯伏，不能保护重负，它们自己反倒被掳去了。"雅各家啊，以色列家所有余剩的人哪！你们都要听我的话，你们自出母腹，就蒙我怀抱；自出母胎，就蒙我提携。直到你们年老，我还是一样；直到你们发白，我仍然怀抱你。我以前既然这样作了，以后我仍必提携你；我必怀抱你，也必拯救你。"（赛46:1-4；参耶10:3）

真神与万民中假神之间的区别在于：真神托着人，而假神由人驮着；真神服事人，而假神要人服事；真神借着施怜悯而荣耀祂的大能，假神以掳人为奴来夸耀它们的能力；神为祂荣耀所发的热心驱使祂施怜悯，对神的这种看法驱动着宣教，万神之中，只有祂是独一真神。

世上最值得分享的信息

这位神还有另外一个途径带出宣教事工。福音的命令从这一位神而来，往列国去。这是一个最值得分享并切实可行的

命令。具体说来，就是要喜乐，要靠神欢喜。"耶和华作王，愿地快乐，愿众海岛都欢喜。"（诗97:1）"神啊！愿众民都称谢祢，愿万民都称谢祢。愿万族都快乐欢呼，因为祢按正直统管众民，并引导地上的万族。"（诗67:3-4）"困苦的人看见了就喜乐；寻求神的人哪！愿你们的心苏醒。"（诗69:32）。"愿所有寻求祢的，都因祢欢喜快乐；愿那些喜爱祢救恩的，常说：'要尊神为大。'"（诗70:4）对于传递信息的宣教士来说，还有什么信息比这信息更好呢？因神欢喜！因神喜乐！因神欢呼！因你们最满足于神时，神从你们得的荣耀最大！神喜爱施怜悯于罪人而高举自己。

令人欣慰的是，当我们将这信息带到宣教的前方，正是要叫各地的人为他们自己寻求最大的好处。我们呼召人归向神，来的人说："在祢面前有满足的喜乐，在祢的右手中有永远的福乐。"（诗16:11）神要在列国中荣耀自己，祂发出命令："要以耶和华为乐！"（诗37:4）对于全地所有的人，神第一也是最大的要求是他们要悔改，不再从他物中寻找满足，要开始单单地从祂里面寻求喜乐。这位神不受人事奉，只让人喜乐。[4]世界上最大的罪并不是人类不为祂作工，以增加神的荣耀；而是我们不去以神为乐，来反映神的荣耀。因为当我们在神里面得到最大的喜乐时，祂的荣耀也就从我们身上反映出来，光耀照人。

透过教会的宣教彰显神的荣耀，又将无限的喜乐赐给祂的百姓，这两点实质相同，是神存着永不变更的目的；想到此，令人兴奋！因此，我们看到神已下定决心，使从各族、各方、各民、各国之中召来那被赎之民获得神圣的喜乐；神为这件事所发的热心，同祂在凡事上求自己的荣耀的热心完全相同。神心中所存的至尊会促使祂广施怜悯，并推动教会的宣教浪潮。

圣经如何表述神在宣教中的至尊地位

圣经中有些经文强调神的至尊在推动教会宣教上具有重要地位。从以上所谈的，我们或许能够感受到这些经文的力量，使我们更加坚信在圣经中的宣教异象中神就是处于中心位置。

我们也看过一些旧约经文，指出神的荣耀是宣教所要昭示的中心："要在列国中述说祂的荣耀。在万民中述说祂奇妙的作为。"（诗96:3）"使他们谨记祂那至高的名。"（赛12:4）诸如此类的经文还有许多，但是我们还没有看到耶稣、保罗和约翰对于这一点所作的直接论述。

为这名撇下家庭和产业

有个年轻的财主不愿意撇下财富跟从耶稣。在他走了之后耶稣说："有钱的人是很难进天国的。"（太19:23）使徒们感到十分惊奇，便说："这样，谁可以得救呢？"（19:25）耶稣回答说："在人这是不能的，在神却凡事都能。"（19:26）接着，彼得自认为是一个撇下房屋和产业来跟从耶稣的宣教士，说："祢看，我们已经舍弃一切跟从了祢，我们会得到什么呢？"（19:27）对彼得的牺牲之意，耶稣的答覆略带温

柔的责备："凡为我的名撇下房屋、兄弟、姊妹、父母、儿女或田地的，他必得着百倍，并且承受永生。"（19:29）

在这里我们要注意"为我的名"这几个字。宣教士撇下房屋、家庭以及产业时，耶稣认为他的动机理所当然是"为耶稣的名"，也就是为耶稣的名声之缘故。神的目标是让他儿子的名在世界万民中得到高举和尊崇，因为哪里儿子受尊崇，父也就受了尊崇（可9:37）。万膝因耶稣的名而下拜，"使荣耀归给父神"（腓2:10-11）；因此，以神为中心的宣教是为了耶稣的名而存在的。

宣教性祷词：愿人尊神为圣

耶稣在圣经中多次教导说，宣教的动力来自神要在万国中得荣耀的热心。其中，也许主祷文的前两个呼求"愿祢的名被尊为圣，愿祢的国降临"（太6:9-10），最能清楚地表达这一点。在这里耶稣教导我们求神来尊崇祂的名，并使祂的国降临。这是一个宣教的祷告，目的是请神在那些忘记或亵渎神之名的人当中为祂的名发热心（诗9:17，74:18）。要尊神的名为圣，其中的意思是要将神的名单单放在那个特别的位置上，以超过对任何事物的忠诚与爱戴来爱惜和尊崇这名。耶稣首先关心的，在祂教导的主祷文首句中就已体现出来，那就是要越来越多的人、越来越多的族群尊崇神的名为圣；这是宇宙存在的原因，而宣教之所以存在是因为祂的名尚未得到尊崇。

他要为这名受许多苦难

当保罗在前往大马士革的途中悔改后，耶稣基督便成了他一生最大的财富和喜乐。"我也把万事当作是有损的，因为我以认识我主基督耶稣为至宝"（腓3:8），这种忠诚需要付出巨大的代价。保罗在大马士革所领受的不仅仅是罪得赦免以及与宇宙之王相交的喜乐，还有他必须要受许多苦难。耶稣差遣亚拿尼亚给他带去这一信息："我要指示他，为了我的名他必须受许多的苦"（徒9:16）。保罗的宣教之苦是为"这名"而受。当他接近生命尽头时，有人劝阻他不要上耶路撒冷去，他的回答是："你们为什么哭，使我心碎呢？我为主耶稣的名，不但被捆绑，就算死在耶路撒冷我也都准备好了"（徒21:13）。对保罗而言，耶稣之名的荣耀和在世人中的声誉比生命更重要。

"在万国中彰显祂的名"

保罗在罗马书一章5节中十分清楚地解释，他的使命和呼召是为了基督的名显于万民之中："我们从祂领受了恩典和使徒的职分，在万族中使人因祂的名相信而顺服。"

使徒约翰同样如此描述早期宣教士的动机。他写信给一个教会，告诉他们，要"照着神所喜悦的"，为信主的弟兄送行。理由是："因为他们为主的名出外，并没有从教外人接受什么"（约三6-7）。

斯托得（John R. W. Stott）对这两处经文（罗1:5；约三6-7）的讲解是："他们明白神已将耶稣升为至高，赐祂坐在宝座的右边，并将最高的职位赐给祂，为要使万民口称耶稣为主。他们渴望耶稣能得着与祂的名字相称的荣耀。"[5]这种渴望不是梦想，而是确定无疑之事。在我们一切盼望的深处，当其他一切都无法依靠的时候，我们仍可屹立于一个伟大的现实上：永恒、自足、无限的神配得祂那伟大圣洁之名的荣耀，永不动摇，直到永远。为了祂在列国中的名，祂要行事；祂的名不会一直受人亵渎，教会的宣教必定胜利。祂必要在全地维护祂的百姓与祂的目标。

宣教能力不能凭藉对失丧者的爱心

对宣教来说，怜悯失丧之人是一种高尚、美好的动机。没有这一动机，我们也就无法在美善的谦卑之中与人分享白白得来的宝贝。然而，我们已经看到，对人的怜悯绝不能脱离为神荣耀所发的热心。约翰·道森（John Dawson）是青年使命团（Youth With a Mission）的一位领袖，他用另一个理由来解释其中的道理。他指出，对"失丧之人"或"世人"的那种强烈的爱是一种感受，很难维持，也很难觉察。

你可曾想过，爱失丧之人究竟是一种什么感受？"失丧之人"是我们基督徒常用的一个术语。许多信徒满怀亏欠感搜寻内心，期待生发一种慈爱怜悯，好勇敢地出去宣教。这种事永远不会发生，因为去爱"失丧之人"根本不可能。你不可能对一个抽象名词或概念怀有很深的感情；也不可能深深爱上照片上的一个陌生人，遑论一个国家、一个民族或诸如"所有失丧之人"这类模糊的概念。

别等有了爱的感觉再和陌生人分享基督。你既爱你的天父，并且你知道这个陌生人是神所造却与祂隔绝了，那就主动地去向他传福音吧！因为你爱神。我们向失丧之人传福音并为他祷告的首要原因，并不是我们有怜悯之心，而是我们爱神。圣经在以弗所书六章7-8节中说到："甘心服务，像是服事主，不是服事人。你们知道，无论是奴仆或自由的人，如果作了什么善事，都必从主那里得到赏赐。"

所有的人都如同你我一样不配神的爱。我们切不可成了基督教人道主义者，将耶稣带到贫穷的罪人中间，将神降格为某种改善他们命运的产品。人该受咒诅，而耶稣这位受苦的羊羔，却配得受苦所带来的荣耀。[6]

爱的奇迹

道森的话是一个充满智慧和鼓励的警戒，告诉我们不要把宣教停留在对陌生人怜悯的水准上。然而我也不愿低估神的能力，祂可以将对远方种族的爱的负担加在人身上，而这种爱又是超自然的。比如说，国际宣教协会（OMS International）的卫斯理·杜埃韦尔（Wesley Duewel）讲了他母亲的故事，是对中国和印度的奇妙负担：

我的母亲多年以来都有为中国和

印度迫切祷告的负担。多年来，在每日家庭祷告中，她几乎都要为这两个国家祷告；在结束祷告之前，她常常已经泣不成声。她的爱心深厚而持久！将来在永恒中，她必要因为对这两国多年的爱的负担而得奖赏。这是耶稣之爱，是靠着圣灵、透过基督徒发出来的。[7]

我再次强调，出于怜悯的动机与为神荣耀所发的热心不可分割。以神为中心的怜悯，是唯一从永恒的角度关怀人的怜悯；怀着这种怜悯的人，每当想到那些拒绝神的荣耀并喝下神震怒苦杯的人所遭遇的凄惨，就潸然泪下。这种感伤不是因为失去了基督徒的喜乐而造成的。若果如此，那么非信徒就会讹诈基督徒，挟持他们的幸福以换取永生。

但事实绝非如此！基督徒为失丧之人的宝贵灵魂哀伤乃是由于在神里面的喜乐，这似乎很矛盾。喜乐是因为他们渴盼自己所得到的喜乐能够向外扩展，进入到那些将要灭亡之人的生命中；怜悯之泪，则是感于这种喜乐受到拦阻，无法传递给他人。

神的呼召

神对我们的呼召高过一切，祂要我们一生所追求的、所热衷的就是神的至尊。人若不觉得基督高贵，就不会将宣教大业看为高贵；若不认识有一位伟大的神，便不会对世界产生一个视野辽阔的异象；若没有敬拜神的热心，便不会有热心领别人来敬拜神。

神那得着全世界的目标，就是要从各族、各方、各民和各国中为自己召聚喜乐的敬拜者，祂的全能和热心必然成就这事。祂的热心永不放弃，必要在万国之中彰显祂那至尊之名。

因此，让我们的喜好与祂的喜好看齐，并因为祂名的缘故，放弃属世的享受，参与到祂得着全世界的计划中。如果我们这样做，神的全能、神的热心要如同旌旗引导我们前行。就算遭遇万般艰难（徒9:16；罗8:35-39），我们必不失败。

宣教不是教会的最终目标，敬拜才是！宣教的存在，是因为人不敬拜神。

最大的使命首先是以耶和华为乐（诗37:4），而后去宣告："愿万族都快乐欢呼！"（诗67:4）。这样神才会自始至终得着荣耀，并以敬拜作为宣教事工强劲的动力，直到主来！

> 他们唱着神仆人摩西的歌
> 和羊羔的歌，
> 说："主啊！全能的神，
> 祢的作为又伟大又奇妙！
> 万国的王啊，
> 祢的道路又公义又真实！
> 主啊！谁敢不敬畏祢，
> 不荣耀祢的名呢？
> 因为只有祢是神圣的，
> 万国都要来，
> 在祢面前下拜，
> 因为祢公义的作为已经显明出来了。"

（启15:3-4）

附注

1. 引用于慕瑞（*ILain Murray*），《清教徒的希望》（*The Puritan Hope*）(Edinburgh: The Banner of Truth, 1971), p. 140。

2. 我曾试图展示圣父喜悦道成肉身的圣子这一美好真理。见拙著《神喜欢》（*The Pleasures of God: Meditations on God's Delight in Being God* (Portland: Multnomah Press, 1991)）第一章，〈圣父对圣子的喜悦〉。

3. 特参 "Appendix One: The Goal of God in Redemptive History," 在《十点十分的盛宴：基督徒快乐主义者的默想》（*Desiring God: Meditations of a Christian Hedonist* (Portland: Multnomah Press, original 1986, 2nd edition 1996)）（台湾中主，2006年）以及《神喜欢》全书。

4. 我明白圣经中有不少地方描绘了神的子民如何服事神。我曾详尽地论证，表明圣经有关服事的观念无需把神理解为一位雇主，仿佛依赖于手下劳工的服务。见《十点十分的盛宴：基督徒快乐主义者的默想》。

5. 斯托得，〈圣经与普世宣教〉，见温德与贺思德编辑，《宣教心视野》（Pasadena: William Carey Library, 1981）。即本书第四章。

6. 约翰·道生（John Dawson），《为神赢得我们的城市》（*Taking Our Cities for God* (1989)），台湾以琳，1991年。

7. Wesley Duewel, *Ablaze for God* (Grand Rapids: Francis Asbury Press of Zondervan Publishing House, 1989), pp. 115-116.

研习问题

1. 请解释 "正因为人不敬拜神，才要有宣教" 这句话的意思。

2. 作者谈到人对神得荣耀所怀的热忱，紧接着却说神至高无上，要求人们敬拜祂。我们如何才能真实地渴慕神所要求的？这种自发自愿的热忱又是如何成为宣教的动力？

第 10 章　绝非苦差

蒂姆·迪尔伯恩（Tim Dearborn）

作者是国际世界宣明会（World Vision International）信仰和发展项目的主任，曾任美国世界宣明会人事主管和西雅图太平洋大学神学教授。他在爱斯基摩人以及阿拉斯加原住民中服事过，并著有几本有关灵性、全球化以及与宣教议题的书籍。本书摘自 Beyond Duty（1997 年），版权使用承蒙许可。

"为了遵守大使命，使万民作主的门徒，加速主的再来，我们当如何行？" 我们往往在这个问题上耗尽心思。然而，这样的起点本身就是错的，因为这使我们落入以人为中心的陷阱，让我们屡屡深感资源匮乏，无法施展身手，难免觉得任务过于沉重，无法完成。

圣经多次强调的优先顺序是这样的，应该从下面这些方面来思考大使命：

- 三一真神是怎样一位神？
- 神在世上的作为。
- 我们参与神的救赎计划当有的策略。

说到底，宣教不是人类为了回应人类的需要而采取的行动；教会的宣教，乃是我们可以荣幸地参与到三一真神的作为中。

对主执著的热爱

对宣教不感兴趣，根本原因不是人们缺乏同情心或委身，也不是缺乏宣教方面的资讯和勉励。令人惊骇的资料，耸人听闻的故事抑或引人顺服的情感激励，都非解决之道。这个问题的出路，只能依靠增强人对基督的热爱；只有这样，才能燃起我们内心的热情。

事实上，在教会生活中宣教不应该占据首位。教会只能有一位元首，也只能爱一位主，就是那位 "神……使所有的丰盛都住在爱子里面，并且……使万有……都借着祂与神和好" 的主（西 1:19-20）。如果说现今的教会需要转变，那就是，也只能是 "转向耶稣基督"。我们必须坚决地拒绝那些试图夺取我们忠诚的假神，单单效忠于**那位万有的源头**。

光说神的教会在世上有个宣教使命是绝对不够的！恰当的说法是："宣教的神在这世上有教会。" 我们若能抓住主体和客体的这个次序，那么参与神的宣教事工就会成为一种使人得喜乐和生命的特权。若不能摆正这个位置，宣教最终会退化成令人厌倦的沉重义务。

如果教会真的忠于福音，那么，耶稣基督必定永远是她唯一的重心、热情以及喜乐所在。我们若真与主同心，自然就能喜乐而充满热忱地参与宣教。

宣教的整合性主题

如今有太多宣教的事工相互对立、彼此争竞，纷纷呼求我们关注；各种"呼求"和"需要"围绕着我们。如不理解圣经中关于神国的重心，宣教反倒成了一件"把坏消息和忧伤的难题带给人"的事情。

人们往往用噩耗来鼓动大家对宣教的热情，诸如：自然灾害、错综复杂的人道危机、各地的未得之民、受压迫和剥削的少数族裔、城乡差异问题甚至内战，不一而足。

这些固然重要，但我们不可忘记福音是："把大喜的好消息带给人！"

好消息和基督信仰密不可分！谁知我们却把宣教变成了噩耗讨论会和探讨"各地人民需要"的谈话会。下面这些耳熟吗？

- 每天有数以千计的人跌入与基督永远隔绝的深渊。
- 每天有三万四千个孩子死于营养不良和能够预防的疾病。
- 数以千计的未得之民中还没有教会。
- 二十世纪为信仰殉道的基督徒，比历代殉道者加起来还多。
- 大屠杀、种族清洗、文盲问题、失去家园、贫困、压迫……！

这个清单还可以绵延无尽！

"悬而未解的问题"不是福音

我必须承认，本人就曾经用类似的统计资料把人推入宣教事工中。我并不是说这些不是真实的需要，关键在于我们该如何回应这些需要？

好心人对这些需要总是回以良知和同情心。于是，我们努力奉行这类劝勉：更多施予、更多事工、作更好的人、更多关心别人、更多服事、更多去爱、更多牺牲自己，直至把自己累垮倒下。尽管这种做法可能极有果效，但总好像少了什么。

我的教会同工，包括我自己在内，经常累得虚脱。我们差派的宣教士，也经常被这些"难于登天"的责任压得几乎不堪重负。

那些写来激励教会参与宣教的书籍中，所描述的尽都是必须执行的任务、必须履行的职责，主给我们的大诫命和大使命，当然还有未得之民、贫困人民和受压迫人群的迫切需要。于是，教会出于使命感、亏欠感和责任感而投身宣教的行列，以完成这些任务。

结果一点不出意外，对教会宣教事业的这种委身，累垮了无数仆人。宣教任务看似一座大山，而我们手头的资源却像一把小铲。诚然，我们必须勇于面对各种重大的难题和各种根本性的问题，但我们应在天国将至这一背景之下去面对，而不是在越陷越深的混乱背景之下。说到底，我们只是回应排山倒海的需求，那并不是宣教。

难怪，支持教会和各类机构的人们对宣教越发失去兴趣！有谁能应对永无止境的灾难和危机呢？这不是福音。福音是大喜的好消息！

神国是充满盼望的好消息

我们是神圣盼望的见证人，而不单是堕落世界惨状的见证人。这一认识应该深深扎根于基督徒心中。圣经告诉我们："我们既然领受了不能震动的国，就应该感恩。"（来12:28）

坦白说，我们的心没有看重盼望。我们放眼世界，便觉得好像一切都在变局之中战栗，一切仿佛都在灾难的边缘挣扎。然而圣经告诉我们一个好消息，那就是我们拥有一个永不震动的国。希伯来书的作者斩钉截铁地说：

> 因此，我们这些逃进避难所的人，就大得安慰，抓紧那摆在我们面前的盼望。我们有这盼望，就像灵魂的锚，又稳当又坚固。（来6:18-19）

基督的伟大胜利

若我们有此绝对可靠的锚，亦即确信无疑、坚定不移的盼望，还把宣教信息的重心放在世上各种尚未满足的需要上，那简直就是一种亵渎。福赛斯（P.T.Forsyth）说：

> 当前许多宣教工作的不足之处是，好像'未竟之业比基督已成之工更重大'。实际上，这世界最迫切的需要比起基督的伟大胜利来说简直算不得什么。

如果我们确实明白圣经的教导，就知道基督已成之工远比任何未竟之业更具决定性、更有意义，也更完全和重要。

我和世界宣明会同工期间，与其领袖的交谈中已经开始认识到，在我们善意的推广和筹款活动中并未完整地道出宣教的全貌。我们似乎成为动人的故事能手，用危机中的残酷事实和灾难中的迫切需要去刺激人受到感动。神也确实使用了我们的努力，尽管其中也有不少错谬和缺陷；神的子民也满有同情心地回应了这些需要。然而，如果福赛斯的说法是对的，圣经也强调他的说法所表明的真理，那么我们就必须改变推广宣教事工的方式。我们当做的是使众人都知晓要宣扬"那召你们出黑暗入奇妙光明者的美德"，邀请他们参与，而不是完全依赖于向人们陈明需要。

荣幸参与，而非累人苦差

若没有这伟大盼望的好消息，相信神完全掌权，我们就会感觉宣教只是人的事业，令人疲惫。我们会觉得有人交给我们一项指令、一份差事、一项职责，完成与否在乎我们自己。这当然会使人筋疲力尽。宣教绝不应该是这样教人厌倦的事业。宣教乃是我们的特权，使我们能参与三一真神使人得生命的奇妙大工。

先求神的国

耶稣邀请我们参与到神的工作中，使天国降临。这到底是怎么一回事呢？我们都读过马太福音六章33节："你们要先求祂（神）的国和祂的义"。如果神的国在耶稣的生命轨迹和事工中占据如此关键的地位，那我们对天国的意义和重要性的理解就不得有半点含糊。

请看耶稣是如何论到神的国：

- 神的国是耶稣公开传讲的第一个信息，祂告诉众人"神的国近了"（可1:15；路4:18）。
- 耶稣给门徒最后的教导也围绕着神的国（徒1:1-8）。
- 耶稣亲自说过，神的国是祂一切教导的标竿，意图和目的（路8:10）。
- 就连耶稣所行的神迹都被称为"神国的记号"。
- 我们都知道主祷文里如此说："愿祢的国降临，愿祢的旨意成就在地上，如同在天上一样。"（太6:10）
- 耶稣甚至如此说："这天国的福音要传遍天下，向万民作见证，然后结局才来到。"（太24:14）

神国的标志

若没有神国这个全备的异象，宣教工作就会退化为各种项目、野心和欲望之间的竞争。当神国成为我们唯一专注的标竿时，天国君王指挥的号角声就会让竞相竞争的呼求和野心变得悄无声息。投入宣教就是参与天国君王的事业。

神亲自建立祂的国度，这国度是祂奠基的，不是我们。神让我们分担祂的工作，却没说神国是我们带来的、作成的或创造的。神的灵呼召我们参与祂国度的建造，但为整个神国负责的是神；这不只是一个语义问题，乃是生死攸关的区别。属于神国的带来生命，属于自我的导致死亡；我们在神国的来临中扮演着关键的角色，神差遣圣灵，透过我们彰显神国的标志。但整个工作归根结底是神的。

神国生命的标志

耶稣所行的神迹彰显了神国的生命。祂甘愿将自己限制于时空之中，赶出的污鬼不多，喂饱的人也有限。相对于当时全世界的人口来说，有幸见过耶稣作为的少之又少。确切地说，只有当时居住在巴勒斯坦加利利地区周边的百姓得以尝到神国的一点滋味。然而耶稣的名声很快传开，结果祂每到一个城镇，都有人把受病痛困扰的人带来给祂医治。耶稣每次的医治都表明这个信息："神的国临近你们了。"（路10:9）神的丰盛从远近城乡彰显出来，神国的盼望使人改换一新。

已故的德蕾莎修女也是如此。她在加尔各答关怀过的人只有二十万，却使城里的一千八百万人都因她的榜样而发现生命可以如此不同。实际上，她的善工在整个地球村里都传为佳话，影响遍及全世界。

神要我们成为祂国度活生生的见证，让人看到神国完全降临的那一天，生活将会是什么样子。我们无法建造天国，也无力实现天国。我们的特权是活出神国的"预告片"，让人一窥这国度的究竟。

福音的双手

天国之君寻求的是恢复受造界的福祉和整全。教会不该是一条通往天国的秘密通道，让地上得救之人藏在其中，等着逃入荣耀里；教会也不该只是个慈善机构，专门做好事，援助患难中的人。教会的本

基督耶稣与神永远和好；另一只手则多做怜悯同情的善工，在地上拓展神国的美善。对于圣经描述的永恒国度中属天的生命来说，福音的这两个特点都同样重要，不分从属。

不再是一件苦差

投身宣教就是参与神国降临的工作。若我们所行的一切，都以天国君王和祂的国度为统合之源和目标，那么，一旦天国君王发出"开拔令"，那些彼此争竞的呼求以及相互对立的远大计划便黯然失色。如此，参与神的宣教便不再是一件苦差，反而成为一个满有喜乐的特权，和一场充满热情和希望的探险。

质是基督的身子，应当有意识并明确地参与神国在地上的兴建。无论教会从事何种活动，她首先的身分是属基督的。

因此，我们要把福音的两只手都伸出去：一只手邀请人悔改、相信神，并借着

研习问题

1. 长远来看，"打动人心去关注人类的需要，以此激起他们宣教的热情"，这种方式会不会让宣教的结果事与愿违？

2. 作者所说"神国的标志"指的是什么？

3. 如何喜乐、热情地从事宣教，而不再把它视为苦差？

第11章　参与神的使命

亨利·布克比（Henry T. Blackaby）、埃弗理·韦爱华（Avery T. Willis, Jr.）

神在贯彻祂的使命。为了完成在全地的计划，神在整个历史中不断贯彻祂的使命。我们读到圣经关于神的讲述时，必然可以看到神在按着自己的计划行事：祂如何启示自己、使祂的名得着荣耀、祂的国在地上得以建立，并使万族中都有人与祂和好。

神在历史中不断贯彻祂的使命，为的是……	● 使祂的名得着荣耀
	● 使祂的国在地上得以建立
	● 使万族中都有人与祂和好

神启示自己，使世界与祂和好

神向我们显明祂自己、祂的目标以及作工方式，让祂的子民和祂一起邀请天下万民来认识和敬拜祂。

● 透过亚伯拉罕，神显明自己是全能的主和赐下万物的供应者，并透过自己的子民来祝福世上的万民。

● 透过摩西，神显明自己是"自有永有"的神，祂的计划是透过蒙拣选为祭司国度的子民，向世上万民彰显祂的荣耀。

● 透过大卫，神显明祂的后裔将要在万国中掌权，而祂的国也要成为万族万民的国度。

● 透过耶稣，神彰显出祂的慈爱和旨意：借着基督道成肉身、钉十字架和复活升天，使世人与祂和好。

● 透过保罗，神揭示了万代奥秘的救赎计划，就是将天下万族都归入自己。

● 透过使徒约翰，神揭示了一幅美景：每一国、每一族、每一种语言都会有人前来敬拜神，直到永远。

亨利·布克比是布克比国际事工（Blackaby Ministries International）的创始人和荣休主席。他在普世基督徒群体中提供咨询指导，呼吁复兴和以神为中心的生命。他著作等身，包括《每日经历神》（Experiencing God）和《属灵领导力》（Spiritual Leadership）。

埃弗理·韦爱华是口传天下网路（International Orality Network）的执行董事，曾任美南浸信会差会海外事工的高级副总主任。他和家人在印尼宣教达十四年之久。

为了使万民与祂和好，神不停地作工，赐下启示，直到世界的末了。当这使命成就，那时不但全地要发出完满的颂赞，神的爱也得到完满的彰显。

神透过子民开启祂的工

神在历史中亲自开启整个工作，但并不是独自执行，而是决定透过人来完成使命。也就是让祂的子民一起参与，来完成目标。每当神的使命展开一个新的阶段，祂就临到一些忠仆，向他们显明自己的计划，邀请他们与祂同工，同时教导他们有相称的生活可以被神使用，好彻底实现祂的使命。先知阿摩司指出："如果主耶和华不先把计划向祂的仆人众先知显示，祂就不会作任何事"（摩3:7）。

例如，神准备审判世人时，就临到挪亚、使用挪亚，好透过保全地上的义人来荣耀自己。神为自己要将一个民族分别为圣时，就临到亚伯拉罕，使用他来成就

祂的旨意。神听到以色列众儿女的哀号，定意拯救他们时，祂向摩西显现，为要完成自己的旨意；于是透过摩西救拔以色列民，显明神对他们的旨意。借此，便向全世界显明了神自己。

摩西的经历清楚说明了神对待子民的方式。下面的图表列出摩西认识到的七个实际情况，适用于神的所有子民。这个过程帮助我们明白神如何邀请你我都能参与祂的使命。

纵观整本圣经，神作工的方式就像祂对摩西的带领，总是邀请神的子民参与祂的使命。今天依然如此。神向我们显明自己，使我们能够亲自认识祂；祂主动与我们建立关系，邀请我们与祂同工。可是当神向我们显明时，我们往往会经历信仰的考验，因为生命需要做出重大调整和改变才能与神建立真实的关系，进而执行祂的使命。我们顺服了，神就要引导我们进入祂计划中，亲自经历祂，同享与祂同工的荣耀感。

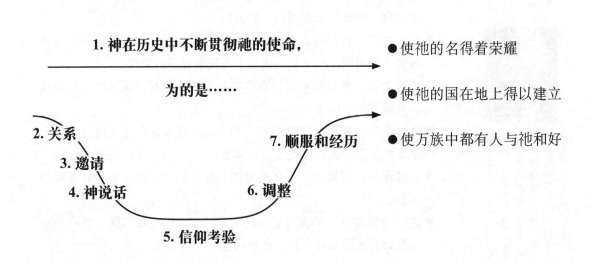

耶稣：参与天父的使命

神乐意我们像耶稣一样时时刻刻顺服祂。耶稣的一生让我们看到祂如何参与天父的使命。祂说，祂来不是为了成就自己的旨意，而是为了成全父的旨意（太26:42；约4:34，5:30，6:38，8:29，17:4）。为了知道父的旨意，耶稣说自己仔细察看父所作的工。然后祂也照着做："我实实在在告诉你们，子靠着自己不能

作工的神	我们的回应
1. 神一直都在你的四围作工，以实现祂的使命。	祈求神让你体验到神的心意，就是愿你近处、远处的失丧之人与祂和好。
2. 神要与你建立爱的关系，真实、个别而持久。	接受神对你的邀请，进入一个充满应许和顺服的盟约关系。神不单要使用你来完成任务，更要与你加深爱的关系。
3. 神若向你启示祂自己和祂的工作，祂是在邀请你参与祂的工作。	当神呼召你参与祂所贯彻的使命时，当积极回应。
4. 神透过圣灵向你说话，借着圣经、祷告、环境以及教会来彰显祂自己、祂的心意和方式。	和人一起学习神的道，如果神预备你参与祂的使命，要积极回应。
5. 神若邀请你参与祂的工作，祂总会把你带到信仰的关卡，考验你的信心和行动。	若神差遣你、使用你，去到最能实现祂使命的地方，要顺服。
6. 在你决心按照神的方式改变生命时，要与神同工，要仰望神加添你力量。	让自己的生活调整、改变，以参与神所作的工。
7. 期待神引导你参与祂的使命，让万族认识神，与祂和好。	当你顺服神，让祂使用你完成祂的工，你就必亲身经历祂、更加认识祂。

作什么，只能作祂看见父所作的；因为父所作的事，子也照样作。"（约5:17、19）耶稣悉心听从父和父所说的一切话，所以祂对众人所说的话，不是凭着自己说的，而是父要说的（约14:10-11）。耶稣没有自作主张，而是等待父先向祂显明自己和父正在作的工（约17:6-8）。此外，耶稣为父作见证，父也借着祂作工（约14:10）。

父爱子，主动临到子，向子显现父正在做的或将要做的。耶稣不断观察父在自己周围所作的工，好使自己委身于父的使命。

明白并按神的方法作工

即便粗略翻看一下圣经，都能看出神的计划和作工之道与常人达成目标的方法有天壤之别。神说过，"我的意念不是你们的意念，你们的道路也不是我的道路"（赛55:8）。人往往凭自己的效率和才能来达成目标。然而，若是参与神的使命，我们就必须遵循天国的原则来完成天国的目标。

我们的方法可能看起来很好，成效也许差强人意。然而，如果我们想用自己的方法作神的工，那我们所作的工永远看不到神的大能，世人也无法看见神向他们显明自己。只有透过神的大能，人才会来到神的面前，认识祂、敬拜祂。我们若靠着神，用祂的方式达成目标，人们就能认识神。人们会意识到，神才是成就这一切的真正根源。这时，神必得着荣耀！

学会遵从神的方式，也许比认真、努力去"作"成神的旨意更重要。神如此渴望将自己的作工之道显明给我们，因为只有神的道才能使祂的旨意得以成全。神愿意透过你来做成祂的工。然而，若你不服从神的道，不愿调整自己、改变自己，就无法被神使用。

你可以开始思索神如何邀请你参与祂的使命、去经历祂。事实上，祂在整个历史中都是这样邀人参与祂的使命的。

知行合一遵行神旨

我们怎么认识神的旨意呢？既然所有真正的宣教事工都是神在贯彻祂的使命，那么对你我或一千年前的信徒，或者对世界另一端的弟兄姊妹来说，就谈不上各有"不同的"事工。神不愿意任何人沉沦灭亡。神的使命就是荣耀祂的名，建立祂的国度，使整个世界与祂和好。

在这个宏大的普世使命中，神没有让我们去猜测祂的旨意。既然神的心意是与你建立爱的关系，那么你若不更深地认识祂，就无法知晓祂的旨意。我们认识祂越深，祂的旨意就越发清晰显明，我们自身也会被改变。这时，就会发现自己越来越愿意遵行祂的旨意（腓2:13）。

参与神的使命，一定会体会神就是爱。祂的旨意最美好。祂寻寻觅觅，为要与我们在爱中连结，使我们能参与祂的使命。

参与神的使命，我们也必体会到神的全知。祂指引的方向从不出错，我们若顺服，神就指引我们。

参与神的使命，我们也必体会神的全能。我们完全倚靠祂，神就赐下能力给我们去成就祂的旨意。

让神为你掌舵吧！这样你就能驶入祂的旨意之中。仆人不会吩咐主人自己要做什么，仆人所做的就是专心等待主人把任务吩咐下来。你顺服神，神就给你预备合适的任务。

参与耶稣的使命

基督徒是神国的子民，基督是神国的永恒君王。祂"使我们成为国度，作祂父神的祭司"（启1:6）。亲爱的读者，你蒙召与基督这位万王之王配搭同工，参与那叫失丧的世人与神和好的使命。与基督建立起关系就要参与祂的使命。与耶稣有着亲密的关系而没有参与祂的使命是难以想像的！耶稣说过："父怎样差遣了我，我也怎样差遣你们。"（约20:21）

耶稣参与父神的使命，祂也呼召每一个跟从祂的人进入与祂充满爱、能力和目标的关系，千万别小看这是何等奇妙！还有什么比像耶稣一样参与天父的使命更为宝贵呢？

研习问题

1. "若要参与神的使命，我们必须对自己的人生做出重大调整和改变。" 挪亚（创6-7章）、摩西（出3-4章）和保罗（徒13:1-3，16:6-10）等圣经中神的仆人，为顺服神的呼召而有哪些调整和改变？
2. 若神呼召你现在进入完全不同的事工，或呼召你去另一个地方生活，你需要做出哪些调整和改变呢？
3. 你认为每个基督徒都奉耶稣差遣参与神的使命（约20:21）吗？如果是，请探讨每个基督徒如何接受教导和训练，以预备参与神的使命。

第12章　向世界作见证

博许（David J. Bosch）

作者于1957至1971年在南非特兰斯凯从事宣教工作，在此期间担任南非大学教师，之后他担任神学院院长，其著作如《一路上奔走》（*A Spirituality of the Road*），以及《更新变化的宣教》（*Transforming Mission*），名闻天下。本文取自 *Witness to the World* 版权使用承蒙 Harper Collins Publishers Ltd., Grand Rapids, MI 许可。

仔细阅读旧约和新约，不难发现神自己乃是宣教的主导者。我们现在要谈的就是"神的宣教"（*Missio Dei*）这个主题。旧约采用多种方式让人认识"神是宣教的创始者"，其中尤其强调宣教是神的作为，而不是人的工作。这种强调几乎达到一种程度，让我们似乎觉得人只能被动；然而，这绝不是圣经的本意，本文希望能澄清这一点。

耶和华的仆人

以赛亚书四十章至五十五章描述的"耶和华的仆人"长久以来被视为宣教士的楷模。这种解读源自这些章节中"作见证"这一中心概念。[1]然而，这个"仆人"并不是指前往各民中活跃作工的宣教士。动词 *"yôs.î"* 在以赛亚书四十二章1节中不该译为"执行（或"行出"）"、"带往"，而应译作"使……被看见"。英文圣经 NEB 版本该处的译文较为可取："……我的仆人……会使公义照亮各国。"换言之，仆人自身的行动不是重点，神在这忠仆身上作工，又透过他作工才是重点。诚如此处所言，这仆人被引入法庭，在神和诸民之间作见证。他虽是一个不寻常的见证人，但以我们的标准来看，他这个见证人是无用的，因为他又聋又瞎（赛42:18-20，43:8-13）。这一隐喻不是说这证人真的是盲人和聋哑人，而是表示：归根到底，耶和华自己才是证人。

以赛亚书四十章至五十五章中耶和华的"仆人"是以色列的预表。以色列民的存在和蒙神拣选本身并不是目的，而是神要透过他们与万民密切相交。以色列蒙拣选乃是预期神可以在以色列民身上作工，再透过他们对世人作工。神在以色列中的救赎工作实则是神给予万民的兆头和示意，因此以色列被称为是"列国的光"（42:6）。神的作为不仅是复兴犹太各支派，也不只是从天下把以色列的后裔聚拢回来。神说："我还要使你作列国的光，使我的救恩传到地极。"（49:6）

旧约的宣教观多年来被认为是"向心式"的，也就是万民向以色列靠拢。新约的宣教观则被视为"离心式"的，即宣教士要从福音的中心以色列或基督的教会向外拓展，进入世上的万民中。的确，旧约的宣教观主要是向心式的，但同时并未完全排斥离心式宣教观。以赛亚书四十二章 6 节和四十九章 6 节以及其他章节中"光"的比喻，就十分恰当地表达了宣教中向心和离心两个相辅相成的方向。黑暗中的亮光吸引人向它聚拢，这是向心；但同时这光又向外发散，跨越边界，让神的救恩传到"地极"（49:6）。

然而，在旧约中，以色列的"宣教"含义主要属于向心的范畴。这说明了耶路撒冷和锡安在旧约有关普世性的经文里的中心地位。这种"向心"模式的主要目的是表达一个信念，即神才是宣教的创始者，而非以色列。

关于以上观点，撒迦利亚书八章有经典的表述。犹大人被掳后，是耶和华亲自将分散的子民从万民中召聚起来（49:7-8），教导他们（49:9-19）。万民看到此事，就主动表示要去耶路撒冷。多达十位"说不同方言，来自列国"的人紧抓一个犹太人的衣襟，请求道："让我们与你们同去吧，因为我们听见神与你们同在。"（49:23）这里，不是以色列人的信心、楷模或好见证有魅力，乃是神对他们的信实吸引列国慕名而来。但同时，这也丝毫不表示以色列人的信心、楷模和好见证是不必要的，以色列人还是要投入神向万民宣教的使命之中。他们原本会是信奉异教的民族，蒙神拣选才得到救恩，只有接受和承担起自己在世界中的责任，以色列才能保持"不再是异教民族"这一全新和特殊的身分。因此要对耶和华忠贞，并守住向这个世界的责任，发光照亮世界，立下典

范，以言行见证神。

神与人相争？

但是，以"向心式和离心式"来区分新旧约的宣教乃是一个错误的做法。至少有三个证据表明这样的区分不是绝对的。

首先，向心式宣教并非旧约特有，新约也有这样的做法。东方的博士们千里迢迢来到耶路撒冷，寻找世界的救主（太 2章）。西面感谢神预备的救赎："在万民面前所预备的，为要作外族人启示的光"（路 2:31-32）耶稣引用以赛亚书五十六章 7 节称圣殿是"万国祷告的殿"（可11:17）。此外，耶稣洁净圣殿之举也表明以色列的复兴应当发生在万民来到耶路撒冷朝圣之前。罗马军队的百夫长来找耶稣（太 8:5），希腊人跋山涉水来耶路撒冷见耶稣（约 12:20）。这些都表明，在以色列才能找到救恩，万国若要在这救恩上有份，就应到以色列去。毕竟，"救恩是从犹太人出来的"（约 4:22）。普世救恩的高峰只能在一处成就，那就是耶路撒冷。难怪这城在四部福音书中都很重要，在非犹太人路加所写的路加福音中尤甚。

其次，我们有必要指出，以"向心式"和"离心式"来区分宣教容易导致误解，以为只有"离心式"的才是真正的宣教，因为这意指跨越地域疆界，向异教徒口传信仰。然而，跨越地理边界只是圣经"宣教观"的一个方面，"宣教"远远不止向异教徒言传而已。

再者，有一种趋势，就是把旧约里的宣教理解为完全是"神作的工"，且唯独是"神作的工"。许多与耶稣同时代的人

确信神作工，顾名思义，就是完全没有人的参与。这种理解暗示新约中"离心"式宣教应当称作"人作的工"，因为从表面看来，人的宣教更为积极。但这使我们陷入尴尬的境地，把神作的工与人作的工变成非此即彼的关系。这样一来，神与人就成了竞争者。

在此希望直接明了地指出，这种分类十分错谬，对教会有百害而无一利。在这点上，圣经直言不讳。门徒是天国的好种子（太 13:38），同时又是收割庄稼的工人（太 9:37-38）；既是羊群（太 10:6；路 12:32；约 10:1-16），也是牧养迷羊的牧人（太 10:16；约 21:15-17）；既需要得到赦免（太 18:23-27），也能够赦免他人（太 16:19，18:18；约 20:23）。神已将"天国的奥秘"启示给他们（太 13:11），但他们仍当努力寻求天国（太 5:20，6:33；路

附篇 12-1 向心力和离心力 约拿单·刘易士 (Jonathan Lewis)

有两种力量在以色列履行其义务时发挥功用。第一种是引人归主的"向心力"，在摩西时代表现为帐幕，之后则表现为耶路撒冷的圣殿。这两种建筑物都是神的圣名之居所，是神圣的地方，是以色列的宗教盛典和仪式的中心。然而都不只是为以色列民而建的！当所罗门王献殿时，他清楚地认识到圣殿有更广泛的目的。

圣经好几处记载，外族人看到神祝福的证据而被吸引到以色列，例如摩押妇人路得和亚兰人乃缦。其实，还有数百个类似的例子但没有详加记载，例如五旬节圣灵降临之时，有许多虔诚人从"天下各国来"（徒 2:5）住在耶路撒冷。然而，神对万民的计划不只是吸引他们前来。

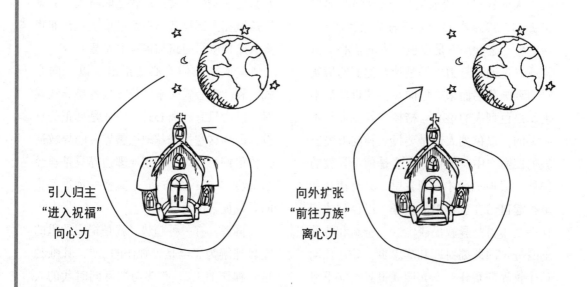

引人归主
"进入祝福"
向心力

向外扩张
"前往万族"
离心力

13:24）。门徒是神的儿女（约1:12），但也要爱自己的仇敌才可作天父的儿女（太5:44-45）；他们虽然已经得到永生（约3:16-17，11:25-26），却仍要通过那引向永生的窄门（太7:14）。门徒因为遵守了耶稣对年轻财主的吩咐而到达"完全"（太19:21；参可10:28），但仍然需要儆醒祷告，免得陷入试探（太26:41）。基督徒应当恐惧战兢地作成自己的救恩，因为是

神在他们里面动工（腓2:12-13）。因此，保罗很自然地称门徒为"神的同工"（林前3:9）。要明白这些看似完全相悖的论述，关键就在新约所说的"在基督里"。

> 然而靠着神的恩典，我得以有了今天，而且祂赐给我的恩典并没有落空；我比众使徒格外劳苦，其实不是我，而是神的恩典与我同在。（林前15:10）

第二种是主动向外扩张的"离心力"，将神的福音传到以色列以外的各国。神使用不少犹太人向其他民族传扬祂的信息，例如被囚的约瑟，以及被掳的但以理和以斯帖。当然别忘了先知约拿，就是那位受命向尼尼微传讲悔改信息的先知。神委派耶利米为"列国的先知"，有人猜测耶利米和其他使者周游四方，广传神谕。神绝不只用伟人作信使，向罹患麻疯病的亚兰名将乃缦宣告神的医治大能的，正是一个被俘到亚兰作奴隶的以色列年轻女子。

有人可能会不以为然，认为这些例子只是个别情况，这些人若不是阶下囚，就是被迫服事。然而，"自觉自愿"的精神向来不是推进神宣教的决定性因素。不管神的子民愿意与否，神都要用他们来传扬祂的信息。要是以色列当初甘愿作神救恩计划的器皿，那么以色列的历史将会与现实的血泪史大不相同；可惜的是，以色列不主动、不情愿。透过被掳和散居，神一方面审判以色列的悖逆，另一方面将以色列为神作的见证拓展到以色列境外。

这两种动态的力量如今依然突出。从全球的视野来看，许多人被吸引到"基督教国家"，就是因为有证据显示这些国家蒙神赐福，人们得享安定富裕的生活。充满神的权能和恩典的基督徒群体和教会也吸引人来。从个人层面来讲，敬虔人的品格吸引那些追求这些品质的人。然而，福音无法仅仅靠这种吸引力传给世上万民；只有跨越社会、文化和地理的诸多藩篱，天下各族才能听到福音。神的子民若是希望履行与神所立之约的义务，就必须立志带着福音深入万民。

作者出生于阿根廷，父母都是宣教士。现任世界福音联盟（World Evangelical Alliance）的组织顾问。他在拉美和其他国家协助开展宣教训练计划，并编辑出版了三本宣教训练手册。本文摘自 *World Mission: An Analysis of the World Christian Movement*（1994年第二版）。版权使用承蒙许可。

译者注： 新译本圣经使徒行传2:5："那时住在耶路撒冷的有从天下各国来的虔诚的犹太人。" 英文原文没有专指犹太人。

新约中的宣教不是遵守一个诫命而已，而是与基督相遇的结果。

不过，若我们把神与人看作是竞争对手，并将二者作的工对立起来，那么我们很快就会发现，无论选择哪种立场都站不住脚。因为，如果只强调其中一个立场，那么我们的信仰就成了盲目顽固的宿命论，顺其自然；如果只强调另一个立场，那么我们又会变成狂妄自大的"狂热分子"。

如上述所引经文，在神的工和人的工之间存在着一种有益的张力。想使两者平衡，或者企图规范一致，都可能摧毁其中微妙的奥秘；认识这一点，对建基于圣经的宣教来说至关重要。

在基督里

许多学者有一个非比寻常的看法，认为所谓的"大使命"（太28:18-20和平行经文）似乎在新约教会中没有发挥任何作用，因为在新约圣经的其他部分没有重复出现或提及。以下两种原因或可解释这种印象：

首先，大使命不是一般意义上的"委任"，它实际上属于创世记一章 3 节等经文中"要有……"这个句式的一种创造性陈述。或者，如同纽毕真（Lesslie Newbigin）引述使徒行传一章 8 节所言："'作我的见证人'这句话不是指要我们去遵守的命令，而是一句坚定门徒要相信

神的应许。"[2]不过这个应许只有在顺服中才能看到，如彼得在探望哥尼流时惊叹道："我实在看出神是不偏待人的。"（徒10:34）保罗指出这是一个"奥秘"，一个只有在他亲自对天下人传扬福音的过程中神才向他启示的"秘密"："这奥秘就是外族人在基督耶稣里，借着福音可以同作后嗣，同为一体，同蒙应许。"（弗3:6）

初代教会不再提及大使命的第二个原因是，向外族人传福音从未成为他们争执之事，尽管诸如菲迪南·哈恩（Ferdinand Hahn）和恩斯特·凯瑟曼（Ernst Kasemann）等不少学者并不认同。海因里希·贾斯汀（Heinrich Kasting）令人信服地驳斥了他们的论点，表明向外族人的宣教从未成为初代教会争论的焦点。他们的分歧只是外族人加入基督教会的方式，尤其是行割礼这个问题。[3]在这些情况下，再次提及"宣教命令"显然不切题。

这两种考量都显明，新约中的宣教不是遵守一个诫命而已，而是与基督相遇的结果。遇见耶稣就意味着要参与普世宣教。

参与宣教是一种特权。因此，保罗向罗马的教会自荐时，称自己是一个"从祂（基督耶稣）领受了恩典和使徒的职分，在万族中使人因祂的名相信而顺服"的人（罗1:5）。对于保罗来说，宣教是他在去大马士革的路上与复活的基督相遇之后，顺理成章的结果。

同理，所谓的"基督论圣诗"（腓2:6-11）中也没有提到宣教命令。然而这首圣诗清楚地包含了普世宣教："使天上、地上和地底下的一切，因着耶稣的名，都要屈膝，并且口里承认耶稣基督为

主。"（腓2:10-11）因此，新约圣经将宣教追溯到基督论。另一首早期的基督徒颂歌如此传达宣教的信息：

"祂在肉身显现，在圣灵里称义，被天使看见；被传于列国，被世人信服，被接到荣耀里。"（提前3:16）

与之相似，在哥林多后书五章18-20节和以弗所书二章14-18节中，宣教以基督论为基础，表达了使世界与神和好的信息。托付给教会的"和好的工"源于一个事实，就是耶稣已经用自己的血和身体，"拆毁了隔在（犹太人和外族人）中间的墙"，因此"使两者在祂里面成为一个新人"了。

故此，基督教会投入宣教乃是因为神赐给耶稣超过万名之上的名（腓2:9），并且耶稣"从死人中复活，显明祂是大有能力的、神的儿子"（罗1:4）。又是因着"神是在基督里使世人与祂自己和好"（林后5:19），借着十字架，使犹太人和外族人彼此和好，成为一体（弗2:16）。

参与宣教是一种特权。

"在基督里"的教会必定是宣教的教会。这样，教会整体性的存在便有了类似宣教士的品质。这"宣教士"的言行将说服不信者（彼前2:12），塞住糊涂无知人的口（2:15）。

如彼得前书一章1节所说的"神分散在各地寄居的人"，是蒙拣选的族类、君尊的祭司、圣洁的国民、神为自己赢取的一群子民。这个在基督里的新身分有一个明确的目的：就是宣扬那在基督里召他们出黑暗入奇妙光明者大获全胜的捷报（2:9）。可以说，由于这在基督里的新生命，宣教便"自发孕育而生"，因为下面的经文指明，未信者会向基督徒询问他们为何心怀盼望（3:15）。这盼望显而易见，叫不信的人又羡慕又好奇。用保罗的话来说："神……借着我们在各地散播香气，就是使人认识基督"（林后2:14）。只要使徒的生活、言语和行动都散发出"基督的香气"，周围的人们就心有所动。

附注

1. 亦见 Allison A. Trites, *The New Testament Concept of Witness* (Cambridge University Press, Cambridge, 1977), pp. 35-47。

2. 纽毕真，"The Church as Witness," *Reformed Review,* vol. 35, no. 1 (March 1978), p. 9。

3. 见 H. Kasting, *Die Anfänge der urchristlichen Mission* (Chr. Kaiser, Munich, 1969), pp.109-23。Kasting 表明，只有早期教会中的犹太化分子把救恩限制于以色列之内，而不是整体早期"官方的"教会。在初代教会后期，特别是第一世纪之后，教会内"非官方的"犹太化势力逐渐为犹太基督教界所接纳。这种态度最终成为犹太基督教湮没的因素之一。

研习问题

1. 请举一些圣经和当今世界中的"向心式"见证的例子。

2. 尽你所能地描述什么是作者所说的"微妙的奥秘"——神和人在宣教中同工？简述宣教既是神的工，又是人的工这一似乎相悖的圣经依据。

第13章 神国的福音

乔治·赖德（George Eldon Ladd）

身处在这样充满神奇事物却又令人战兢不已的时代，人会产生许多疑问：这些事究竟有什么意义呢？我们要往哪里去呢？什么是人类历史的意义和目标？人类是否真有存在的目的？抑或只是像时间舞台上的木偶，当舞台、演员和戏院本身付之一炬时，残留的只是一撮灰和几缕青烟呢？

在古希腊，诗人和哲学家向往一个理想的社会，梦想着一个上古失落的黄金时代，然而却在现世找不到一丝亮光，也失去持续对明天的信心和对未来的盼望。

在以色列人与基督徒的信仰中，是以**神的国度**来表达他们的盼望。这种圣经里的盼望，不同于希腊诗人的梦想，乃是以从神而来的启示为核心，并且这种神国的概念是源于旧约，就是确信一位永活的神，祂愿意将自己启示给人类，而且透过所拣选的以色列人，来实现祂对全人类的目的。先知预言有一天人类将和平相处，那时，

神要在列国施行审判，为多国的人断定是非。他们必把刀打成犁头，把矛枪打成镰刀。这国不举刀攻击那国，他们也不再学习战争。（赛2:4）

那时不只人类社会的问题要得到解决，连自然环境的各样凶恶也都将除去。

豺狼必与绵羊羔同住，豹子要与山羊羔同卧，牛犊、幼狮和肥畜必同群；小孩子要牵引它们。（赛11:6）

这幅和平、安详的景象正是美好未来的应许。

就在此时，拿撒勒人耶稣宣告说："天国近了！你们应当悔改。"（太4:17）神国的来临正是祂传道生涯中的信息核心。祂的教导是为了要告诉人，如何才能进入神的国度（5:20，7:21）；祂大能的作为是为显明神的国度已临到众人了（12:28）；祂曾用许多比喻对门徒说明神国的奥秘（13:11）；当祂教导人祷告的时候，祈求的

作者曾任富勒神学院新约释经学和神学荣休教授，并曾参加过学生志愿宣教运动。本文摘自《认识上帝的国》（The Gospel of the Kingdom）一书，版权使用承蒙许可。

重点是"愿祢的国降临，愿祢的旨意成就在地上，如同在天上一样"（6:10）；在面临死亡的前夕，祂应许与门徒一同分享在神国内的团契和福分（路22:22-30）；祂并且应许当祂在荣耀中降临时，有人可以前来承受那创世以来就为他们预备好的国度（太25:31、34）。

国度的意义

在此，我们先提出一个基本的问题：什么是"国度"（kingdom）？现代人对这个字的了解，往往把解开古代圣经真理的关键搞丢了。而现代西方用语中，国度主要是指一特定的领域内，由一位王来行使其权柄管理。今天君主立宪的国家已不多见了，但还有几个存留至今。字典根据这种想法给"国度"下了第一个现代的定义："君主政体；主权；领土"。

国度的第二个定义，是指特定领域之内所属的人民。当我们提到大英帝国时，可能指的是那些由女王统治的人民，就是她国中的子民。

为了要了解圣经上的用词，我们必须先抛开现代的观念。韦氏大辞典提供我们一个线索，它对"国"的定义是："国王的身分、气质、地位和特性；王室的权柄、管辖权；君主政体；王的尊严（古语）"。的确从现代的语言用法看来，这个定义或许太古语化了，但是正从这当中，我们才能了解古老的圣经教训。旧约中的希伯来字"malkuth"和新约中的希腊字"basileia"，二者的主要意义，都是指王所表现的身分、地位和统治权柄。另外，"basileia"可以指一位统治者能够行使其

权力的领域，也可以指属于那个被统治范围内的人民，但这些都只是次要的衍生出来的意义。"国"最主要的意义是指王统治管理的权柄。

"国"在旧约中，最主要的意义也是指王的统治。在以斯拉记八章1节提到以色列从巴比伦上来时，是在亚达薛西王年间，也就是指在他的统治期间；历代志下十二章1节提到罗波安的国（或统治）坚立；但以理书八章23节提到四国（或统治）的末时。"国"代表"人的统治"，还可以在下列经文中看到：耶利米书四十九章34节；历代志下十一章17节；三十六章20节；但以理书八章23节；以斯拉记四章5节，以及尼希米记十二章22节等处。

神国的含义

当经上提到"神的国"（God's Kingdom）时，都是指神的统治、掌管或权柄，而不是祂所管辖的领域或地理范围。诗篇一○三篇19节说："耶和华在天上立定宝座，祂的王权统管万有"，在这里神的国就是祂那遍及宇宙全世界的统治权柄；诗篇一四五篇11节也提到"他们要讲论祢国的荣耀，也要述说祢大能的作为"。根据希伯来诗的平行体，这两句代表的是同一个真理，即神的国就是祂的大能。诗篇一四五篇13节说："祢的国是永远的国，祢的王权存到万代"。神掌管的领域包括天上地下，但这节经文不是指祂掌管的领域存到永远，而是指祂的统治是永远的统治；但以理书二章37节说："王啊！祢是万王之王，天上的神已经把国度、权柄、能力和尊荣都赐给祢"，请注

意这里所用国度的同义字——权柄、能力和尊荣，都是在表示统治的权柄，这句话表示神把统治权交给了尼布甲尼撒王。

福音书有个地方（路19:11-12）讲得很清楚：

> 众人听这些话的时候，因为耶稣已经接近耶路撒冷，又因他们以为神的国快要出现，祂就讲了一个比喻，说："有一个贵族往远方去要接受王位（*basileia*），然后回来。"

事实上，这个贵胄不是要去远方得一个地区或一块领土，好让他管理统治，其实他早已拥有可以掌管的地方，就是他离开的那地。问题出在于他还没有王权，他需要统治的权柄，所以他去远方是为要得着统治掌管的权柄。在英文修订标准本（RSV）就把"国"这个字译作"王的权柄"（kingly power）。

神的国就是指祂的王权、祂的统治及祂的权柄。当我们了解以后，再回头来看新约，就不再会把国当作领域或人民来解释，而是指神的统治。耶稣说我们要像小孩子的样式才能"承受神国"（可10:15，和合本），到底承受了什么？教会吗？天堂吗？不！承受的正是**神的统治权柄**，也就是说，一个人若要进入那未来荣耀的国度，此时此地就必须完全信靠顺服于神的统治权柄。

当我们祷告说"愿祢的国降临"（太6:10）时，我们是否在祈求天堂降临到地上呢？从某方面来说，我们这样祷告是没错。但是，天堂之所以成为我们的盼望，乃是在天堂中，神的统治管理实现得更加完全；若是缺少了神的作王，天堂就变得毫无意义了。所以，我们的祷告应当是："愿祢的国降临，愿祢的旨意成就在地上，如同在天上一样。"这个祷告是在恳求神掌权的完全实现，好彰显祂的力量和权柄，并除掉一切与祂的公义为敌的。我们寻求神的统治，因为只有祂才是全世界的王。

神国的奥秘

马可福音第四章和马太福音第十三章，都包含了许多有关"神国的奥秘"（可4:11）的比喻，其中每个比喻都出自当时一般人的日常生活经验，为的是要阐明主耶稣信息中的主要真理，这个真理就是神国的奥秘。

首先我们要先了解"奥秘"（mystery）的意义，奥秘在圣经里不是指神秘、深奥、隐藏或是困难的事。我们今天听到该词时可能会联想到这样的意思，但其在圣经中的含义却是不同；在圣经里，"奥秘"通常是个专有的概念，保罗清楚指明其含义：

> 神能依照我所传的福音和耶稣基督所传的信息，照着祂奥秘的启示，坚定你们。这奥秘自古以来秘而不宣，但现在借着众先知所写的，照着永恒的神的谕旨，已经向万国显明出来，使他们相信而顺服。（罗16:25-26）

这就是圣经所讲的奥秘，长久以来曾经是隐藏不言的，如今却显明出来了。这奥秘是神在永古以先就预定好的计划，对

世人本是隐藏不明的，然而后来借着众先知的书，将这个计划启示给万民知道。奥秘是神神圣的计划，在祂的心意中隐藏了许多世代，直到后来透过神救赎中的新启示，才显明了出来。

有关天国奥秘的比喻，是为了表达神国的真理。这个真理在旧约时代原没有显现出来，直到主耶稣来到世上工作时，才启示了出来。这个奥秘到底是什么呢？

旧约中对神国的理解

为了回答这个问题，我们必须回到旧约圣经，来看一个有关神国来临的典型预言。在但以理书第二章，尼布甲尼撒王梦到一个大像，"这像的头是纯金的，胸膛和手臂是银的，腹和腰是铜的，腿是铁的，脚是铁和泥混杂的。"他正观看的时候，"有一块非人手凿成的石头，击在那座大像铁和泥混杂的脚上，把脚砸碎了。于是铁、泥、铜、银、金都一同砸得粉碎，好像夏天禾场上的糠秕，被风吹散，无处可寻；那打碎这像的石头却变成一座大山，充满全地。"（但2:31-35）。

对于这梦的讲解是在第44-45节。巨像代表的是历史上一些陆续兴盛掌权的国家，至于那块石头，有下面的记载：

那些王在位的时候，天上的神必兴起另一个永不灭亡的国，国权必不归给别族的人。这国必砸碎毁灭其他各国；并且这国必存到永远。正如你看见那块从山而出，非人手凿成的石头，把铁、铜、泥、银和金都砸碎了，伟大的神已把日后必有的结局都告诉王了。

对国度的异象

将来的世代

基督的降临

现今的世代

弥赛亚带来神之和平与大能的日子

上图代表旧约先知的未来观，众先知都非常迫切期盼神国来临的荣耀日子，因为神将要统管治理全世界。

根据先知的描绘，到那日，神的统治将要取代其他所有的列国和政权。神的掌权要打碎一切历史上骄傲的执政独裁者，祂的权柄和国度，要扫除一切敌对的势力，在那一日只有神才是唯一的王、唯一的主宰。

在旧约中，神国的来临被当作是一件独立的大事。神的国会突然临到，祂全能的力量要扫除人类掌权的邪恶国度，并要以公义充满全世界。

神国的新启示

我们必须回到马太福音，把这些思想连贯起来。施洗约翰出来传道时大声呼喊天国近了（太3:2）。他对国度来临的理解无异于旧约中的预言，认为神的国度会突然之间临到，神将带来两重的洗礼：圣灵的洗使人经历神国中弥赛亚的救赎；火的洗要带来最后的审判（3:11）。约翰的意思在马太福音三章12节清楚提到，弥赛亚的工作是要过滤、分别世人，就像农夫打谷时要吹散糠秕，以便保存好的谷粒，丢弃不好的糠。照样弥赛亚也要扬净他的场，把麦子收在仓里，也就是为义人预备的救赎，但是恶人要受火一般的审判。

约翰在监里时打发人去问耶稣，问祂是否真的是将要来的那一位，还是他们得另等候别人。约翰的怀疑常被解释作因着他的被囚，导致对自己的使命和呼召失去了信心。但是，从耶稣对约翰的称赞看来，这个解释不太能站得住，他应当不是风吹动的芦苇（太11:7）。约翰的疑问是，耶稣的表现并不像他所传讲的弥赛亚那样，圣灵的洗在哪里？对恶人火一般的审判在哪里？

为什么约翰要问这个问题："祢就是那位要来的，还是我们要等别人呢？"（11:3）原因是，但以理的预言在当时候似乎没有实现。因为那时希律安提帕王管理加利利，罗马的大军横扫耶路撒冷，统治的强权落入一个罗马异教徒——彼拉多——的手中。那些盲目崇拜多神又荒淫无道的罗马人，正以武力统治着世界。所以说，施洗约翰心中的疑问，也是当时每一位虔诚犹太人的疑问，包括耶稣最亲近的门徒，他们也极力想了解并解释耶稣的人格和作为。祂怎么可能同时带来天国，同时又置这些罪恶的政权于不顾呢？

耶稣回答说，祂的确是带来神国的那一位，先知对弥赛亚预言的种种征兆，都正在应验。但耶稣又说："那不被我绊倒的，就有福了。"（太11:6）

祂的意思是：是的！神的国就在这里，然而有一个奥秘，就是对国度新的启示；神的国就在这里，但是并非要推毁人为的执政掌权，而是要击破撒但的权势；神的国就在这里，但不是要改变这世界外

神国现在已经以一种完全出人意外的方式，在世人当中工作。

在的政治秩序，而是正在改变属灵的秩序以及世人的生命。

这就是神国的奥秘，是神首次在救恩历史上所显明出来的真理。神的国度要分为两种不同的阶段，在世人当中工作：一方面神的国要以但以理所预言的那种方式降临，到了那时候，世上一切人为的掌权都要被神的权势所取代，这个世界将要看到祂的国度大有能力地降临；另一方面，这个奥秘及新的启示，就是神国现在已经以一种完全出人意外的方式，在世人当中工作，它并非现在就要毁掉一切属人的权柄，也没有现在就从世上除掉罪恶，更不是现在就带来如约翰所说火的洗礼。

国度悄悄地、安静地来到，并且在世人当中动工而不为多数人察觉。就属灵而言，国度带给人因神作王而来的祝福，释放人脱离罪与撒但的权势范围。神的国是个赏赐，也是件礼物，世人可以接受，也可以拒绝。神的国在此时此刻，是要劝化人心而非以强力征服。

马太福音第十三章中的每个比喻，都在陈述这个有关国度的奥秘，就是那将以无比荣耀与能力降临，而尚未降临的神国，现在确实先以一种出人意外的方式，出现在世人当中，带给这个邪恶世代的人永生的福分。这可以从下页图中看出。

这就是国度的奥秘：在收成日以前，在这世代结束以前，神已经透过基督道成

国度的奥秘

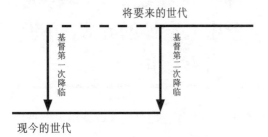

将要来的世代

基督第一次降临

基督第二次降临

现今的世代

基督的两次降临

肉身，进入人类的历史，带给相信接受的人，从祂的国而来的生命和祝福。国度卑微地、悄悄地来到，成为加利利的一个木匠，在巴勒斯坦一带传讲天国的福音，把人从撒但的捆绑中释放出来，当祂的门徒也同样四处去各村庄传讲这个信息时，天国就临到了众人。

今天主耶稣的门徒仍继续将天国的福音带到世界各地，所以天国同样临到了世人。它安静地、谦卑地来到，没有从天上降下来的火，没有令人炫目的荣光，也没有天崩地裂的震撼，它只是一粒小种子埋在土壤里，世人刚硬的心能够拒绝接受。若是发了芽，有时也会被其他的思虑挤住，甚至它的生命似乎凋萎死亡了。但是，它仍是神的国，能够给人带来奇迹般的新生命，引导人进入神掌权的福分之中，对于那些接受的人而言，这的确是神奇妙的恩典。

一样的国度、一样神的大能，将要在这世代的末了全然彰显出来，到了那时候，神国不再是静静孕育在接受者的内心而已，而是在极大的能力与荣耀之中降临，并扫除世上一切的罪恶，这就是神国的福音了！

神的国度何时临到？

我们一旦已经享受到这样的祝福，最后剩下的问题就是，有了这些福分之后，我们要做些什么？是否只是被动地享受国度的生命，等待基督"再临"来成就一切？是的！我们是要等待，但绝不是被动地等待。对今天神的儿女来讲，马太福音廿四章14节可能是圣经中最重要的一节经文。

这节经文所指的降临，当然是神国在基督再来时，荣耀而有权柄的降临。许多基督徒对耶稣再来的时间充满浓厚的兴趣，祂是快来了呢？或是还有好一阵子？许多研究圣经预言的学者举行会议，他们一方面钻研圣经，另一方面则留心考察世界新闻，想要了解时代的预言和征兆，并试图确定我们现在离末世有多近。然而马太福音廿四章14节是圣经中提到主来的日子最明确的宣告，没有别处的经文如此特别清楚地提到神国降临的时间。

马太福音第廿四章一开头提到门徒们对宏伟的圣殿赞叹不已。当耶稣宣告耶路撒冷的倾毁之后，门徒指着圣殿发出一个疑问："请告诉我们，什么时候会有这些事呢？祢的降临和这世代的终结，有什么预兆呢？"（太24:3）这些门徒期待基督荣耀的降临来结束这个世代，而神国的来临正是那将来世代的开始。因此门徒的问题可以说是："这世代何时结束？祢什么时候再来，并带来神的国度？"

耶稣的回答相当详细。首先祂描述这世代终结的进行方向，世代的罪恶将不断持续到祂再来为止，并且一直与福音和神的子民为敌；罪恶仍然占据优势，以狡猾欺骗的力量诱惑人转而离开基督；虚伪的宗教和假弥赛亚将引诱许多人入歧途；战争无法止息；饥荒和地震不断；教会将遭遇极大的迫害和痛苦，信徒在这个世代要忍受外来的憎恨和敌意；人要彼此践踏陷害；假先知兴起，不公平的事增多，许多人的爱心冷淡（24:4-12）。

这是一幅黑暗的景象，也是在黑暗恶魔统治下的世代所能预期到的（弗6:12）；但是，这幅图画并非永远如此，神并没有放弃这个世代。然而有些研究新约时代的犹太启示著作，认为这个世代完全在罪恶的掌握之下，神也退缩不再主动插手管理人间的事务，救恩只在遥远的未来，在那神国荣耀降临的时刻，我们现在所能看到的全是愁苦和灾难。

有的基督徒也采取同样悲观的态度，认为撒但既然是"这世界的神"，神的子民在这世代只会遭遇罪恶、失败，教会将逐渐完全背离真道，人类的文明也将完全毁灭，基督徒在基督再来之前打的是一场必输的战争。

圣经的确告诉我们，因为撒但是这世界的神，所以末世邪恶的势力会大大增强。然而我们必须坚决强调，神没有把这世代拱手让给恶者。事实上，神的国早已临到这罪恶的世代，撒但早就已经被击败了。神的国度借着基督创立了教会，并透过教会在世上实现祂的旨意，并且在这世上扩展祂的国度。我们都不能避免这场激烈的战争——两个世代的冲突矛盾。神的国以福音的力量在世上工作。

这天国的福音要传遍天下，向万民作见证，然后结局才来到（太24:14）。

在这节经文中可以找到三个重点：一个信息、一项使命、一个动力。

1. 神国的信息

那个信息就是国度的福音，有关神国的好消息。有些圣经学者认为，国度的福音不是救恩的福音，而是宣告基督再来的福音，是在教会时代之后，由犹太人的余民在大患难中传开的。我们不能在这里详细讨论这个问题，但我们可以确定的是，国度的福音就是早期教会的使徒所传讲的福音。

但是我们首先必须注意马太福音廿四章14节这节经文与大使命的关联。主耶稣升天的时候，祂告诉门徒：

> 所以，你们要去使万民作我的门徒，奉父子圣灵的名，给他们施洗，我吩咐你们的一切，都要教导他们遵守。这样，我就常常与你们同在，直到这世代的终结。（太28:19-20）

比较一下这两处经文我们就能明白了。"什么是祢降临和世界末了的预兆呢？"、"天国的福音要传遍天下，向万民作见证，然后结局才来到。"、"去使万民作我的门徒……我就常常与你们同在，直到这世代的终结。"这两处经文都是提到同样的使命：使福音传遍天下，直到这世代的末了。这件事实把马太福音廿八章19节和廿四章14节串连在一起。

使徒行传这卷书就是描述门徒如何去完成这个使命。使徒行传八章12节提到，腓利到撒马利亚去传福音，英文修

我们都不能避免这场激烈的战争——两个世代的冲突矛盾。

订标准版圣经很贴切地描写他的使命："腓利传讲有关神国的福音。"从字面上翻译，"传福音"与神的国有关联。在新约中，名词"福音"（gospel）和动词短语"传讲福音"（to gospel 或 to preach the gospel）的希腊文源于同一词根。很遗憾，英文中没有相应的用法来加深我们对此真理的理解。马太福音廿四章14节讲到"国度的福音"（gospeling of the Kingdom），使徒行传八章12节讲到"传讲有关国度的福音"（gospel about the Kingdom），这"国度的福音"必要传遍天下！腓利到撒马利亚去传讲神国的福音，如传讲国度的福音。可见使徒行传八章12节和马太福音廿四章4节所指的是一样的，都是指神国的福音；唯一的差别在于，一个用的是动词，一个用的是名词加介词。

保罗到了罗马以后召聚犹太人，因为他总是先对犹太人传福音。他讲了些什么？"他们和保罗约好了一个日子，到那日有很多人到他的住所来见他。他从早到晚向他们讲解，为神的国竭力作见证，引用摩西的律法和先知的话劝他们信耶稣。"（徒28:23）保罗对罗马的犹太人所讲的信息，是关于神国的见证以及国度的福音。

然而保罗所遇到的反应，和耶稣在以色列传神国所遭遇的反应一样（太4:17），有的人信了，但大部分的犹太人拒绝相信他所说的话。因此保罗宣称因着他们的不信，神的救恩要临到外族人，"所以你们应当知道，神这救恩，已经传给外族人，他们也必听从"（徒28:28）。保罗对犹太人传讲"神的国"，他们拒绝了，因此"神这救恩"要传给外族人。从上面的分析可以看出，神国的福音也就是救恩的信息。下面的经文也可以证明这个事实："保罗在自己所租的房子里，住了整整两年。凡来见他的人，他都接待，并且放胆地传讲神的国，教导有关主耶稣基督的事，没有受到什么禁止。"（28:30-31）天国的福音传给了犹太人，只是当他们拒绝的时候，这个天国的福音就传给了外族人。保罗传给犹太人和外族人的正是神国的福音。

胜过死亡

我们来看圣经上面对神国的福音最清楚易明的描述是什么。哥林多前书十五章24-26节中，保罗把主的救赎工作归纳成几个阶段，他如此描写基督作王的荣耀时刻："再后，末期到了的时候，基督把所有的统治者、掌权者和有能者都毁灭了，就把国度交给父神。因为基督必要作王。"是的，基督必要作王，祂必要在祂的国度里作王，"直到神把所有的仇敌都放在祂的脚下，最后要毁灭的仇敌就是死。"

这里所描述的是末后基督的作王，而祂作王的意义，就是神借着人子耶稣基督作王，把一切仇敌都入在祂脚下。"最后要毁灭的仇敌就是**死**"，毁灭死亡正是神国的工作。同时神国也要毁灭其他的仇敌，包括罪和撒但；因为罪的工价乃是死（罗6:23），而掌死权的正是撒但（来2:14）。只有当罪、死亡和撒但完全被摧毁的时候，得蒙救赎的众子才能享受神完全掌权的福分。

神国的福音就是宣告基督战胜了死亡。虽然对死亡完全的得胜，是末后死亡被永远扔在火湖的时候（启20:14），但是基督早已经战胜了死亡。保罗提到关于神的恩典，"现在借着我们救主基督耶稣的显现，才表明出来。祂废掉了死亡，借着福音把生命和不朽彰显出来"（提后

附篇 13-1　得胜前的奋战　肯·布卢（Ken Blue）

耶稣在地上真实的生命、十字架上完美的献祭以及战胜死亡的复活，成功地击败了撒但在地上的统治，开启了神作王的全新国度时代。如今耶稣宣告自己拥有天上地下所有的权柄（太28:18），这权柄一直都在神的手中，但是祂借着主耶稣道成肉身使之在人类历史中得以建立起来。主耶稣所宣告的"所有的权柄"借由教会不断地显彰在历史的进程中。

撒但已经被捆绑，它的王国已经溃败，但是神还留有时日让它可以操权弄术。圣经中没有明确揭示撒但到底还保有多少权势和自由，或是准确地指出它会在何时运用这些权势。但圣经向我们清楚无误地显明，而且我们的经历让我们愈发肯定，神的国度已经战胜撒但全面凶猛的反击，得以永世长存。神的国业已冲破漫漫长夜，恶者在整个历史中最丑恶的嘴脸在加略山显露无遗，但它反被自己的恶毒所害，从此伏在基督的名下，我们也靠着基督之名胜过它。撒但绝对不可能与全权全能的神同日而语，加略山之战的得胜者已经作王。然而，我们当中还有许多人饱受病疴压身、污鬼缠磨之苦，活在恶者撒但不法的权势之下。我们对此作何解释？

这场胜败分明的战争何以鏖战不止，我们可以从第二次世界大战得到最好的例证。盟军在登陆日胜利地登上诺曼底海滩，在欧洲大陆建立起滩头阵地。军事专家都明白当时的这一行动意味着盟军胜局已定，然而在欧洲得胜日到来之前，盟军仍要浴血奋战，才能最终实现全面的胜利。

在全权的神与恶者的这场争战中，基督受死和复活之时就是决胜千里的"登陆日"。胜负高下已见分晓，然而激战仍要继续，直到基督荣耀地从天上再来，即是最终得胜之日。在此之间，教会将挺身决战世上尚存的罪恶。圣徒还要忍受流血之苦，甚至我们当中就有人需要为主捐躯，但是我们深信不疑，基督早已得到的胜利最终将在全地实现。

作者在圣迭戈地区创立了山麓教会，并担任牧师。身兼牧师、教会创立者和驻东欧地区的宣教士于一身，服务长达三十年。本文摘自作者所著 *Authority to Heal*。版权使用承蒙许可。

1:10）。在这里的把死"废掉"，并不是指把死灭绝的意思，而是击败死亡、攻破其势力，使死亡不再猖獗。希腊文圣经在哥林多前书十五章26节的用字："最后要毁灭的仇敌就是死"，与24节所用的是同一个字："再后，末期到了的时候，基督把所有的统治者、掌权者和有能者都毁灭了，就把国度交给父神。"

所以死亡的挫败可以分为两个阶段：废除死亡以及战胜死亡。最后的灭亡是发生在基督第二次来临的时候，第一个阶段则是基督借着祂的死及复活，已经摧毁了死亡，击破死亡的势力。死亡仍然是仇敌，却是已被挫败的仇敌；因着基督已经达成的胜利，我们可以确信将来永远的得胜，所以我们要去宣扬这场已经完成的胜利。

这就是神国的福音！世人是何等需要这样的福音！不管在什么地方，我们总是可以发现坟墓张着嘴要吞灭垂死的人；生离死别的眼泪濡湿每一张脸颊；每张桌子早晚都会有空缺的座椅；每次聚集总有人会永远缺席。死亡是天下最平等的事情，不论富人或穷人、有名的人或无名小卒、有能者或无能者、成功者或失败者，或者其他一切种族、信仰、文化上人类之间的差异，在面对最后不可避免的死亡时，都显得毫无意义。死亡像把挥舞而过的大镰刀，要把我们每一个人都砍倒。不管死人的坟墓盖得如何宏伟，如印度的泰姬玛哈陵、壮丽的金字塔，抑或孤坟如杂草乱石一抹被遗忘的痕迹，以及宁静的深海坟场；唯一不变的事实是：死亡正掌权作王。

撇开天国的福音不谈，死亡是让每个人都束手无策的征服者。我们只能面对毫无反应的坟墓，无能为力地捶胸顿足。

> ## 因着基督已经达成的胜利，我们可以确信将来永远的得胜。

然而有个好消息告诉我们：死亡已经失势了，这个征服者反倒被征服了。神已经借着基督在十字架上的得胜彰显出祂国度的大能。面对神国，死亡已经毫无作为，因为死亡不能辖制基督，永恒的生命已揭露出来。耶路撒冷的那座空坟墓成为永生的凭据；这就是国度的福音。

胜过撒但

神国的仇敌是撒但。基督必定作王，直等到祂把撒但放在祂的脚下，这场胜利也是在基督再来时才发生。在千禧年期间，撒但将被暂时捆绑在无底洞内，直到千禧年结束后，它要被永远丢到火湖里去。

然而另一方面，我们知道基督已经战胜了撒但，神国的胜利不只局限在未来而已，这场伟大的胜利已经萌芽发生了。基督成为血肉之躯——为要借着死，消灭那掌握死权的魔鬼，并且要释放那些因为怕死而终身作奴仆的人（来2:14-15）。在这里讲的"败坏"和提摩太后书一章10节，以及哥林多前书十五章24-26节所用的是同一个字。基督已经废止了死亡的力量，祂也同样废止了撒但的权势。今天撒但仍然像吼叫的狮子到处巡行迫害神的子民（彼前5:8），它也会假扮成光明的天使（林后11:14）。但撒但是已经被击败的敌人，它的主权、势力已经被攻破，它最后的结局也是可以预知的。我们所面对的是一场十分确定的胜利。基督在世上赶鬼，救人脱离撒但的捆锁，证明了神国能够使人脱离撒但的奴役，领人出黑暗进入痊愈和得救的真光中，这就是有关神国的福音。撒但既然被击败了，我们就不必再受鬼魔惊吓的控制，并且得享成为神儿女荣耀的自由。

胜过罪

罪也是神国的仇敌，那么基督是否也对付过罪呢？或者他只是在将来要带来国度与拯救而已？我们必须承认的是，像死亡一样，罪也充斥在这个世上，每天的报纸都在为罪行作最佳的证言。但是就像死亡和撒但一样，罪也已经被击败了。基督很明显地将自己献上为祭，为要除掉罪恶（来9:26）。罪的势力已经瓦解了，"我们知道，我们的旧人已经与基督同钉十字架，使罪身丧失机能，使我们不再作罪的奴仆"（罗6:6）。在这里我们第三次看到"丧失"或"废除"等字眼。基督作王的目标是要"毁灭"一切的仇敌（林前15:24-26），这件工作是发生在未来，也是发生在过去。

主耶稣第二次来临所要完成的事，已经借着他的受死和复活开始作了。"死亡"被废去了（提后1:10），"魔鬼"被败坏了（来2:14），"罪身"丧失机能，被灭绝了（罗6:6）。同样表示基督战胜仇敌的字眼，在对撒但、死亡和罪上面，被用了三次。

所以，我们不必再作罪的奴仆（罗6:6），作罪奴仆的日子已经过去了。虽然罪恶仍然存在于世上，但是它的力量已大

> **基督过去的作为证明了祂将来也会如此行，这就是我们要去传遍全世界的福音。**

不如从前。人在罪的面前不再是无能为力，因为它的主权已被破坏了。神国的能力进入这个世代，使人从罪的辖制中得到自由。

神国的福音就是宣称神已经做了什么事，以及祂将来要做什么。祂已战胜了仇敌，好消息就是基督要再来毁灭一切的仇敌。这是个有盼望的福音，同时也是有关神过去作为的福音。祂已经粉碎死亡的力量，击败了撒但，并且废止罪的权势。这福音既是一种应许，也是一种经验，而其中的应许是建立在过去的经验上面。基督过去的作为证明了祂将来也会如此行，这就是我们要去传遍全世界的福音。

2. 神国的使命

其次，我们在马太福音廿四章14节可以看出一项使命，也是一项讯息。神国的福音，亦即基督战胜仇敌的福音，必须要传遍天下，对万民作见证，这就是我们的使命。这是圣经中一节很重要的经文，确定了人类历史的意义的目的。

人类历史的意义

现代人怀着更大的急迫感试图去厘清人类历史的意义。我们都知道这世代所有

的潜伏危机，人类被毁灭的机率是那么大，以致于很少人肯去正视这个可怕的现实。面对当前紧迫的灾难，世人更加急切地提出问题：历史是什么？人类为何要活在地球上？我们要往哪里去？是否有一线光明和希望，能够引导世人朝向某个目标？

在前些世纪中，大家普遍接受一种进化或是进展的哲学。那些思想家把历史的意义书写成一条直线，缓慢而稳定地往高阶层的文明伸展；他们认为社会将逐步改善，从原始蛮荒的时代开始，最后进入高层的文化和文明。这种伸展式的哲学告诉我们，因为人类本身的特质，就是注定一直要进步发展，直到有一天达到完美社会的地步，不再有罪恶、战争、贫穷和冲突。这种观点在历史演变中已经粉碎无遗，因为现实所发生的事件，都显出这种观念无比荒唐。

另外一种观点则视历史为一系列的循环，有上升下降的变动，好像螺旋图形有最高点和最低点，但是每次上升都比前一次稍微高些，每次下降却不像前一次那么低。所以即使处在上升下降之中，整体说来仍是向上发展的。这是把前一种进展原则修改后的说法。

其他的学说则采完全悲观的态度。有人认为关于历史意义最正确的形容图表，是像一只醉酒的苍蝇脚上沾满油墨，在白纸上蹒跚走过所留下的痕迹，没有方向也显示不出任何形态。

我的信念是，历史的终极意义，必须透过圣经的记载和诠释，从神在历史上的作为显明出来。在此基督教信仰必须声明的是：假若没有神，人将如同迷失在一座迷宫内，找不到可以作为引导的模式和意义；假若神在历史上不作工，则人类世纪在潮流中就像涨退潮一样，毫无目标地往返于永恒的沙滩上。然而圣经中的基本真理告诉我们，神并没有沉默不语，祂确实在历史上不断作救赎的工作，并在未来要把历史带到一个祂所预定的目标。

神的旨意和选民

圣经为历史的意义提供了答案。整本圣经的中心主题，是神在历史上所施行的救赎。在很久以前，神拣选了一个备受藐视的小民族——以色列，祂不是因为这群人的缘故而拣选他们，在祂的计划里是包括全人类的。在神的卓越的策划中，要透过这群平凡的人来施行祂的救赎工作，好在以后能够遍及整个人类。像埃及、亚述、巴比伦这些古帝国存在的终极意义，都是建立在他们与以色列这个小国的关系上。神扶立又摧毁了那些统治者，为的是要扶植以色列，抚育、保存他们的性命。神是按计划行事的，并且不断在历史中按照计划进行。

“到了时机成熟”的时候（加4:4），主耶稣基督——一位犹太人，亚伯拉罕的子孙，以肉身出现在世上，神对以色列的计划自此达到一个高潮。但这并不意味着神对以色列的工作已经完成了，而是说当基督出来的时候，神透过以色列的救赎计划达成了初步的目标。耶稣降临之前，在神眼中，历史的意义和目的是与以色列国密切相关的。但当耶稣受死、复活的救赎大工完成之后，神对历史的计划已经从以色列身上——因为他们拒绝了福音——转到教会上面，教会就是凡接受福音的人——外族人或犹太人——聚集在一起的团契。在马太福音廿一章43节，从耶稣对以色列讲的一段话可以看出来，"因此我告诉你们，神的国要从你们那里取去，赐给那结果子的外族人。"而教会正是"蒙拣选的族类，是君尊的祭司，是圣洁的国民"（彼前2:9）。所以现在教会的使命是把神国的福音传到全世界，使神在历史中的救赎计划能够继续实现。

这是一个难以置信的事实，神竟然委托我们这班蒙恩的罪人，肩负这神圣的历史责任。神为什么要这么做？祂不是冒着可能会惨败的危险吗？到现在已经超过两千多年了，而这个目标尚未完成，神为什么不自己动手呢？祂为什么不差遣那些瞬间就可以完成使命的天使天军？祂为什么要委托我们呢？

我们不要试着去回答这些问题，因为这就是神的旨意。记着这个事实：神已经交给我们这项使命，除非我们愿意去作，否则使命是永远不能完成的。

让马太福音廿四章14节这节经文在我们心中燃烧吧！神没有对别人说过同样的话。我们若肯，神国的福音要借各地的教会对万国万民作见证，这正是神所预定、安排好的；换句话说，对于现代文明以及人类命运的终极意义，你我比联合国还重要。从永恒的角度来看，教会的使命比发动一支军队或动员全球的资本都重要得多。当我们完成这个使命，就是完成了神对人类历史的目的。

3. 神国的动力

最后一点，我要提到这节经文中的一

项动力："然后结局才来到。"记得本段落的标题是"国度何时降临？"我不是要找一个确定的日期给你，因为我也不知道末世什么时候来到。然而可以确定的是，当教会完成传福音给全世界的工作以后，基督要再来。

这是件极严肃的事！有些人难以置信的说：我不相信！神把如此重任交给人是不可能的。当威廉·克里在一百五十年前想去印度传福音的时候，别人告诉他：年轻人，坐下；如果神要拯救那些异教徒，祂根本不需要你的帮忙！但是他了解神的话，并且心中满有异象，所以他没有坐下来，反而立刻起身前往印度，展开了现代全球性福音事工的第一页。

我们有责任完成这项使命

神就是要我们继续去完成这项工作。每想到这里，我的心不禁战兢害怕，因为我们已经比前几个世代更接近完成这项使命的时候。近一百五十年以来，我们在传福音方面所做的，确实比使徒时代以来几个世纪所做的更多。现代科技所提供的印刷、汽车、飞机、无线电及其他许多通讯的方法，可以说明我们更迅速地把福音传到世界各地。以前许多我们不知道的语言，现在都已经研究、记录了下来。圣经早已翻译成——至少部分翻译——两千种以上的语言或方言，而且这个数字每年都在增加当中。这是个深具挑战的事实！即使数量相对较少的基督徒肯接受挑战认真去执行这项使命，我们就可以在这一代完成传福音给万民的责任，目睹主耶稣的再来。

也许有人会说：不可能！今天有许多

我们的责任并不在为工作下定义而争辩，而是切实地去完成它。

地方仍然禁止传福音。我们不能光明正大地去中国大陆传福音，通往印度的门也紧闭着。假如主耶稣一直要等到教会把福音传遍后才再来，那么祂是不可能在我们这一代再来的，因为那么多地方都拒绝福音的进入，这工作怎么能够完成呢？

这种态度是忘了把神的能力计算在内。不错，现在仍有许多扇门紧闭，但是神能够在一夜之间打开，并且神也能够在门里面施行祂的工作。我所关心的并非那些关着的门，而是那些早已敞开但我们却没有进去的门。如果神的每个子民，都忠心尽他所能做的那一份，神自然会亲自打开那些门。那许多扇敞开却无人进去的门是我们的责任，我们实在不能称为听主的话、顺从主的儿女。我们常常讨论福音传遍全球的意思，或是为了末世的一些细节而辩论，反而忽略了圣经要我们去传福音的使命。

或许另外有人会问：我们如何知道宣教事工何时会作完呢？我们离那时刻还有多久？哪些国家福音已经传遍，哪些还没有？我们离末期有多远？真的不能定个日期吗？

我的回答是：我不知道，只有神才知道圣经上每个字的定义。我不知道"万民"的明确意义，只有神才知道"福音要传遍天下"的真正意思，也只有那位告诉我们，福音要传遍天下，对万民作见证的

神，才知道到底什么时候，这目标才算完成。但其实我并不真的需要知道这些事，我只知道一件事：基督目前还没有再来，所以这件事工现在还没完成，当工作完成之后祂就会再来。我们的责任并不在为工作下定义而争辩，而是切实地去完成它。只要基督一天尚未再来，我们的工作就一天没有做完。让我们不再怠惰，好致力完成这项使命。

成为圣经所指的现实客观者

请记住，我们的责任并非要拯救全世界，神也没有要求我们改变这个世代。马太福音廿四章告诉我们将来必有的战争和灾难、逼迫及殉道，这些事会持续至末期的来临。我很高兴这些话是出自圣经，能够给我一股稳定的力量和清醒的头脑，而且使我不致于毫不实际地保持乐观。在那些艰难的时刻来临时，我们才不致灰心丧胆。

无论如何，我们有一个大能的信息要传给全世界，就是神国的福音。在这个世代的过程里，有两股势力在作工：邪恶的权势和神国的能力，使这世界呈现一种冲突的状态。撒但的力量不断打击神的儿女，然而神国的福音也不断在攻击撒但的国度，这种冲突将一直持续到这世代的结束，最后的胜利是属于那再临的基督。

所以毫无根据的乐观对我们是丝毫没有帮助的。主耶稣明明在橄榄山上说：末期来到之前，邪恶是这世代的特点，假先知和假基督要兴起来迷惑多人，不法和不公平的事情增多，许多人的爱心因此渐渐冷淡，神的子民必须接受艰难的考验。"在世上你们有患难。"（约16:33）事实

上耶稣祂自己说："唯有坚忍到底的，必然得救。"（太24:13）当我们把福音传给世界的时候，不要憧憬无往不利的成功，我们心里要有遭受反对敌挡，甚至逼迫殉道的预备。这个罪恶的世代是一直与天国的福音相敌对的。

同样地，我们也不要毫无限度地悲观。我们研读圣经预言的时候，知道末后的日子将充满罪恶，圣经似乎也一再强调末世危险的时日（提后3:1）。听说罪恶像面酵一样将完全充满现在的教会，离经叛道的事情变得家常便饭，只有一小群剩余的人会继续忠心持守神的话语。罪恶好像作了王。

圣经强调末世的罪恶特征是不能否认的。这个世代的罪恶，因着反对、憎恨神的国，会在末后日渐加深。但这不意味着我们就陷入无可救药的悲观，拱手把这世代和这世界让给邪恶和撒但。神的国度已经进入现在邪恶的世代，未来世代的能力已在攻击这个世代。天国的福音将要传遍全世界。

末后的日子真的是充满邪恶的日子，但神"在这末后的日子，却借着祂的儿子向我们说话"（来1:2）。神早已在末世为我们预备好救恩的福音，就是祂独生子的福音。并且神说："在末后的日子，我要把我的灵浇灌所有的人。"（徒2:17）神要在这末世晓谕我们，并以圣灵浇灌我们，使我们有能力去传扬祂的国，向万民作见证，这就是我们在这邪恶的世代传福音的精神。我们不是玫瑰色彩的乐观者，想要以福音来征服全世界，建立神的国度；我们也不是灰色的悲观者，认为面对这世代的邪恶，一切所做的都没有希望。我们是现实的客观者，能够依据圣经对现实有所了解，认识邪恶的势力却仍愿意去传福音给万民；当我们继续遵行这一使命，那么我们必能看见那显明神国的胜利。当基督在荣耀中再临时，祂将完成最后的辉煌凯旋。

因此我们传福音的动力是，最后的胜利在等待我们去完成我们的工作，"然后结局才来到"。圣经在别处再也没有提到末期的来到。所以，若问基督什么时候再来，那就是教会完成工作的时候；这世代何时结束？那就是当福音传遍全世界的时候。"祢的降临和这世代的终结，有什么预兆呢？"（太24:3）"这天国的福音要传遍天下，向万民作见证，然后结局才来到。"（24:14）

"所以你们要去"

你爱慕主显现吗？如果是的话，你会尽一切的力量去各地传福音。当我看到经上清楚的记载，并主耶稣交给我们的大使命时（太28:18-20），我的心因此而忧愁，因为我们太不在意神的话了。"天上地上一切权柄都赐给我了"，这就是天国的好消息。基督已经从撒但的手中夺得权柄，神的国已经击打撒但的国，那将来的世代已经借着基督攻击现今邪恶的世代，所有的权柄都归在祂手中了。虽然在基督再临之前，祂不会以最后荣耀凯旋的形象来表现祂的权柄，但是基督现在确实已拥有这权柄。撒但已被击打，它的权势已被限制，死亡已被胜过，罪恶已遭粉碎，因为所有权柄都属祂。因着这权柄，耶稣说："所以，你们要去。"国度是祂的，

祂在天上掌权，同时也在地上借着教会作王。祂现在与我们同工，以完成这一使命，"直到这世代的终结"（太28:20）。到那时，祂就要回来建立荣耀的国度。我们所能做的不是空空的等待，而是加速祂回来的那日（彼后3:12）。这就是国度福音的使命，也是我们的使命。

研习问题

1. 神国的来临与教会的使命之间具有什么关系？在作者看来，基督徒有可能影响神国的来临吗？

2. 请用神国的得胜来描述弥赛亚两次降临之间这一时期的重要性。

3. 请从胜过邪恶的角度来解释神国的福音。

4. 对信徒来说，马太福音廿四章14节怎样赋予历史意义？

等时候到了，我们所辛苦经营的都将成为神新世界的一部分。

固，不可动摇，常常竭力多作主工，因为知道你们的劳苦，在主里面不是徒然的。"

他这样说的意思是，我们现今所做的，无论是绘画、讲道、唱歌、缝衣、祷告、教导、建医院、挖水井、倡公义、写诗词，还是照顾贫困者、爱邻舍如同自己，这一切都会存留到神为我们所预备的将来。这些活动不是仅仅为了让这世界少点残酷，让我们的生活好过一点，直到与今世的一切说永别的那日。实际上，这些活动是在为神国添砖加瓦、参与建造。

我们不是在做白工，如同在将要倾覆的车轮上加润滑油，在即将付之一炬的名画上修补，在将要变成建筑工地的花园里种玫瑰。虽然有点出乎意料，甚至跟死人复活这事一样难以置信，但等时候到了，我们所辛苦经营的都将成为神新世界的一部分。我们的劳苦在主里面不是徒然的。

两种极端：必胜主义和失败主义

基督徒容易走向两种极端。一种极端（必胜主义，Triumphalism）声称：耶稣应是那真正的革新者，基督教唯一的根本职责就是在地上透过社会、政治和文化的革新来建造神的国。遗憾的是，这社会福音以其现代形式得到宣导的一个世纪以

来，并未看到什么绩效。善行做了不少，社会条件也得到大大改善（不过很难说得清这里面有多少归因于基督徒的事工，又有多少归因于其他因素）。但我们依然生活在一个破碎、惊恐和伤痕累累的世界。

另一种极端（失败主义，Defeatism）却认为：在主再次降临把一切都归正之前，我们只能听之任之，无能为力。邪恶势力是如此根深蒂固，除了神在末世所要施行的大能，没有任何力量可以对付，更不用提连根拔起。在一个充斥着枉法不公、又很难透过政治途径伸张正义的社会里，这种二元论滋长最快。这种观点认为，让我们专注于真正的福音工作吧，就是把灵魂拯救到未来的世界里面去。我们可以照顾社会最底层的人；但我们无法改变那压制他们、使他们无法翻身的社会结构。这世界本为天父所造，由神的儿子作主，圣灵亦在其中劳苦叹息，但这种二元论却完全把父、子、灵一直进行的医治工作排除在这世界以外。

以上两种观点都不能充分体现保罗的训诲——在主的事工上"务要坚固，不可动摇"，因为我们的劳苦在主里面"不是徒然的"。早期的基督徒普遍坚信，耶稣已经借着祂的复活公开显明了祂是以色列人的弥赛亚以及世界的真正主宰。我们已经看到，这正是整个基督教信仰的要义。如果我们相信这一点，并且像主教导我们的那样祈求神的国降临到地上，如同神在天上掌权，我们就不可能面对黑白颠倒的世界还甘于现状。正如第二种观点所见，我们也必须认识到，一切的确要等到世界终结之日才能最终归正，所以我们绝不可落入第一种观点所持的必胜主义的狂妄

中，幻想凭借自身的努力建造神国，而无需神进一步进行新的伟大创造。但我们也得认同第一种观点所指，在世上秉行公义是基督徒的职责。故而，第二种观点的失败主义应予摒弃，因为按其说法，就算是努力尝试一番也是毫无意义的。

第15章 神国在今世的彰显

纽毕真（Lesslie Newbigin）

作者是国际上广受敬重的英国神学家、宣教士、牧师、护教学家以及教会合一运动的宣导者。他在印度作为乡村传道人服事多年，随后担任南印度教会的主教，之后回到英国担任教授和牧师。纽毕真著作等身，其代表作有 *The Open Secret: An Introduction to the Theology of Mission, Foolishness to the Greeks: The Gospel and Western Culture* 以及 *The Gospel in a Pluralist Society*。本文摘自 *Signs Amid the Rubble: The Purposes of God in Human History*（2003年），版权使用承蒙许可。

复活的耶稣对使徒说："父怎样差遣了我，我也怎样差遣你们。"并把祂的手和肋旁给他们看，这时，祂是差遣他们去把完成的使命与十字架的道路相连起来（约20:19-23）。而这条道路，从一方面来说，是彻底反对各种根深蒂固之权势的道路。

宣告神国即将来临，神公义的统治将要临到世界，这必然与现有的执政权势发生冲突。但是，神的治理不是靠成功的政治运动，推翻现行政体，并且代之以忠心秉行神的公义的统治者而达成的。因为耶稣的复活，一场在人看来羞耻且屈辱的败仗，在神所拣选的见证人眼里，却视之为神国度决定性的胜利。祂在十字架上掌权。正如使徒所说的，执政者和掌权者的真实面目显露无遗，他们自以为有智慧，却显为虚谎；已经缴械弃甲，只是还没有被完全消灭而已。虽然依旧存在，尚有威势；不过这一威势现今在神的权柄之下，也受到神在耶稣身上彰显出来的公义的约束。

宣教的教会若要接受神这样的差遣，以受难的钉痕为标志的使命，就需要继续对抗并揭露伪善、残酷和贪婪，这些罪恶深深腐蚀了所有的政权。然而，宣教的教会同时也要看见这样一个事实：这条道路的尽头是十字架。只有超越十字架、超越所有世俗的计划、超越死亡，神公义的胜利才得以彰显。

除非能够认定福音信息根本的超世性，否则教会在政治上扮演的真正角色只能附庸妥协，毫无指望；无法掀起反主流的抗争声浪，在患难中有盼望，只不过成为幼稚的乌托邦，徒劳无益。福音信息的核心主题就是神的统治，这不是政治发展的最终产物。任何混淆二者的企图终必幻灭，以失望告终。

我们可以很简单，甚至或许粗略地以八福来说明这一点。为什么那些贫穷、受压、遭到逼迫、饥饿和温柔的人会被称为有福的呢？原因很简单：在属神的新世代里，正是这样的人才会富足、自由和喜乐。他们当中的大多数人在今生依旧过着贫穷、饥饿、受压和忧伤的生活；而他们之所以是有福的，是因为神应许要在新天新地里赐给他们无穷的美福。这是一个不受欢迎的教义，犹如画饼充饥；然而，这种超世性清楚地包含在耶稣的教导里。那么，这与教会在世上的使命有什么关系呢？答案肯定不是在面对屈枉、贪婪和伪善时消极无为或被动屈服！耶稣在地上的事奉足以驳斥这样的观点。或者说，应当足以驳斥这种观点，但实际情况却不是这样。因为，我们必须承认，当教会领导者身居要职、权力在握时，教会常常就噤若寒蝉了。

根据约翰记载，耶稣来是为败坏魔鬼的作为，而不是屈服于这些恶行。四福音书描写耶稣的整个事奉就是攻击魔鬼的作为不遗余力，无论表现在医治疾病缠身的百姓、赶逐污鬼，还是对抗统治阶层的假冒为善、残酷无情。事实上，有人把耶稣的整个事奉诠释为神的治理临到世间，为释放那些被撒但捆绑的人。

《抗争的信仰》（*The Faith That Rebels*）这本名著的书名正好说明这一点，耶稣在世所体现的就是这样。耶稣从未对任何一个来到祂面前的病人说，要相信这病是出于神的旨意。相反地，耶稣总是奋力而行：深深触动祂的不仅是怜悯的心怀，更是祂的义愤，因为撒但竟如此凶残地压制神的儿女。耶稣的手总是在施行医治，直到生命终点；甚至在十字架上，祂还向一个将死的杀人犯发出恩言，让他得到释放。但是，正如那些嘲笑祂的旁观者所说的，耶稣救得了别人，却不能救自己，毋宁说祂是没有救自己；最后，也仅在生命最后一刻，耶稣才发出顺服的呼喊："父啊，我把我的灵魂交在祢手里。"

十字架才是神国在这世上生活的终极标志。

神国的来临完全出自父神之手，并且必须在耶稣受死和失败之后。耶稣在地上的事奉不是要发起一场运动，把世界逐渐改变成为神国；而是在现今的世代里彰显未来世代的真实，即神统治的真实。

复活的耶稣对祂的门徒说："父怎样差遣了我，我也怎样差遣你们。"并把祂的手和肋旁给他们看。借此，耶稣实际上是在托付他们继续祂在世上的事工：在现今这个被罪和死亡辖制的世代中，彰显和宣告新世代来了，神治理之公正和仁慈真真确确。

在耶稣对门徒委以重任的同时，圣灵也赋予他们能力。那膏抹耶稣，使祂能够施行医治和释放的圣灵能够赐给教会同样的能力，但这并不等于带来一套成功的旧世换新颜的社会改良计划。

"祂（耶稣）把祂的手和肋旁给他们看。"神的王权介入人类历史一定会显明出来，祂将挑战那些欺压和剥夺人性的政权，撕下执政者和掌权者虚伪的面具。然而，十字架才是神国在这世上生活的终极标志。钉在这十字架上的主，在复活之后成为胜过一切权势的主，连死亡的权势也伏在祂的主权之下。

研习问题

1. 作者提醒我们不要把神的统治和世上的政治运动混淆了。他所关切的是什么呢？根据他的论述，基督徒反抗腐败的政治力量当具有什么特性？

2. 什么是消极无为，被动屈服？根据作者的观点，教会为什么不应该采取这样的立场？

3. 作者以耶稣的事奉阐明了"抗争的信仰"。请解释"抗争的信仰"的重要意义。

第16章 争战的神

格雷戈理·博伊德（Gregory A. Boyd）

作者现任基督得胜事工（Christus Victor Ministries）主席，明尼苏达州枫林镇伍兰冈教会（Woodland Hills Church）主任牧师，曾在明尼苏达州圣保罗市的伯特利大学担任神学兼职教授十六年。其著作包括合著共有十八本，如 *The Jesus Legend* 和《信心的跳跃》（*Letters From a Skeptic*）。本文摘自作者 *God at War* 一书，版权所有（1997年）。版权使用承蒙许可。

旧约有一个清晰的基础认识：极端邪恶的势力侵入了神美好的创造，并一直威胁着这个世界。受造物中不全都是良善的：圣经把它们描述为鳄鱼、拉哈伯、海怪、河马、凶险的波涛或顽固叛逆的假神（比如波斯的魔君、基抹、撒但）；又以在创世以前发生的战争，或现今所发生的某些事件来描述。在根本的层面上，旧约让我们看到受造物中存在着扭曲的事物。就这方面来说，旧约的世界观与近东地区普遍的世界观存在共同之处。但是，这场宇宙性的争战是如何进行的呢？在此，旧约世界观在近东的民族中完全是独一无二的。这种独特性一直占据着旧约舞台的中心。

与其他所有关于争战的世界观不同，旧约反覆强调，独一真神的权能绝对高于其他一切假神。圣经明确地宣告，这位独一真神绝不会受制于仇敌的威胁；这个重点为随后赐给人类的其他一切启示打下了坚实的基础，圣经作者从未丢弃这个一神论的基本信念。但是，当我们进入新约的时候，这个信念与争战主题之间的关系就发生了重大的变化；在新约里，争战的现实与神卓绝的主权同时成为舞台的焦点。耶稣和早期教会所教导的一切几乎都带着这个主要信念的色彩：这个世界是整个宇宙战争交火的战场，交战双方分别是神和祂的天使天军对撒但及其恶魔军团。

两约之间的转变

犹太世界观在两约之间发生了重大的转变。从出埃及的时代开始，犹太人就把他们对神主权的信靠与在政治上的成功紧密联系起来，他们赢得并维护了一个独立国家的地位。在他们看来，这足以清楚证明神统管着以色列和整个世界。当被掳至异邦而受到异教君王压迫的时候，他们的信仰出现危机；他们想，这似乎意味着耶和华其实并不是全地至高无上的主。

然而，还有另一种解释。只要以色列仍有希望重新获得独立，国家的灾难就可以归咎于他们对耶和华暂时的不忠。这样，他们的灾难就不会成为对耶和华主权的质疑，反而是对他们自己的控诉。

他们相信，当这个国家为罪忏悔并回转归向神的时候，神就会向他们显出祂的信实，把应许之地归还他们。[1]

可是，在忍受了几百年异教政权的惨痛压迫之后，这种惩戒神学渐渐失去了说服力。当安提阿哥四世在位的时候，这种压迫严重到一个地步成为公然的血腥迫害，结果许多犹太人摒弃了这种神学。在公元前第二和第三世纪，越来越多犹太人开始认为，他们所遭遇的一切不可能全都归咎于自己的过错，也就是说他们遭遇的一切不可能全都出于耶和华的管教。但如果他们遭受祸患并非神的意图，那会是谁的意图呢？为了回答这个问题，这时期的一些犹太人，怀着一种前所未有的紧迫感着手研究贯穿整本圣经的争战主题。

在历史上，没有任何时候比这个时期更加黑暗：狂暴的海洋、鳄鱼、撒但和恶魔似乎可以任意踩踏以色列，甚至整个世界。在这种压迫和痛苦的环境下，希伯来圣经中的争战主题被强化当然不足为奇。许多犹太人深信宇宙中存在着善恶两种灵界受造物，这世界就是它们交火的战场。因此，末世性的盼望在两约之间日益强烈，认为耶和华很快就会打败鳄鱼（或某个类似的宇宙势力代表物）及其率领的军团。

旧约关于神明与耶和华争战这一主题的钻研日益扩大，成为当时的核心思想，形成了所谓的"末世性世界观"（apocalyptic worldview）。若要正确地理解新约，我们必须以这种世界观为背景。末世文学的作者强化了耶和华与敌对势力的交战，以维护"世界秩序"这个在旧约中相对次要的观念。为了拯救这个世界，

耶和华此时必须与这些敌对势力争战。由于深受邪恶之苦，犹太人得出了这个不同寻常的结论：就某种重要的意义来说，耶和华在与敌对势力的交战中输了，至少暂时如此；不过，他们笃信，耶和华终将并即将收复宇宙，击败仇敌，重登本属于祂的宝座。从这种终极的末世角度来看，耶和华仍然可以被视为一切受造物的主。然而，他们相信，在这"现今的世代"，如詹姆斯·卡拉斯（James Kallas）所述，"撒但窃取了世界"，受造物都"疯癫"了。[2]

威廉·奥尔布赖特（William F. Albright）称之为"修正的二元论"（modified dualism），[3]非常恰当。这种观念认为，耶和华最高贵的使者已经堕落，它滥用神赐予的尊荣职权，胁持着整个世界，自封为统管今世的神。这预示着宇宙的灾难，[4]从根本上表明，耶和华在创世之初设立的天使权力架构已经从最顶层腐败了。因此，在这最高职权底下的一切，包括天上地下，都受到了不利影响。大批大能的天使曾被授予职权管理各种受造物和下级天使，但如今却能滥用这个职权来向神和祂的子民发动战争。

不是所有的天使都堕落了。但在这些作者看来，堕落天使的数目极其众多。现在，恶魔可以肆意入侵这个被撒但统治的世界，无恶不作。它们有时被描述为"巨人"变异的后代，有时又被刻划为堕落的天使。本该是神在天上的一群仆役和侍奉神的天军，现在竟成了与神对抗的狂暴叛军；它们常用的伎俩就是在地上威逼恐吓，俘虏世人。这样，末世主义者不会为着耶和华的王权没有在以色列的政治浮沉

中彰显而感到困惑；神的百姓如今受到如此凶残的迫害，也不是什么难以理解的事情了。整个世界都像一个邪恶的战场，而这一切都在这些作者的意料之中。在他们看来，事情本该如此。

耶稣对恶魔军团的看法

当代大多数新约学者确信，我们需要在这个末世主义的背景下来理解耶稣和早期教会的事工，[5]否则，耶稣的教导、赶鬼、医病和其他神迹，包括祂在十字架上的工作，在某种程度上都会显得毫不连贯，互不相干；我们必须视之为战争中的行动。一旦在诠释学上踏出这一步，耶稣的事工就形成了一个连贯的整体。

撒但的统治

在末世主义看来，撒但篡夺了世界，因此世界处于它的控制之下。这种观点为耶稣的整体事工奠定了基础。在约翰福音中，耶稣曾三次称撒但为这世界的王（约12:31，14:30，16:11）。耶稣在这里所用的词是 *"archōn"*，通常用于表示 "在古希腊罗马时代一个城市或地区的最高官员"。[6]耶稣的意思是，就统治宇宙的力量来说，这个邪恶的统治者位居第一。

撒但宣称，它能把所有 "权柄"、"荣华" 和 "天下万国" 随心所欲地给人，因为那一切都是属于它的。耶稣对此并没有反驳（路4:5-6），反而认为那是事实。耶稣的观点与当时末世主义的世界观相符（这也与约翰、保罗的书信和其他新约书信的观点一致）。耶稣相信，整个世界都 "伏在那恶者手下"（约一5:19），撒但是

> **我们需要在这个末世主义的背景下来理解耶稣和早期教会的事工，否则，耶稣的教导、赶鬼、医病和其他神迹，包括祂在十字架上的工作，在某种程度上都会显得毫不连贯，互不相干。**

"这世代的神"（林后4:4），是 "空中掌权的首领"（弗2:2）。这样看来，耶稣承认撒但在地上有统治权；然而，祂不会屈服于撒但的试探，并跪拜这一篡位的暴君，好夺回这个普世性的国度（路4:7-8）。[7]

耶稣认为，这邪恶的暴君正差使手下庞大军队里的众多恶魔在地上扩张权势，这与当时末世主义的观念相吻合；其实，耶稣甚至比末世主义还更为强调这一观点。当祂被指控靠着别西卜（撒但的别名）赶鬼的时候，祂这样回答敌对者："一国若自相纷争，那国就站立不住。"（可3:24）[8]这话是基于共同的背景认识：恶魔王国是一个统一的王国，施行统治的国王（*archōn*）就是撒但（可3:22；太9:34，12:24；路11:15）。耶稣想说明，恶魔王国跟其他所有王国一样，若各怀鬼胎，就必然灭亡。

耶稣还说，没有人能夺回这个 "王国" 的 "财物"，除非先把负责看管的 "壮汉捆绑起来"（可3:27）。路加福音补充说，这必须有 "一个比他更强的人"，

"胜过了他"，才能"夺去他所倚靠的武器"，然后"把他的家财当作掠物分了"（路11:22）。这就是耶稣来到世上要做的事情。祂的整个事工就是要胜过这个"拿着武器"看守着"他的家财"的壮汉（路11:21）。"家财"指神的百姓，乃至整个世界。耶稣成功地赶出恶魔，绝非表明撒但的国自相纷争，而是揭示出祂的整个事工都是以"捆绑壮汉"为中心的。[9]这个事件说明耶稣认为撒但及其恶魔组成了一

个统一的王国。正如约翰·纽波特（John Newport）所言，它们是一个目标专一，关系紧密的毁灭性组织，撒但是其唯一的统帅。[10]

故此，耶稣提到"魔鬼和它的使者"，暗指堕落的天使归属撒但（太25:41）。基于同样的原因，耶稣把恶魔的作为引申为撒但的作为（如路13:11-16；参徒10:38；林后12:7），认为所有对抗恶魔的行动就是对抗撒但本身。[11]当耶稣的

附篇 16-1 开创神国：耶稣的作为、死亡和复活
赖特（N.T. Wright）

"神国"已经成为一面幌子，在这底下兜售什么的都有。有人以神国的名义追求自己的事业、道德、社会和政治的改良或革命，左派或右派的纲领、动机良善但行事糊涂，或行事精明但不怀好意的活动，应有尽有。许多走这条路线的人把福音书看作故事集，里面描述耶稣这个人周游四方助人为乐，最后不幸英年早逝。

还有很多基督徒则认为这样解经和应用是肤浅且混乱的，对这种所谓的神国神学非常愤怒，视之为曾风行一时，但现已过时且肤浅的套装版自救道德主义。耶稣公开事奉以开创神国，与祂为救赎而死并复活原本就不应割裂；当我们把这两方面重新整合，就会发现福音书讲述的是一个截然不同的故事。既不只是讲一些社会工作如何辉煌和振奋人心，后来又如何惨淡收场；也不只是啰啰嗦嗦的开个头，接着讲一个赎罪之死的故事。

这个故事远超这两个角度的总和。所讲述的神的国如今像在天上一样在地上展开，事态有了变化，邪恶的势力已经遭到致命一击；新的创造确已开始，耶稣的跟随者已受命并得到装备，为要活出这个胜利和已经开创的新世界。

这一切都会涉及赎罪、救赎和拯救。参与这事工的人本身必须从奴役这世界的权势中被救拔出来，好使他们也能够成为解救者。

换句话说，若是你想协助神国的开拓，就必须跟随耶稣走十字架的道路；如果你想受益于耶稣的救赎之死，就必须与神国的计划有分。

作者是英国圣公会杜伦教区主教，在剑桥大学、麦吉尔大学和牛津大学执教新约研究达二十年。他著作等身，包括《纯·基督教》(Simply Christian)、《新约与神的子民》(The New Testament and the People of God) 以及《耶稣与神的得胜》(Jesus and the Victory of God)。本文摘自 Surprised by Hope: Rethinking Heaven, the Resurrection, and the Mission of the Church（2008年）。版权使用承蒙许可。

七十个门徒完成了赶鬼的事工成功归来，耶稣宣告说，祂看见"撒但像闪电一样从天坠落"（路10:17-18）。[12]很明显，"壮汉"和它的家眷同沉浮；它们组成一支统一有序的军队，专门阻拦神的工作，给神的百姓带来罪恶和痛苦。这军队的头目是撒但，它也是万恶之源。[13]

撒但军团充斥各处的影响力

如福音书所述，这个来自外天的恶魔军团数目庞大，影响力遍及全球；[14]福音书记载了大量鬼附甚至群鬼附身的事件，也多处提到人被鬼附。这表明邪灵多得不计其数，[15]这世界充斥着破坏力无处不在的恶魔。耶稣的事工告诉我们，祂认为一切与创造主的完美设计不一致的事物，都是恶魔军团入侵直接或间接造成的结果。耶稣从未以神奥秘的旨意来解释人的病痛、残疾或者死亡，[16]反倒看作是受了撒但军团毒害以致疯癫的世界所产生的结果。祂多次把疾病归咎于恶魔直接的作为。[17]

耶稣诊断那个"被邪灵附着，病了十八年，弯腰曲背"的女人是"被撒但捆绑"（路13:11、16）。耶稣完全没有认定在这女人怪异的残疾背后有某种隐秘而又至高无上的神圣旨意，而是把她看作是属灵争战的受害者，使她受苦的罪魁祸首就是敌对军团的首领。卡拉斯深刻地指出，耶稣对待这些事情的方式与我们现代西方的典型方式形成鲜明对比。"看到小儿麻痹症患者或者残疾人，我们会虔诚地摇摇头，说一些人云亦云的荒唐话：'这是神的旨意……我们很难明白……神的意思深不可测，得等到天上才能水落石出'……

耶稣看这些疾病，毫不含糊地称之为魔鬼的作为，而不是神的旨意。"[18]

卡拉斯的评论可能让人难以接受，但从圣经严格的角度来看，他所言不假。正如雷蒙德·布朗（Ramond Brown）论证到，门徒认为诸如脊椎畸形和疾病之类的事乃是"由撒但直接造成的"。所以，对他们来说，"得救"不只是"灵的重生"，也是从疾病的痛苦捆绑中、从撒但的辖制下解救出来。[19]

此外，布朗等人清楚地指出，耶稣和福音书作者有时称患者的疾病为"灾病"，或"鞭打"（*mastix*，可3:10，5:29、34；路7:21）。[20]圣经作者用该词描述身体的疾病时，只有一处是指神降在人身上的苦难。[21]在这些特别的例子中，神用鞭打来惩罚人；但那显然不是该词在这里所要表达的意思，因为耶稣要把人从这鞭打中释放出来。

比如，在患了十二年血漏病的女人摸了耶稣的衣服之后，就对她说："女儿，妳的信使你痊愈了，平安地回去吧，妳的病（*mastix*）已经好了。"[22]（可5:34）耶稣绝对不是把这女人从"神定意的十二年鞭打"中释放出来。那耶稣是把她从谁的鞭打中释放出来呢？从耶稣的整个事工来看，只有这种可能：祂知道自己是把这女人（还有所有像她那样的人）从"壮汉"（即撒但）的鞭打中释放出来。

虽然耶稣从未认可末世主义对各种堕落天使的名字、级别和职能的猜测，但祂确实斥责了一个聋哑的鬼（可9:25）。路加将另一个赶鬼事件描述为赶出一个"哑巴鬼"（路11:14）。[23]很显然，撒但军团中有各种各样的恶魔，担任不同职能，给人

> **"神国"指耶稣自己的事工以及交托给门徒的事工，也就是在撒但统治的地方建立起神的宝座。**

们带来各种苦难。

耶稣与神国

我们要认识到一点，即，耶稣如此看待撒但的统治及其军团充斥各处的影响力，并不是因为祂碰巧接受了第一世纪末世主义这一无足轻重的思想。相反地，这是耶稣一切言行背后的推动力。事实上，耶稣的"神国"概念乃是以这些观点为中心的。对于耶稣来说，建立神的国度就是消灭撒但的国。

卡拉斯认为，"在耶稣看来，这个世界是一个恶魔横行的世界，需要拯救。神主权的扩展等于恶魔的败退……赶鬼是耶稣的信息和工作的核心。"[24] 古斯塔夫·温葛兰（Gustaf Wingren）写道："当耶稣医治病人，赶出邪灵的时候，撒但的辖制就远离了，神的国就临到了（太12:22-29）。因此，基督的所有工作都是与魔鬼作斗争（徒10:38）；神的儿子取了肉身成为人，就是为了瓦解魔鬼的势力，铲除它的恶行（来2:14及其后；约一3:8）。"[25]

耶稣用"神国"指祂自己的事工以及交托给门徒的事工，也就是在撒但统治的地方建立起神的宝座。正如很多学者认识到的，如果"神国"是耶稣的事工和教导的核心概念；那么，"撒但的国"就是一个衍生的概念，当然也很重要。[26]

国度是一个战争概念

尽管第一世纪正统的犹太人和基督徒从未怀疑创造主独有一位，也不怀疑祂主宰末世，但新约作者坚信创造主的旨意并非唯一在现今世界里运行的意志；人类和悖逆天使的意志都在违背神，神必须与之斗争。因此，新约作者祈求神国降临，而不认为神国已经完全临到（太6:10；路11:2）[27]；他们知道，神国降临的唯一办法就是推翻现有的非法王国。我们从这个层面上可以说，新约作者与当时的末世主义作家一样，坚持"有限的二元论"（limited dualism）。[28]

如果"神的国"和"撒但的国"在新约中是两个相关的概念，那么我们就可以认为，只有"撒但的国"衰弱，"神的国"才会扩展。这正是医病和赶鬼在耶稣的事工中扮演如此重要角色的原因。耶稣说："我若靠神的能力赶鬼，这就是神的国临到你们了。"（路11:20）两者是此消彼长的关系。苏珊·加勒特（Susan Garrett）总结得非常恰当："每次医病、赶鬼和使死人复活都使撒但亏损，为神赢得胜利。"[29] 卡拉斯写道："神国临到之日，也是恶魔败退之时。两者息息相关。"[30] 对于耶稣来说，医病和赶鬼绝不只是象征神的国，这本身就是神的国。[31] 与撒但争战和建造神的国，在耶稣看来是同一件事。[32]

耶稣把神国看作一个争战中的国，这在许多方面都显明出来。例如，福音书把耶稣关于神国的宣告和祂对神国的彰显联系在一起；这反覆出现的现象可以从马可福音和路加福音中耶稣事工的主题式开头中找到例子，都清楚地表明了这一点。在马可福音的开头，耶稣以这个宣告开始事工："时候到了，神的国近了，你们应当悔改，相信福音。"（可1:15）这是马可归纳了耶稣讲道的内容，接下来的记载就用事例向我们说明何谓把神国宣讲出来。

在呼召门徒（1:6-20）之后，耶稣的教导里显明的权柄使人惊奇（1:21-22）。就在那时候，一个被污灵附着的人喊着说："拿撒勒人耶稣，我们跟祢有什么关系呢？祢来毁灭我们吗？"这里的第一人称复数形式可能表示这个恶魔在代表它所属的整个军团发言，但它接着又用单数形式说："我知道祢是谁，祢是神的圣者。"（1:23-24）与马可叙述中所有的地上人物不同，这些恶魔王国的成员知道耶稣是谁，也对祂来到地上的目的多有猜测（可1:34，3:11）。[33]

耶稣来是要"除灭魔鬼的作为"（约一3:8）。恶魔知道，这意味着它们的灭亡。耶稣斥责那恶魔，叫它"住口"（可1:25）。其字面意思是"被勒住"（phimoō）。在耶稣用神圣的权柄勒住恶魔之后，恶魔就把那人摔在地上，大声喊叫，就离开了他（1:26）。接着，马可注意到，众人再次对这个"新道理"和新"权能"（1:27）感到惊奇。我们看到二者紧密相联。[34]

马可接下来记载了耶稣治好彼得岳母的热病（1:30-31），在路加福音对应的经文中，耶稣认为这病是由恶魔引起的（路4:38-39）。就在那日黄昏，"全城的人"带所有"生病的和被鬼附的"来，耶稣"医好了各样的病"，"也赶出许多的鬼"（可1:32-34）。神的国确实近了。

在马可接下来的叙述中，耶稣告诉门徒，祂要到其他的乡镇去，"也好在那里传道"（1:38）。祂继续如此行，马可如此总结耶稣的工作："祂走遍加利利全地，在他们的会堂里传道，并且赶鬼。"（1:39）然后，耶稣治好了一个麻疯病人（1:40-45）。紧接着，耶稣在安息日治好了一个瘫子（2:1-12）。在一段简短的插曲之后，我们发现耶稣又在医治病人，把许许多多人从仇敌的"鞭打"中释放出来（3:10），并赶出邪灵（3:11-12）。[35]在几节经文之后，马可记载了关于别西卜的争论。在这场争论中，耶稣指出自己就是那个靠神的能力捆绑"壮汉"的人（3:20-30）。到此马可福音第三章还没完呢！

这就是神国的意义，清晰明了，实难错解。无论神的统治还包含什么别的意思，都是关于摧毁撒但的统治，也就是把人从恶魔的手中、从它们加诸于人身上的可怕疾病中解救出来。

马太和路加在记载耶稣事工的时候，都非常恰当地从耶稣在旷野对抗魔鬼开始。此刻，这场亘古以来的宇宙之战集中在耶稣一个人身上。[36]耶稣敌挡了所有试探，包括撒但要给祂的天下万国。魔鬼失败了，最后离开了耶稣（路4:1-13）。不同于其他所有人，耶稣没有沦为"罪的奴隶"（约8:34）而受到撒但的辖制。在约翰福音中，耶稣宣告："这世界的统治者……在我身上毫无作用；但……父怎样吩咐了我，我就怎样作。"（约14:30-31，参8:29）比"壮汉"更强而有力的人终于来了，是耶稣捆住了魔鬼。现在，耶

稣既已在自己的生活里击败了魔鬼，祂就可以开始代表全宇宙来打败它。

在路加福音中，耶稣从自己的家乡开始布道。与马可福音的记载相仿，只是路加更加详细地指出，耶稣以宣告神的国临到祂的身上为开始。祂在会堂站起来，念以赛亚书的一处经文："主的灵在我身上，因为祂膏我去传福音给贫穷的人，差遣我去宣告被掳的得释放，瞎眼的得看见，受压制的得自由，又宣告主悦纳人的禧年。"（路4:18-19）在一阵尴尬的沉默之后，耶稣接着说："这段经文今天应验在你们中间了。"（4:21）耶稣被赶出城之后（4:22-30），我们开始看到宣告神国的具体含义。一如马可福音的记载，路加福音指出耶稣马上在迦百农的会堂遇到一个被鬼附着的人。那人大声喊叫："哎！拿撒勒人耶稣，我们跟祢有什么关系呢？"（4:34）耶稣就勒住了恶魔，释放了撒但的俘虏（4:35）。借着这次赶鬼，耶稣显明了以赛亚书的经文如何应验在祂自己身上，清楚地展现出其中所预言的自由。

耶稣接着又"斥责"那由恶魔引发的热病（4:39），医好许许多多病人（4:40），赶出许多尖叫的恶魔（4:41）。此后不久，祂治好了一个麻疯病人（5:12-16）、一个瘫子（5:17-26）和一个手枯干的人（6:6-10）。如克林顿·阿诺德（Clinton Arnold）所论，重点是那些急需释放的俘虏"陷在撒但王国的捆绑和压制中"。[37]因此，神的国意味着，囚禁人、压迫人、使人贫穷和（身体和灵魂）眼瞎的敌国要因耶稣的事工而走向灭亡。耶稣带来了神的国度，因为祂彻底地击败了撒但的国。

教会的工作

从上述耶稣对神国的观点，再回头去看数百年以来许多新约学者所断定的——历史上的耶稣充其量是一个道德教师，这样的看法就显得不可思议了。这证明，人基于自然主义的假定会把眼前的证据滤得一干二净。[38]但同样令人费解的是，今天那么多信徒阅读同样的福音书并委身跟随耶稣，居然从未认真考虑过要像耶稣医病那样来看待疾病（更不必提鬼附的事了）。我们现代的基督徒完全没有像耶稣那样把这些灾祸看作魔鬼的鞭打，反而常常视之为神"奥秘的天意"。本该起来反抗仇敌的鞭打，我们倒祈求神帮助我们接受这些困难，似乎这些鞭打来自"天父的手"。

这样看来，后奥古斯丁古典哲学的神论传统力量有多么大，也证明西方启蒙运动直到最近都还主导着西方的思想，对信徒和非信徒而言都没有什么两样。这些理论不就说明了为什么我们面对的"邪恶"不同于耶稣和门徒如何面对邪恶。如果我们相信，在那些使世界变得如恶梦般的疾病和暴行的背后，都隐藏着善良且明智的神旨，那就把邪恶这一问题从我们必须消灭的对象，不知不觉换成了我们不得不深思的事情。有关邪恶的问题本当引导我们去"胜过魔鬼及其军团之恶行"，结果却沦为思想战，试图"在理性上解释"那些显然来自魔鬼的事情怎么会是一位全善全能之神的旨意。

也许最可悲的是：我们如此更换，得到的是一个永难解开的理性谜团之余，又在一场我们受命而战且终必得胜的属灵战役中不战而降。无论是从哲学、圣经还是实用方面来考量，这都是一个"赔本的买卖"。相反地，如果我们遵循救主的榜样，那么我们对待这世界的邪恶的基本立场就应是反抗、义愤、采取社会行动、积极对抗，而非虔诚的屈从。

新约圣经明确地宣告，耶稣已经借着祂的事工、死亡和复活胜过了仇敌（西2:14-15）。但耶稣和新约作者明白：神国胜利的最终实现还要等到未来。这就形成了我们熟悉的"天国已始论"（inaugurated eschatology）或"已临而未然"（already-but-not-yet）这个吊诡的新约思想。[39] 神国已经临到，但在世界历史中还未完全显现出来。耶稣的超自然神迹，祂的医病、赶鬼，尤其是祂的复活，毫无疑问地都是成就和显明祂胜过撒但的壮举。这些行动击败了恶魔的势力，因而在人的生命和自然界中建立起神国。然而，这些行动的主要长远意义却是在末世。

现在人们仍然会被恶魔附身，仍然会生病死亡；暴风仍在肆虐，蹂躏生命；饥荒依然盛行，千万人忍饥挨饿。但耶稣的事工，尤其是祂的死和复活，从根本上已经捆住了"壮汉"，奠定了神国的基础，重塑了人性。这样，耶稣调动兵力，最终将瓦解撒但向神的世界和人类发动的全面进攻，撒但的这些攻势不过是垂死挣扎而已。[40]

温葛兰在谈到基督的复活时，提到"已临而未然"的张力：

> 主的争战已经完成，决胜一击已经发出。撒但再也不能像在旷野时那

在基督胜利的权柄之下，教会蒙召仿效耶稣瓦解邪恶势力。其实，当教会靠着圣灵如此行的时候，就是耶稣自己在继续工作。

> 样试探耶稣。现在耶稣是主，是胜利者。但这场战争还未完，争斗也没有随著那决胜一击而结束。仇敌党羽溃散，在各处小范围内负隅顽抗的情况仍将继续。[41]

耶稣超自然的事工不只是**末世**的象征，这些事工从根本上成就了**末世**。耶稣从根本上赢得了这场战争，发出了致胜一击，击溃了撒但，重塑了人性，确立了神国。然而，在最终的胜利完全显现之前，还有一些零星战役要打。因此，耶稣不仅亲自开展争战事工，祂还任命、装备和授权给祂的门徒，以及后来的整个教会，让他们照此而行。祂将能力和权柄赐给我们，让我们像祂那样宣告和展现神国的临到（如林后5:17-21；太16:15-19；路19:17-20；参约14:12，20:21），启动了重塑人性之工。

耶稣把权柄赐予所有凭信心领受的人，使他们像祂那样捣毁地狱诸门，替天父夺回仇敌所窃取的（太16:18）。既然"壮汉"已被捆住，这个任务是我们能够完成，也必须完成的。这样我们——教会，就是在扩展神的国，对抗撒但的国，为主的再来奠定基础；那时，基督的胜利

和撒但的失败必将完全显明。在基督工作的 "已临" 和末世的 "未然" 之间的这段时期，教会的任务就是完全效法耶稣的榜样，教会就真正是耶稣在地上的 "身体"。作为耶稣的身体，教会自然就当延续道成肉身的耶稣在地上的事工（林后 5:18-19）。

教会蒙召乃是为了彰显 "神的国已临到，撒但的国已败退" 这一真理。在基督胜利的权柄之下，教会蒙召仿效耶稣瓦解邪恶势力；其实，当教会靠着圣灵如此行的时候，就是耶稣自己在继续工作。固然，耶稣的跟随者完全可以对祂在十字架上成就的大工充满信心，但耶稣的争战世界观在他们当中丝毫不能废去。

附注

1. 有关这一观念背后的圣约神学，见 G.W. Buchanan, *The Consequences of the Covenant*, NovTSup 20 (Leiden: Brill, 1970), pp. 123-31；亦见 D. R. Hillers, *Covenant: The History of a Biblical Idea* (Baltimore: Johns Hopkins University Press, 1969), pp. 120-42。

2. Kallas, James G., *The Significance of the Synoptic Miracles*, (Greenwich, Conn: Seabury Press, 1961), p. 54.

3. W.F. Albright, *From the Stone Age to Christianity: Monotheism and the History Process*, 2d ed. (Baltimore: John Hopkins University Press, 1957), p. 362.

4. 各种启示文学文本之间，甚至同一文本内部，对于 "至高中保" 的身分都存在不同的确认。例如，《以诺一书》说阿撒泻勒（Azazel）和西姆扎斯（Semjaza）是叛逆的天使的头目，但也提到一群称为众撒但（众敌挡者）的堕落天使，它们以撒但为首。《禧年书》则提到莫斯提马（Mastema, 希伯来文的 "恶意"、亚兰语的 "谴责者"），但也谈及撒但所率领的堕落天使。《多比传》说到阿斯蒙得（Asmodeus），据称他爱上了一位年轻女子，并将其所有可能的丈夫都斩尽杀绝，《多比传》3:8，6:13-14。这个名字也出现在拉比文学中。《以诺二书》提及撒但那尔（Satanail），但《以赛亚殉道和升天记》将萨麦尔（Sammael）与彼列和撒但并列而论。有关这方面的讨论，有 Barton, "Origin of the Names," 及 Ling, *Significance of Satan*, p. 9; Ferguson, *Demonology*, pp. 76-78; Langton, *Essentials*, pp. 119-38; H. Gaylord, "How Satanel Lost His 'El,'" *JJS 33* (1982): 303-9; W. Foerster, "The Later Jewish View of Satan," in "*diaboloz*" *TDNT 2:75-79*; J. Russell, Devil, pp. 188-89; S. V. McCasland, "The Black One," in *Early Christian Origins. Studies in Honor of Harold R. Willoughby*, ed. A. Wikgren (Chicago: Quadrangle, 1961), pp. 77-80; C. Molenberg, "A Study of the Roles of Shemihaza and Asael in 1 Enoch 6-11," *JJS 35* (1984): 136-46。

5. 尽管 "耶稣研讨会" 之臭名昭著的成员宣称，七大 "学术智慧的柱石" 之一就是认为历史上的耶稣的思想世界根本无关末世（见 R. W. Funk, R. W. Hover and the Jesus Seminar, *The Five Gospels:The Search for the Authentic Words of Jesus* [New York: Macmillan, 1993], p. 4），但 J. H. Charlesworth 正确地指出，"新约学术研究最认可的共识之一" 就是确信耶稣的教导从根本上来说是末世的。见其文 "Jesus Research Expands with Chaotic Creativity," in *Images of Jesus*

Today, ed. J. H. Charlesworth and W. P. Weaver (Valley Forge, Penn.: Trinity, 1994), p. 10。有关对布特曼之后认为耶稣不持末世的观点之批判，见拙著 *Cynic, Sage or Son of God? Recovering the Real Jesus in an Age of Revisionist Replies* (Wheaton, Ill.: Bridgepoint, 1995), pp. 55-56, 145-50，及 P. R. Eddy, "Jesus as Diogenes? Reflections of the Cynic Jesus Thesis," *JBL 115* (1996):449-69；及 L. Johnson, *The Misguided Quest for the Historical Jesus and the Truth of the Traditional Gospels* (San Francisco: Harper SanFrancisco, 1995)。有关对耶稣持末世观的优秀论证，见 B. F. Meyer, *Christus Faber: The Master-Builder and the House of God* (Allison Park, Penn.: Pickwick, 1992), pp. 41-80; E. P. Sanders, *Jesus and Judaism* (Philadelphia: Fortress, 1985), pp. 222-41, 319-40; B. Witherington, *Jesus, Paul and the End of the World. A Comparative Study in New Testament Eschatology* (Downers Grove, Ill.: InterVarsity Press, 1992), pp. 59-74, 170-80。

6. 阿诺德（Arnold）《黑暗权势：保罗书信中执政的和掌权的》（*Powers of Darkness: Principalities and Powers in Paul's Letters*），(Downers Grove Ill.: InterVarsity Press, 1992), p. 81。该说法在《以赛亚殉道和升天记》二章4节中用来指彼列，这是第一世纪早期的一卷启示文学。见 J. H. Charlesworth, "A Critical Comparison of the Dualism in IQS 3:13-4:26 and the 'Dualism' Contained in the Gospel of John," in *John and the Dead Sea Scrolls*, ed. Charlesworth (New York: Crossroad, 1990), pp. 76-106。Charlesworth 试图表明约翰摒弃了撒但 "性体联合" 的位格观，我认为他的这一论证颇为勉强。

7. 启示文学中常见的一个观念认为某个特别的天使得到授权，掌管所有的受造界。这个观念可能是符类福音讲到这个世界 "被交给了" 撒但这种说法的背景。见 Daniélou, *Jewish Christianity*, pp. 188-89; Gokey, *Terminology*, p. 50。在后使徒时代的教会初期，许多人持这个观点。见 Daniélou, *Angels and Their Mission*, pp. 45-46。若是如此，那么撒但宣称世上的万国都交了它的说法就应当是真实的。正如卡拉斯的观点（*Synoptic Miracles*, p. 54），撒但并没有窃取这个世界。从这个角度来说，正如我前面所论证的，撒但对这个世界所拥有的权力并非 "不合法"。然而，尽管神给它的权柄本身并非不合法，但是它在这个世界上暴政完全是不正当的。

8. 《塔木德》和《所罗门遗训》中常用 "别西卜" 指鬼魔国度的首领。有关这个用语的词源及其形式学者讨论颇多，但鲜有共识。有关该问题的总结性讨论及其建议的各种解决方案，见 T. J. Lewis, "Beelzebul," *ABD*, 1:638-40; W. E. M. Aitken, "Beelzebul," *JBL 31* (1912): 34-53；W. Foerster, "beelxebonl" TDNT 1:605-06; L. Gaston, "Beelzebul," TZ 18 (1962): 247-55；P. L. Day, *An Adversary in Heaven: Satan in the Hebrew Bible*, HSM 43 (Atlanta: Scholars Press, 1988), pp. 151-59；E. C. B. MacLaurin) "Beelzebul," *NovT 20* (April 1978): 156-60; S. J. Wright, "Satan, Beelzebul, Devil, Exorcism," NIDNTT, 3:468-76。这个Q文本的语段本质上可以追溯到历史性的耶稣本人。有关这一观点的出色论证，见 J. D. G. Dunn, "Matthew 12:28/Luke 11:20 — A Word of Jesus?" in *Eschatology and the New Testament: Essays in Honor of George Raymond Beasley-Murray*, ed. W. H. Gloer (Peabody, Mass.: Hendrickson, 1988), pp. 29-49。指控耶稣被撒但或魔鬼所附的说法又出现在约翰福音七章20节，八章48、52节和十章20节。读者应当注意十章21节对这一指控的回应："鬼怎能使瞎子的眼睛开了呢？"。这一回应让人回想起马可福音三章24节，并且是基于瞎眼本身乃是鬼魔的工作这一假设而作出的。

9. 阿诺德（Arnold）认为这一节经文是理解基督事工的关键。"基督已经来与这位'壮汉'交战，要抢夺他的财物，也就是说，释放那些在撒但国度里被掳的人"《黑暗权势：保罗书信中

执政的和掌权的》亦见 J. Ramsey Michaels, "Jesus and the Unclean Spirits," in *Demon Possession*, ed. J. W. Montgomery (Minneapolis: Bethany, 1976), p. 53，E. Ferguson 出色地总结了当时这个世界的景象，以及这段记载耶稣事工的经文背后对此世界的认定。他指出，这个世界是一个 "敌占区，撒但是其统治者，建立了一个坚固的堡垒来保护非法得来的财物；但一位比它更为强大的来到了。这位征服者要解放这个堡垒，铲除撒但的权势，夺取撒但的财物为己所用。" （*Demonology of the Early Christian World*, pp. 22-23）亦见 E. Pagels, *The Origin of Satan* (New York: Random House, 1995), p. 20。

10. 纽波特在 *Demon Possession A. Medical, Historical, Anthropological, and Theological Symposium*, ed., J.W. Montgomery (Minneapolis: Bethany 1976), p. 90 中对 Michaels, J. Ramsey 作出回应。福赛斯认为福音书将污鬼描绘成 "在其元帅撒但带领之下的一群乌合之众" （*Old Enemy*, p. 293; cf. p. 295）。另见 J. Russell, *Devil*, P. 237；Gokey, *Terminology*, p. 50；卡拉斯, *Synoptic Miracles*, pp. 67-68。Ling 认为福音书与之前的启示文学的不同之处正是在于前者对恶者国度乃是一个统一国度的强调程度，前者的主要关注点也在这个国度的首领撒但身上 （*Significance of Satan*, pp. 12-22）。Roy Yates 也注意到这是福音书的一个主要贡献。在耶稣看来， "赶鬼不再被视为制服一批独立自主污鬼的单一胜利事件……耶稣并非以原子论的观点来看待恶者的世界。祂将之视为一个在魔鬼统领下的统一体，并且其首领的势力正开始不断分崩离析。" （"The Powers of Evil in the New Testament," *EvQ 52*, no.2 [1980]: 99)

11. Ferguson, Everett. *Demonology of the Early Christian World*, (New York: Mellen, 1984), p. 12.

12. 这段经文可能表示，门徒赶鬼的事工证明撒但的国度开始走下坡路。G. E. Ladd, *Jesus and the Kingdom* (New York: Harper & Row, 1964), pp. 145 ff. 和 Forsyth, *Old Enemy*, pp. 294-95 持此观点。Ling 认为耶稣在此希望门徒的注意力不要放在赶出单个污鬼的能力上，而要注意到 "当他们施行奉祂的名的权柄时，恶者的整个国度都被征服了" （*Significance of Satan*, p. 18）。然而，Julian Hills 的观点正好与此相反。她认为耶稣的意思是，由于污鬼看到它们首领已经被耶稣的赶鬼事工所废黜，所以门徒的赶鬼事工才得以成功，见 J. V. Hills, "Luke 10:18—Who Saw Satan Fall?" *JSNT* 46 (1992): 25-40。顺便提一句，这节经文是福音书中唯一提到撒但堕落的经文，并且清楚地表明这不是指撒但最初的堕落。福音书中鲜有对撒但堕落的猜测，这一特点使其不同于同时期的启示文学。福音书作者理所当然地认为撒但是一个堕落的天使，新约圣经中的其他书卷对此作出更加明确的描述 （提前3:6；犹6、8-10；彼后2:4；弗2:2；林后11:13-14）。

13. Ferguson 正确地注意到这一点。他对这段经文作出如此的注释： "恶者可能会有不同的显现形式，但归根结底恶只有一个本源。耶稣没有视这个世界被许多彼此争斗的污鬼所控制 （这是异教和多神主义的一个概念），而是视之为撒但的一个国度……耶稣视自己的工作显明恶者的统治正在不断被征服。污鬼只是一个更大范围内的一部分，那就是撒但的权势。" （*Demonology*, p. 20)

14. 后期的拉比传统认为污鬼 "像围绕着田地的埂一样包围着我们……我们每一个人在左手边有一千个天使，在右手边则有一万个天使。" 此外，所有形式的邪恶都归结到他们身上，例如膝盖虚弱，衣服破旧，甚至双脚酸痛等。见巴比伦塔木德《论祝福》6a，引用于 Ferguson, *Demonology*, p. 89。这样的传统完全有可能追溯到第一世纪。

15. Langton, Edward. *The Essentials of Demonology: A Study of Jewish and Christian Doctrine, Its Origin and Development*. (London: Epworth, 1949), p. 147.

16. 有人认为约翰福音九章1-5节是一个例外。笔者在《争战的神》（*God at War*）一书的第七章反驳了这一观点。但即便这段经文假设这人瞎眼带有神的目的，那也只是轻微地限定这里所提出的观点。

17. 有关新约圣经针对疾病与撒但或污鬼的作为之间的关联，请参几个信息丰富的讨论。见 R. Brown, "The Gospel Miracles," in his *New Testament Essays* (Garden City, N.Y.: Doubleday, 1968), pp. 222-28；E. Yamauchi, "Magic or Miracle? Diseases, Demons and Exorcisms," in *The Miracles of Jesus*, ed. D. Wenham and C. Blomberg, GP 6 (Sheffield: JSOT Press, 1986), pp. 92-93；D. S. Russell, *From Early Judaism to Early Church* (Philadelphia; Fortress, 1986), pp. 90-93；and esp. P. H. Davids, "Sickness and Suffering in the New Testament," in *Wrestling with Dark Angels: Toward a Deeper Understanding of the Supernatural Forces in Spiritual Warfare*, ed. C. P. Wagner and F. D. Pennoyer (Ventura, Calif.: Regal, 1990), pp. 215-37。现在有强烈的证据表明，第一世纪的犹太人（因此可能包括耶稣在内）由于受"所罗门／大卫的儿子是赶鬼者和医治者"这一传统的影响，倾向于认为疾病是由污鬼引起的。J.H. Charlesworth 注意到："我们现在发现一些源自主后第一世纪的传统，它们把所罗门尊为赶鬼者，能掌控污鬼和包括瞎眼在内的疾病以及病因"（"The Son of David" Solomon and Jesus [Mark 10:47]," unpublished paper presented to the Jesus Seminar, Rutgers University, New Brunswick, N.J., Oct. 1992, p.12）。亦见 D.C. Duling, "Solomon, Exorcism and the Son of David," *HTR 68* (1975): 235-52。因此，耶稣被尊为"大卫的儿子"这一头衔很可能与其医治者和赶鬼者的名声相关。见 L Fisher, "Can This Be the Son of David?" in *Jesus and the Historian: Written in Honor of Ernest Cadman Colwell*, ed. F.T. Trotter (Philadelphia: Westminster, 1968), pp. 82-87。出于拉比传统的犹太教普遍认为大多数疾病是由于污鬼的活动。有关这方面的证据，见 H.L. Strack and P. Billerbeck, *Kommentar zum Neuen Testament aus Talmud und Midrasch*, 5 vols. (Munich: Bick, 1922-61), 4:510-35。

18. 卡拉斯，*Synoptic Miracles*, p. 63.

19. "Gospel Miracles," p. 224.

20. 同上。参卡拉斯，*Synoptic Miracles*, p. 79。

21. 有关参考文献，见 BAGD, p. 495。

22. 笔者所译。NIV 将使徒行传廿二章24节和希伯来书十一章36节中的 *mastix* 译作"flogging"（鞭打），将马太福音十章17节，廿章19节，廿三章34节；马可福音十章34节，十五章15节；路加福音十八章32节；约翰福音十九章1节；使徒行传廿二章24-25节中的动词 *Mastizō* 和 *mastigoō* 译作"to flog"（鞭打），在希伯来书12:6译作"to punish"（刑罚）。但是 NIV 在福音书（可 3:10, 5:29、34；路 7:21）中将 *mastix* 译作"suffering"（患难）、"disease"（疾病）和"sicknesses"（病痛），这样的翻译方式失去了这个词语相当不同寻常的用法所带出的效力。

23. 亦见马可福音九章29节（与太 17:21 为平行经文），该节经文表明，耶稣认为有不同"种类"的污鬼。

24. 卡拉斯，*Synoptic Miracles*, p. 66.

25. 尹格伦（Wingren, Gustaf）著，王翰章、赵毅之合译，《生命的道》（*The Living Word: A Theological Study of Preaching and the Church*）香港道声，1964年。

26. 新约圣经中撒但的中心性以及宇宙或属灵争战的主题在第二次世界大战之前、期间和之后得到学者们前所未有的关注。有关这个观点的经典论述可见于 Gustaf Aulen's *Christus Victor*, trans.

A Hebert (New York: Macmillan, 1961)。亦见同期的 R. Leivestad, *Christ the Conqueror: Ideas of Conflict and Victory in the New Testament* (London: SPCK, 1954)；J.S. Stewart, "On a Neglected Emphasis in New Testament Theology," *SJT* 4 (1951): 292-301；E Fascher, *Jesus und der Satan*, Hallische Monographien 11 (Halle: Max Niemeyer, 1949)；Schlier, *Principalities and Powers*；Wingren, *Living Word*。这个观点在最近的学术研究中受到越来越多的关注。当代代表性的表述以及有关新约圣经中常见的撒但中心性和争战主题的论证，见 R. Hiers, "Satan, Demons and the Kingdom of God," *SJT* 27 (1974): 35-47; R. Yates, "Jesus and the Demonic in the Synoptic Gospels," *Irish Theological Quarterly* 44 (1977): 39-57; J. D. G. Dunn and G. H. Twelftree, "Demon-Possession and Exorcism in the New Testament," *Churchman* 94, no. 3 (1980): 211-15; S. R. Garrett, *The Demise of the Devil: Magic and the Demonic in Luke's Writings* (Minneapolis: Fortress, 1989)；H. Kruse, "Das Reich Satans," *Bib* 58 (1977): 29-61; Ling, *Significance of Satan*；P. W. Hollenbach, "Help for Interpreting Jesus' Exorcism," *SBLSP*, 1993, ed. E. H. Lovering Jr. (Atlanta, Ga.: Scholars Press, 1993), pp. 124-26；M. Kelsey, *Encounter with God. A Theology of Christian Experience* (Minneapolis: Bethany Fellowship, 1972), pp. 242-45；J. Russell, *Devil*, pp. 222, 227, 234-39; Forsyth, *Old Enemy*, pp. 249, 286, 295-96；Langton, *Essentials*, p. 156；Yamauchi, "Magic or Miracle?" pp. 124-25；Kallas, *Jesus and the Power of Satan*; idem, *Synoptic Miracles*；idem, *The Satanward View* (Philadelphia: Westminster, 1966)；W. Kirchschläger, *Jesu exorzistisches Wirken aus der Sicht des Lukas: Ein Beitrag zur lukanischen Redaktion*, Österreichische Biblische Studien 3 (Klosterneuburg: Österreichisches Katholisches Bibelwerk, 1981)；W. G. Kümmel, "Liberation from the Spiritual Powers," in his *Theology of the New Testament*, trans. J. E. Steely (Nashville: Abingdon, 1973), pp. 186ff.；J. J. Rousseau, "Jesus, an Exorcist of a Kind," in SBLSP, 1993, pp. 129-53；Bocher, *Christus Exorcista*。

27. 有关耶热米亚斯（J.Jeremias）的观察，见 "The Lord's Prayer in the Light of Recent Research," 在他的 *Prayers of Jesus* trans. J. Bowden et al., SBT 2/6 (Naperville, Ill.: Allenson, 1967), p. 99。赖德（G. E. Ladd）《赖氏新约神学》（*A Theology of the New Testament*）台湾华神，1989年。也指出将要来临的国度，与现在掌控世界的邪恶势力将会被制伏之间有非常确定的关联。

28. 根据 "撒但和鬼魔是新约圣经的一个突出的主题" 这一事实，Newport 论证说，我们必须认为新约圣经包含着 "至少是有限程度的二元论"（"Satan and Demons: A Theological Perspective," in *Demon Possession*, p. 331）。与之相似，Kvanvig 将犹太教的这种二元论与拜火教的宇宙性二元论相区别开来，认为前者是一种临时性、末世性和道德性的二元论，而非形而上学上的二元论。见 *Roots of Apocalyptic*, pp. 610-11。亦见鲁益师（C. S. Lewis）强烈论证的一种圣经二元论，见 "God and Evil," in *God in the Dock: Essays in Theology and Ethics*, ed. W. Hooper (Grand Rapids, Mich.: Eerdmans, 1970), pp. 21-24。有关以类似思路来论证，但是从其与希腊哲学的二元论的关系来阐述的著作，见 A. H. Armstrong, "Dualism: Platonic, Gnostic and Christian," in *Neoplatonism and Gnosticism*, ed. R. T. Wallis and J. Bregman (Albany: SUNY Press, 1992), pp. 33-54。有关对末世或新约的二元论所作的相似论证，见 J. G. Gammie, "Spatial and Ethical Dualism in Jewish Wisdom and Apocalyptic Literature," *JBL* 93 (1974): 356-59；J. H. Charlesworth, "A Critical Comparison of the Dualism in 1QS 3:13-4:26 and the 'Dualism' in the Gospel of John," NTS 15 (1968-69): 389-418；Aulen's classic Christus Victor, pp. 4-5, 10-11, 76, 89, 108, 148-49。

29. Garrett, Susan R. *The Demise of the Devil: Magic and the Demonic in Luke's Writings.* (Minneapolis: Fortress, 1989) p. 55.

30. 卡拉斯，*Synoptic Miracles*, p. 78。亦见 pp. 55, 66。见 E. Stauffer: "The Kingdom of God is present where the dominion of the adversary has been overthrown" (*New Testament Theology* 5th ed., trans. J. Marsh [New York: Macmillan, 1955], p. 124)。与此相仿，Elaine Pagels 注意到，对于福音书的作者来说，"耶稣来医治这个世界，将之夺回给神。为了完成这一工作，他必须胜过那篡夺掌管这个世界的权柄以及辖制人类的邪恶势力"(*Origin of Satan*, p. 36)。亦见 J. Robinson, "The Exorcism Narratives," in *The Problem of History in Mark, and Other Essays* (Philadelphia: Fortress, 1982), pp. 83ff.; 阿诺德《黑暗权势：保罗书信中执政的和掌权的》, p. 80; Dunn and Twelftree, "Demon-Possession and Exorcism," pp. 219-23; Rousseau, "Jesus, an Exorcist," pp. 150-51。在其出色的近著中，Graham Twelftree 认为"耶稣是将赶鬼和末世论联系起来的第一人。对祂来说，祂赶鬼的工作是将撒但首次，或者说初步捆绑起来，后者最终在末世将被彻底除灭。"(*Jesus the Exorcist*, pp. 217-24)

31. 因此 Brown 如此写道："神迹的主要目的不是国度来临的外在担保，而是神国已经临到的方式之一。尤其是，耶稣的神迹是祂用来胜过撒但的武器。"("Gospel Miracles," p. 222)。亦见 Yates, "Powers of Evil," pp. 106-7。

32. Robert Guelich 反对这一观点。他如此论证到："我们发现福音书对耶稣事工的描述中没有丝毫迹象表明存在宇宙性或道德性的二元论。神的国度从未与'撒但的国度'并列在一起。"("Spiritual Warfare: Jesus, Paul and Peretti," *Pneuma* 13, no. 1 [1991]: 41)。他因此认为圣经中的争战主题纯粹是象征性的（p. 34）。不过颇为有趣的是，Guelich 似乎不接受神的国度来临与壮士被捆绑和抢夺家业实实在在是同时发生的（pp. 38-39）。Guelich 不认为争战的主题在福音书对耶稣事奉的描述中占中心位置，其中一个主要原因是他认为这些描述中没有争斗或制伏撒但的主题（pp. 40-42）。他如此写道："在每一个事件中，耶稣都清清楚楚地掌握着控制权，根本没有什么争夺。"(p. 40) 以下四点是对 Guelich 观点的反驳：（1）耶稣像旧约中的雅威一样，至少不得不斥责撒但和污鬼，这表明它们是实实在在的敌人，必须要征服它们。当然神借着耶稣现在掌握着控制权，但这个控制确确实实面临敌挡，因此必须借着"斥责"才能树立这样的控制权。（2）如果福音书有关耶稣受试探的记载不代表与撒但真真实实的争斗，那还有什么能代表呢？在我看来，Guelich 认为"耶稣面临撒但的试探时非常脆弱，但面对撒但时却不脆弱"这一看法非常含糊（p. 40）。（3）我们将看到，福音书中至少有一处记载到耶稣发出赶鬼的命令时没有立即把鬼赶出来（可 5:6-10；见博伊德（Boyd）《争战的神》(*God at War*)，第 7 章），可以肯定的是，门徒赶鬼的工作并不总是立即见效（太 9:17-18）。实际上，耶稣有一次医治也没有马上见效（太 8:24），马可暗示，至少有一次耶稣因为人们没有信心而不能施行某些神迹（可 6:5）。因此，认为耶稣和祂门徒的事奉体现了与仇敌的争斗这种看法并非有失公允。（4）根据书信来看，耶稣的跟随者明白自己参与到宇宙中不断进行的争战之中，并且常常遭到仇敌的攻击（见博伊德《争战的神》第 7 章至 10 章）。

33. Ferguson 猜测说，"使用耶稣的这些头衔乃是污鬼试图夺取胜过祂的能力的举动"，因为知道某人的名字和职位被视为一种能力（*Demonology*, p. 7）。因此，有时耶稣面对污鬼会质询它们的名字（路 8:30）。

34. 福赛斯非常好地把握了这个主题："人们亲自见证的事件（即赶鬼）把耶稣的教导陈明出来。

这是一个新的教导，即胜过邪灵的能力。" (*Old Enemy*, p. 286)

35. 如果 Pagels 的观点是正确的，那么即使经文中间有关安息日合宜性的举动也与马可的争战观不无关联，因为在此（可 2:23-26）"耶稣敢于为门徒在安息日显然的无意之举（摘麦穗）寻找先例，就是大卫王本人的特权，他和随从他的人在战时紧急状态下也打破了有关饮食的神圣律法。" (*Origin of Satan*, p. 18)

36. 福赛斯注意到，这是同一个末世的宇宙性争战主题，但是 "争战的计划还没有转移到基督的生命" (*Old Enemy*, p. 289)。亦见传培·朗门 (Tremper Longman III) 和丹尼·莱得 (Daniel Reid)《争战之神》(*God Is a Warrior*, pp. 91-118)。有一个令人着迷的研究，论到这一个对撒但的描绘，与旧约和启示文学中争战主题之间的文学有关。见 H. A. Kelly, "The Devil in the Desert," *CBQ* 26 (1964): 190-220。Adrio König 注意到耶稣受试探的叙事中体现了对亚当屈服于试探的逆转，因此耶稣的事奉就表明了一个新的创造的开始 (*New and Greater Things: Re-evaluating the Biblical Message on Creation* [Pretoria: University of South Africa, 1988], pp. 106-7)。E. Best 有过犹不及之嫌，认为马可将耶稣与恶者之间的对抗置于耶稣受试探这段叙事的中心 (*The Temptation and the Passion: The Markan Soteriology*, 2d ed., SNTSMS 2 [Cambridge: Cambridge University Press, 1990])。

37. 阿诺德 (Arnold)《黑暗权势：保罗书信中执政的和掌权的》(*Powers of Darkness*, p. 78)。

38. 如前所述，这并不是说今天那些承认耶稣是赶鬼者和医治者的批判性学者与反对超自然的世界观没有关系。许多时候，他们只是把自然主义世界观稍加扩张，以心理影响或社会学的观点来解释所谓的赶鬼和医治。见 R. Funk, "Demon: Identity and Worldview," *The Fourth R* 5, no. 3 (1992): 15; Hollenbach, "Jesus, Demoniacs," p. 567; Crossan, *Historical Jesus*, pp. 310-32; Davies, *Jesus the Healer*。

39. 同上。参 Kallas, *Synoptic Miracles*, p. 79。

40. 参考资料，见 BAGD, p. 495。

41. Wingren, *Living Word*, p. 62，参 p. 164。这里或许值得注意的是，圣经通常没有把末世的国度描绘成 "高居" 在地球之上，而是把它描绘成 "在地上"。所有得胜的都将 "执掌王权"（启 5:10）。正如我们的身体虽然将得以改变，但仍然是我们自己的身体（林前 15:35-54），地球也将被更新，但仍然是我们的地球（见彼后 3:13；启 20:8，21:1、24）。

研习问题

1. 耶稣的生活、教导和事奉如何显明了祂在为建立神国而进行属灵争战？

2. 今天的教会如何才能彰显"神的国已临到，撒但的国已败退"这一真理？

3. 作者认为耶稣面对邪恶不是去探讨，而是去战胜。请简述这一观点可能产生的结果。

4. 根据作者对基督的权柄及其胜过邪恶的说明，请简述马太福音廿八章18节对理解马太福音廿八章19-20节这段为何重要。

第17章　耶稣与外族人

高歌理（H. Cornell Goerner）

作者曾在美南浸信会神学院教授宣教学和比较宗教学二十余年，之后于1957年担任美南浸信会差会负责非洲、欧洲以及近东的主任。1976年从该差会退休，随后在弗吉尼亚州的里士满牧会。本文摘自 *All Nations in God's Purpose*（1979年）。版权使用承蒙许可。

我们学习像耶稣那样读圣经，这让我们很快地通读一遍旧约——耶稣当时仅有的圣经。希伯来圣经总共分三部分，即摩西五经、先知书和诗篇。我们从中都看到，神非常关心地上的万族和万国，以及祂透过弥赛亚来拯救的计划。我们相信，耶稣用祂的生命为圣经里的这些经文作了重要"标记"，以祂的生、死和复活来成就圣经上的话。

现在请翻开新约，我们发现福音书所记载的耶稣事工的普世性质，从祂的言行看到佐证。新约是旧约的延伸，二者之间有着完整的连续性。耶稣为自己精心选取的独特称呼，祂事工的策略和祂清楚的教导，都表明祂担负着一项拯救全人类的使命。

玛拉基书和马太福音

阖上旧约翻开新约，似乎两约之间相隔并不多久。马太紧接着玛拉基续笔，无人比耶稣更清楚其中的意义，祂知道自己来就是要实现玛拉基所预言的。

短短四章的玛拉基书充满对以色列民严厉的谴责。书中警告以色列人，审判的日子即将到来，先是由预备道路的先锋来宣告这日子，其后由"立约的使者"来成就。这位使者将如同闪电一般进到圣殿，不单是为以色列人，也是为了所有人开创一个全新的时代。

这将来的审判被称为"耶和华的日子"。这日子是"伟大而无人能当的日子"，将义人和恶人分别出来，如同金子在熔炉中被炼净，污秽从衣服上用碱洗净，无用的谷壳在打谷场从麦子中被筛除，不结果子的树被砍下丢在火炉里焚烧（玛3:2，4:1、5）。

极重的审判将落在以色列民及其领袖身上，因他们犯了以下众罪：假冒为善的敬拜（玛1:7-14）、社会不公（2:10）、祭拜异教和假神（2:11）、对妻子诡诈不忠（2:16）、不作当纳的十一奉献（3:8-10）。最重要的是，先知玛拉基指出，神的忍耐快到极点，因为以色列人本当尊崇耶和华，使祂在世上的万民中得到敬畏和崇拜；但是他们不仅没有履行义务，反而亵渎神的名，使祂蒙羞（玛1:5-14）。

然而神的旨意一定会成就，因为从日出之地到日落之处，神的名在全地的列族中都将为大，各处都有人向祂献上赞美和祷告（1:11）。

玛拉基书一章10-11节一锤定音：

> "真愿你们当中有人把殿门关上，免得你们在我的坛上徒然点火。"万军之耶和华说："我不喜欢你们，也不从你们手中收纳礼物。"万军之耶和华说："从日出到日落的地方，我的名在列国中为大；在各处都有人向我的名烧香，献上洁净的礼物，因为我的名在列国中为大。"

玛拉基警告说，因为神如此关注自己的名能够在万族中得到称颂，所以祂要采取行动。祂先差派一个使者在祂的前面预备道路（3:1）；接着，祂要作为立约的使者亲自来到人们当中，宣告审判之日的到来（3:2-3）。这预备道路的先锋是一位"以利亚"式的人物，怒气冲冲地宣告毁灭的命运（4:5）；世人若不听从，就必面临无情的审判和灭亡的命运。

玛拉基书表达的这些要素在马太福音第三章都反映了出来。施洗约翰前来宣告说："天国近了，你们应当悔改。"（太3:2）这相当于玛拉基书里的"神来的日子"。神施行审判的时刻正飞速逼近！这相当于"将要来的忿怒"（3:7）。施洗约翰用了与玛拉基书中同样的比喻，例如"扬尽麦场，把麦子收进仓里，却用不灭的火把糠秕烧尽"（3:12）。约翰强调，审判要降临在以色列人身上，而不只是在万族人身上，虽然有些犹太人不以为然。施洗约翰清楚地宣告：

你们心里不要以为："我们有亚伯拉罕作我们的祖宗。"我告诉你们，神能从这些石头中给亚伯拉罕兴起后裔来。

若是你们不配，神会兴起外族人来事奉祂。到时候，不管你们是否以色列的后裔，都一样要受审判和刑罚。（太3:9，编按：作者的解读）

耶稣也用这些话警告以色列人。耶稣在受洗之后开始传道，说："天国近了（时间紧迫），你们应当悔改（免得为时已晚），（因为）神施行审判的日子就要来了。"

耶稣确定施洗约翰就是玛拉基书里所预言的那位以利亚。施洗约翰被捕入狱后不久，耶稣宣布说：

> 所有的先知和律法，直到约翰为止，都说了预言。如果你们肯接受，约翰就是那要来的以利亚。有耳的，就应当听。（太11:13-15）

耶稣告诫世人，历史的转折点近在咫尺。神已经差派最后一位先知在审判降临之前，向以色列发出最后通牒；几个月后，施洗约翰遇害了。耶稣再次确定施洗约翰是玛拉基书中预言的那位以利亚：

> "但我告诉你们，以利亚已经来了，可是人们却不认识他，反而任意待他。照样，人子也要这样被他们苦待。"这时门徒才领悟，耶稣是指着施洗的约翰说的。（太17:12-13）

在耶路撒冷的最后一周，当耶稣在圣

殿中教导众人的时候，祂所做的更是为实现玛拉基书三章1-2节中的预言：

> 万军之耶和华说："看哪！我派我的使者，在我前面预备道路；你们所寻求的主，必忽然进入祂的殿；你们所爱慕立约的使者，就要来到。"可是，祂来的日子，谁能当得起呢？祂显现的时候，谁能站立得住呢？因为祂像炼金之人的火，又像漂布之人的碱。

神曾差派施洗约翰作为预备道路的使者，他完成了自己的使命。如今主亲自来到世上宣告新约，取代那已被人类破坏的旧约。（"你们所寻求的主"在此不是指耶和华，而是指以色列人期盼的弥赛亚，这从希伯来文"Adon"一词表明出来。万军之耶和华，祂宣告了主（Adon）的到来。通晓希伯来语的耶稣完全明白这一差别。）百姓自以为已经等待弥赛亚多时了。然而，这些百姓并没有预备好迎接祂的来临和随之而来的审判，因为只有在灵里预备好的人才能承受主的到来。

这就是所谓阖上旧约、开启新约。耶稣知晓，在西奈山上立下的约已经一次次被这个悖逆的民族撕毁，在历史长河中差来的先知们要赢回他们的心也接连失败，神的忍耐终于要达到极点了。以色列的余民要与神立下一个新约，然后奉那位审判活人死人的弥赛亚之名，去呼召所有外族的邦国悔改。

审判必从以色列家开始。然后，这审判又必向万族宣告，耶稣就是带着这样的紧迫感开始自己的事工。马太福音应验了玛拉基书！

人子

没有什么比耶稣为自己选取的称谓能揭示更多的含义。我们看出，耶稣其实并不喜欢"大卫的子孙"这个称号，尽管这是犹太人对于弥赛亚的一贯称呼。祂深知自己的确是诗篇二篇7节中所说的"神的儿子"，祂在祭司长和公会面前受审时也承认了这一点；然而，祂在事工中始终称自己为"人子"。根据福音书的记载，耶稣四十多次使用了这个称谓，都是用来直接指称自己。门徒从来不这么称呼祂，而是称祂为"主"、"老师"或者"拉比"。对于耶稣来说，"人子"几乎相当于祂的第一人称代词"我"。祂一次又一次地以人子自称："人子没有栖身（枕头）的地方"（太8:20）、"人子在地上有赦罪的权柄"（9:6）、"人子是安息日的主"（12:8）、"那时，他们要看见人子，满有能力和荣耀，驾着云降临"（可13:26）。

耶稣的这个称呼有两个主要来源：以西结书和但以理书。"人子"是神在旧约时赐给先知以西结的独特称号，在以西结书中出现了八十七次之多。人子的希伯来文是"ben Adam"，直译就是"亚当的儿子"或者"人类之子"。最早这个词只表示"人"，即神提醒以西结，他与神处于截然相反的卑微地位。然而到耶稣的时代，该词已经成为弥赛亚荣耀的名号，以西结书的许多经文已经被理想化，完全从弥赛亚的角度来解读了。在耶稣读这卷书的时候，祂一定听到神亲自对祂说："人子啊！我差派你到以色列人那里去，就是到那背叛我的叛逆国民那里去。"（结2:3）"人子啊，我立了你作以色列家守望

的人，所以祢要聆听我口中的话，替我警告他们。"（结3:17）

对耶稣来说，有一些经文尤为重要，如：论到以色列的余民（结6:8）、新心和新灵（结11:19，36:26-27）、永远的新约（结37:26），以及关于外族万民将前来认识以色列的神耶和华的应许（结37:28，38:23，39:7）。这一切都要在人子耶稣身上成就。

毋庸置疑，耶稣使用"人子"时一定想到但以理书七章13-14节。此处是亚兰文 *"bar enash"*，而不是希伯来文 *"ben Adam"*；不过这两个词的意思却很相近，*"enash"* 泛指人类，而不是指单数的男人。在拉比注释和当时流行的思想中，该词已经被高度灵意化，用来指一个完美到几乎具有神性的人。《以诺书》（Enoch）是公元一世纪广为流传的一部启示文学，这里将 *bar enash* 一词提升到比但以理的异象更高的层次。[1] 我们无需假定耶稣是受了以诺书的影响。毕竟，但以理书的经文已经十分清楚：

> 我在夜间的异象中继续观看，
> 看见有一位像人子的，
> 驾着天云而来，
> 到万古常存者那里，
> 被引领到祂面前，
> 得了权柄、尊荣和国度；
> 各国、各族和说各种语言的人
> 都事奉祂。
> 祂的权柄是永远的权柄，
> 是不能废去的；
> 祂的国度是永不毁灭的
> （7:13-14）。

耶稣为自己选定"人子"这个名号，以此表明祂与整个人类和世上的万族认同。

耶稣深知，这些预言只有在祂受难和得荣耀之后才会实现。祂为自己选定这个名号，不狭隘地只与希伯来人或者犹太民族认同，而是与整个人类，与世上的万族认同。祂深知自己就是那位人子，那位受苦的仆人。[2]

起初

我们已经清楚地看到，耶稣的事工一开始就朝着建立普世国度的方向发展。事实上，魔鬼在旷野对耶稣的试探中就包括了"世界各国和各国的荣华"（太4:8），这足以说明问题了。耶稣的确是要统管世界的，祂志在治理万族的心意毋庸置疑；但魔鬼以"捷径"来试探耶稣达成这神圣的目标，教耶稣采用它的邪道。耶稣坚决回绝了撒但的歪门邪道，却没有放弃自己掌握普世权柄的目标。然而不同的是，祂选择了一条圣经所指示的道路，就是用苦难和受死来成就救赎计划。

在拿撒勒的第一次讲道中，耶稣就宣告了祂降世的意义远远超出以色列的疆界。对于乡亲父老敌挡祂的信息，祂丝毫不觉得惊讶。"历史上从来不都这样吗？"祂说。"先知不总是在外族人身上看见比以色列人更大的信心吗？"（路4:24，编按：

（作者的解读）然后祂举了下面这个例子：

> 当以利亚的时候……以色列中有许多寡妇，以利亚没有奉差遣往他们中间任何一个那里去，只到西顿撒勒法的一个寡妇那里。（路4:25-26）

耶稣的听众对记在列王记上十七章里这故事的余下部分耳熟能详：以利亚被接到一个外族寡妇的家里，然后一连施行了几个了不起的神迹，先叫面和油用之不尽，又叫寡妇的儿子复活，然而这个寡妇不是犹太人，而是外族人！

耶稣讲完以利亚的故事后，又用以利沙的故事在会众的伤口上撒盐；因为，叙利亚人乃缦不仅是外族人，而且还是该国军队的元帅。叙利亚军当时正与以色列交战，曾经差点就把屡弱的以色列灭了（王下5:1-14）。可是，虽然当时以色列中的麻疯病人很多，但"其中除了叙利亚的乃缦，没有一个得洁净的"（路4:27）。还有什么比这更能说明神的恩典不受族群和国界的限制吗？还有什么比这更能说明外族人常常比所谓"神国的子民"显现出更大的信心吗？难怪拿撒勒傲慢的居民对这个强硬的青年怒火冲天。祂居然冒犯以色列族，还胆敢质疑本族人作为神"选民"的特殊地位！要不是因为耶稣的奇妙大能，人们早就把祂丢下悬崖，摔死在怪石嶙峋的山涧里了（路4:28-30）。

先是犹太人

耶稣的确坚信自己对犹太人有一个特殊的使命。祂对这一点如此强调，以至于有人断言耶稣的宣教异象不会超出以色列之外；然而我们只要细心地思量祂的一切言行，就明白这其实是个策略问题。就如保罗后来所言，耶稣的宣教对象"先是犹太人，后是希腊人"（罗1:16，2:10）。

耶稣差派十二门徒第一次出去传道时所吩咐的话，充分体现出祂对以色列民的关注。"外族人的路，你们不要走，撒玛利亚人的城，你们也不要进；却要到以色列家的迷羊那里去。"（太10:5-6）这个命令的理由显而易见。时间紧迫，若是人们不快快悔改，灭亡便很快降临以色列国。此时以色列民需要比外族人更快悔改，因为外族人的审判日还未到来。在这同一段话中，耶稣也确实预言了门徒要到外族人中间去传道："你们为我的缘故，也要被带到统治者和君王面前，向他们和外族人作见证。"（10:18）然而门徒此时必须先把精力集中在犹太人的聚居地，因为犹太人的时间和机会都不多了（10:23）。

路加福音记载了后来的一次宣教，这一次有七十个人受差遣，两个两个地出去传扬福音（路10:1）。如同十二使徒象征了以色列的十二个支派，七十这个数目代表了全部外族。创世记第十章列出了挪亚的后裔，共有七十族人。

拉比传统认为这就是巴别塔事件之后分散到全地的列族总数，也反覆提到"七十个外族族群"这个概念，耶稣在此很可能以此象征自己的长远目标。十二使徒奉差警告以色列各个支派将要临到的审判。后来差派出去的七十个门徒则开始了一次宣教实习，为最终向全世界的宣教使命作预备。[3]

与外族人接触

耶稣的公开事工大多在犹太地区。基于此，福音书中有众多有关耶稣与外族人个人化接触的记载就着实令人称奇了。祂医治了一个被鬼所附的加大拉人（太 8:28-34）。在得祂医治的十个麻疯病患中有一个是撒玛利亚人。耶稣评说，只有这个外族人回来感谢祂（路 17:12-19）。

耶稣最重要的讲道之一是仅对一个撒玛利亚妇人说的。耶稣向她保证："时候将到，神将要得众人的敬拜，不仅仅是在耶路撒冷，也不仅仅是在基利心山，而是在全世界，被世人'用心灵按真理'来敬拜。"（约 4:5-42）

有一个迦南妇人因有信心便使女儿得了医治。刚遇到这位妇人时，耶稣所说的话令人颇为不解："我被差遣，只是到以色列家的迷羊那里去。"（太 15:24）然而这句话很可能是耶稣为了训诫门徒而特意说的，因为门徒带着当时人们常有的种族偏见，想要回绝妇人的恳求并立即打发她离开。值得注意的是，耶稣的确服事了这个迦南妇人，而且当着自己的门徒和诸多犹太旁观者的面夸奖这位外族妇人，说她"信心真大"（15:28）。

有一位百夫长的仆人得蒙耶稣医治。这个百夫长应该是个罗马人。他率领一百名士兵，驻扎在迦百农维持秩序。这个代表"外国占领军"的军官一定被犹太人深恶痛绝。然而作为军人，他深谙权柄之道，谦卑地向耶稣表示，耶稣不必亲自上门便可医治他的仆人（或许为了避免让耶稣因进入外族人家而受到污秽）。他凭着自己真诚的信心宣称："只要祢说

> **耶稣毅然走上了十字架，完全清楚自己要建立一个跨越种族、国界的群体。这是一个新以色列，注定要成为全世界范围的属灵国度。**

一句话，我的仆人就必好了"（太 8:8）。耶稣转过来向跟着祂的犹太人说："我实在告诉你们，（像这位外族军官）这样的信心，我在以色列中从来没有见过。"（8:10）然而耶稣并未就此打住，而是庄重地预言：

> "我告诉你们，必有许多人从东从西来到，和亚伯拉罕、以撒、雅各在天国里一起吃饭。但本来要承受天国的人（即神的选民以色列人），反被丢在外面黑暗里，在那里必要哀哭切齿。"（太 8:11-12）

几个希腊人的到来使耶稣内心的最终考验提前来到：是否决定要上十字架。显然这些人不单是希腊化的犹太人，还是真正的外族人，是异邦慕道者，或者是已经皈依犹太教，并获准在圣殿中（或至少在圣殿的外族人区）参与敬拜的外族人。他们与耶稣会面的请求促使耶稣宣称说："人子得荣耀的时候到了！"（约 12:23）希腊人在此显现出的深深渴慕已经足以证明，世人已经预备好，要看到耶稣的救赎使命最终以祂的代赎之死来成就："我若

17-6

从地上被举起来，就要吸引万人归向我"（12:32）。

最后的一周

最后一周发生的几件事充分见证了一个事实，即耶稣拒绝只作犹太民族的弥赛亚，毅然走上了十字架；祂完全清楚自己要建立一个跨越种族、国界的群体。这是一个新以色列，注定要成为全世界范围的属灵国度。

耶稣骑在驴驹上被簇拥着进入圣城，为要实现撒迦利亚先知的预言："祂要向列国宣讲和平，祂的统治权必从这海延伸到那海。"（亚9:9-10）耶稣又洁净了圣殿的外族人院，同时严厉地宣称："我的殿要称为万国祷告的殿。"（可11:17）祂站在圣殿当中，厉声斥责祭司长和法利赛人等犹太领袖，因为神把自己的选民托付给他们照看，他们却没有尽好管家的职责。耶稣庄严地宣告："因此我告诉你们，神的国要从你们那里取去，赐给那结果子的外族人。"（太21:43）然后，祂预言在这一代人过去之前，耶路撒冷就要沦陷，圣殿也要倒塌（太24:34；可13:30；路21:32）。在论到末世时，耶稣说："不要被人迷惑；这世代的末了不像有些人想像得那么快到来；这天国的福音要传遍天下，向万民作见证，然后结局才来到。"（太24:4-14，编按：作者的解读）论到自己的再来时，耶稣有意把话说得含糊些："至于那日子和时间，没有人知道，连天上的使者和子也不知道，只有父知道。"（24:36）但祂应许祂再来时，"万族要聚集在他面前，祂要把他们彼此分开，好像牧羊人把绵羊和山羊分开一样"（25:32）。

就在逾越节之前，在伯大尼的一间屋子里，一个前来崇拜主的妇人把一整瓶极其贵重的香膏浇在耶稣头上。当下众人厉声斥责她铺张浪费，耶稣却坚决维护，说她做得好："她把这香膏浇在我身上，是为了安葬我而作的。我实在告诉你们，这福音无论传到世界上什么地方，这女人所作的都要传讲，来记念她。"（26:12-13）

次日傍晚，耶稣与门徒在先前预备好的房间聚集，祂深知受死在即，就与门徒立下新约。祂一面把酒杯传给门徒一面宣布："这是我的血，是为立约的，为许多人流出来，使罪得赦。"（26:28）当时只有十一个门徒在场，并且都是犹太人。可是耶稣深知这一群新的选民是以色列的余民；随着越来越多人听到祂为之而死的福音，接受祂为生命的主和救主，这个群体很快就会壮大起来。

附注

1. William Manson, *Jesus the Messiah* (London: Hodder and Stoughton, 1943), pp. 102ff.
2. 艾德祥（Alfred Edersheim），《弥赛亚耶稣的生平及其时代》（*The Life and Times of Jesus the Messiah*）(Grand Rapids, MI: Eerdmans, 1950), p.173。
3. *The Broadman Bible Commentary* (Nashville: Broadman Press, 1971), p. 149.

研习问题

1. 哪些事件和言论会让人以为耶稣只是为以色列民而来？
2. 作者为何断言耶稣强调"以色列家的迷羊"只是一种策略性的做法？
3. 请简述新旧约之间的某些联系如何表明二者的连续性。

第18章 为万族而来

唐·理查森(Don Richardson)

1962到1977年间,作者受国际团队(World Team,在伊里安查亚省(现属印尼巴布亚省)沙威(Sawi)部落中宣教,自那时起,他便担任国际团队的巡回牧师。著有 *Peace Child, Lords of the Earth* 及《永恒在我心》(*Eternity in Their Hearts*)等书,并到各地宣教大会和"宣教心视野"课程上演讲。本文摘自《永恒在我心》(1981年)。版权使用承蒙许可。

无数的基督徒当然都知道,耶稣在地上的事工结束时,命令门徒"去使万民作我的门徒"(太28:19)。我们万分尊崇耶稣最后颁布的这一非凡命令,就给其取了"大使命"这个令人敬畏的名称。但无数基督徒心底也暗自相信,耶稣当年真是没给门徒足够的预警便颁布了这个可畏的命令啊!

如果马马虎虎地读过四卷福音书,大使命看起来真像耶稣事后的想法,作为祂主体教导末尾的一个附言。仿佛我们的主向门徒吐露完自己全部最重要的心声后,突然想起来说:"哦,对了,还有一件事要顺便告诉大伙儿,我要你们所有人向世上不同语言和文化中的每个人传扬福音。当然啰,如果你们有时间和负担的话,就试试看吧!"

耶稣难道真的是冷不防地把大使命交托给门徒吗?难道,祂在最后一分钟毫无预告、突然跳到这个主题,门徒还来不及和祂就这项命令的可行性进行沟通就升天了吗?难道主没有对实现大使命的途径作出合理阐释?

基督徒在阅读四卷福音书时对神所提供的清晰线索常常视而不见。否则我们肯定能得出与完全不一样的结论!请思考以下几个例子,看看耶稣是如何饱含怜悯之心,借着与外族人和撒玛利亚人的相遇,来帮助门徒培养跨文化的思维方式。

罗马百夫长

有一次,一位罗马的百夫长——外族人——来见耶稣,求主医治他那位瘫痪的仆人(太8:5-13)。这一次,犹太人催促耶稣立即答应他,说:"祢给他行这事,是他配得的,因为他爱我们的人民,给我们建造会堂。"(路7:4-5)

事实上,这位百夫长所建的会堂墙壁和栋梁,恐怕两千年以后仍然矗立在加利利海的北岸!然而我们需要注意犹太人此话背后暗含的真意:要不是那位百夫长帮过他们,耶稣就不该帮他或者那个瘫痪的可怜仆人!犹太人的狭隘由此可见一斑!难怪耶稣禁不住叹

气道：“唉！这又不信又乖谬的世代啊！我要跟你们在一起到几时呢？我要忍受你们到几时呢？”（太17:17）

耶稣对百夫长说：“我会去治好他。”此时，百夫长说了句众人意想不到的话："主啊，要祢到舍下来，实在不敢当。只要祢说一句话，我的仆人就必好了。我自己是在别人的权下，也有兵在我以下。”耶稣听了，“就很惊奇”（太8:8-9）。耶稣惊奇什么呢？简单地说，百夫长的军旅生涯使得他深谙权柄的道理。水从高处流向低处，权柄也是如此层层下放；凡顺服上级权威的人，也有权柄向下级施行自己的权柄。这位百夫长看出耶稣完全顺服神，因此认识到耶稣一定对神之下的万物拥有至高的权柄。因为神是宇宙权力阶梯的最高层，所以说耶稣一定拥有绝对不容质疑的能力，可以命令生病的仆人恢复健康！

“我实在告诉你们，这样的信心，我在以色列中从来没有见过。”（8:10）耶稣发出了这样的惊叹。实际上，耶稣多次借这样的机会教训门徒：外族人也和犹太人一样有希望成为有信心的信徒！外族人也和犹太人一样是神施恩的对象！

耶稣打定主意把自己的观点和盘托出："我告诉你们，必有许多人从东从西来到（外族人路加在其福音书的平行经文中加入了“从南”、“从北”等字），和亚伯拉罕、以撒、雅各在天国里一起吃饭。但本来要承受天国的人（此处只可能指神的选民犹太人），反被丢在外面黑暗里，在那里必要哀哭切齿。”（太8:7-12；路13:28-29）

盛宴（上文中的“吃饭”）是为了欢庆。你能猜到将来亚伯拉罕与众外族宾客一同参加的那场盛宴，要庆祝什么吗？

还不够清楚吗？耶稣接下来很快就要宣告大使命了！不过，例子还没讲完呢！

迦南妇人

过了一段时间，一个迦南妇人从推罗和西顿地区特地来求见耶稣，求主怜悯医治她那被鬼附的女儿。耶稣一开始故意表现出漠不关心，门徒此时毫无疑问无比欣慰：弥赛亚果然为犹太人的缘故，给这个恼人的外族妇女吃了闭门羹，觉得主认同了众门徒当时的真实情感，于是他们敦促主说："请叫她走吧，她一直跟在我们后面喊叫。”（太15:21-28）

他们万万没想到，耶稣不是这个意思。主先是对妇人说："我被差遣，只是到以色列家的迷羊那里去。”看来非常冷漠，表现显然不同于前。祂先前医治过许多外族人，现在又为何拒绝这位妇人的请求呢？我们大可想像此时门徒冷酷地点着头，还没有察觉到什么可疑之处。迦南妇人却不气馁，扑通跪到耶稣脚前，哀求道："主啊，求祢帮助我！”

“拿儿女的饼丢给小狗吃是不好的。”耶稣使出了杀手锏！“狗”是犹太人专门针对外族人的称谓，尤其是那些试图干预犹太教内事务的外族人。换言之，耶稣此时在自己的“冷漠”、“拒绝”之外还添上了“残忍”。

这当真是世界的救主说的话吗？毋庸置疑，门徒觉得主在这种情况中把外族人比作狗再恰当不过。然而就在他们的种族傲慢膨胀快到极点之时，迦南妇人一定捕捉到了耶稣眼中的示意，看到了真相！

她谦卑而巧妙地回应主的话说："主啊，是的，不过小狗也吃主人桌子上掉下来的碎渣。"（太15:27；参可7:26-30）

"妇人，妳的信心真大！照妳所想的给妳成就吧！" 难道是耶稣反覆无常？

不！这实际上是祂的本意；因为就在这事件的前一刻，耶稣还教导门徒如何分辨真正的污秽和人所认为的污秽的差别。这是耶稣讲解问题的方式。"从那时起，她的女儿就好了。"（太15:28）马太如是记录。

附篇
18-1　投以仁慈，回以暴虐　　庄斯顿 (Patrick Johnstone)

耶稣的教导直捣犹太人和门徒错谬世界观的核心。根据路加福音的记载，耶稣在公开事奉的起头就掷地有声地宣示自己的普世异象，结果当场激起犹太人暴虐的回应。

路加福音四章16-30节记录到，耶稣在会堂中站起来，诵读以赛亚书六十一章中的经文，产生了惊人的结果。在英译本圣经中，20节描述众人聚精会神地注视他，到22节，人们对祂的称赞仰慕溢于言表；可是不一会儿，在28节，人们就开始怒不可遏地敌挡祂，甚至想把祂推下山崖，以绝后患。这中间究竟出了什么可怕的问题？或许，英译本圣经把某些重点给漏掉了；还是译者没把耶稣宣告的宣教性质表达出来？标准修订版圣经（RSV）将路加福音四章22节译作：

众人称赞祂，希奇祂口中所出的恩言……

粗体字部分其实可以按照希腊文字面意思译为"众人都见证了祂所说的"，这样的译文比较模糊，还可能有负面意思："众人就都谴责他"。因此，一个比较新颖且具启发性的译文可作：

众人怒不可遏，齐声抗议祂的言论，因为耶稣只谈论神在禧年赐下的怜悯，却忽略了弥赛亚的复仇。

犹太人对以赛亚书的这段经文烂熟于心，期盼耶稣继续把以赛亚书六十一章2节的后半部分也读完，然而耶稣居然在句子中间停下，略去了以下几个字：

"……和我们的神报仇的日子"。

犹太人的震惊立即转变为愤怒，因为耶稣没有宣告他们期盼已久的神要向外族人报仇这件事。耶稣继而提醒这些齐声抗议的会众，以利亚曾服事一个西顿的寡妇，还洁净一个患麻疯病的亚兰将军；对这些怒气填膺的犹太人来说，这仿佛火上浇油。耶稣明确表示，祂是故意漏掉那部分经文，因为祂来的目的不是向外族人报复而是要救他们，甚至不惜越过犹太人中诸如麻疯病人和寡妇等最有需要的人。犹太人无法忍受这种大逆不道的说法，盛怒之下扬言要谋害耶稣。

本文摘自 *The Church Is Bigger Than You Think*（1998年）。版权使用承蒙许可。

撒玛利亚村庄

后来，耶稣和门徒来到一个撒玛利亚村庄，但撒玛利亚人却拒绝接待他们。因为雅各和约翰脾气暴躁，所以耶稣给他们起外号"雷子"。这会儿，他们跺着脚，大发雷霆："主啊，祢要我们吩咐火从天降下来，烧灭他们吗？"

耶稣转过身来给雅各和约翰一顿训斥。有些古抄本在此加上了主的话："你们的心如何，你们并不知道，人子来不是要灭人的性命，是要救人的性命。"（路9:51-56，和合本，包括有争议段落）

借着这些话，耶稣实际上是在宣称，祂是撒玛利亚人的救主！

来耶路撒冷的希腊人

不久后，一些希腊人来到耶路撒冷的一场宴会上，想要见耶稣。主的门徒腓力和安得烈将此事转告耶稣，但耶稣却照常以此为契机宣讲他的"普世立场"："我若从地上被举起来，就要吸引万人归向我。"（约12:32）这个预言暗示了耶稣的死法——钉在十字架上！也包含了主在十架上受死的果效！世人不会因耶稣十架上受的羞耻而止步，反而会因为主在十架上受的凌辱而被吸引到主的面前，认耶稣为神所膏抹的拯救者。表面上，这句话可以诠释为，世上每一个人都会成为基督徒；我们明白，不可能所有人都会成为基督徒，因此，这句话更可能指每一族中都会有一些人因得知基督的赎罪之恩而归向耶稣。

这与亚伯拉罕之约的应许相符：不是每一个人都会蒙主祝福，但是每一个民族中都会有人代表自己的民族得到主的祝福。耶稣借此再次给了门徒一个相当明显的前兆：我很快就要颁布大使命了！

往以马忤斯去的路上

正如门徒尚未相信耶稣关于向外族人传福音的暗示，他们也从未真正相信祂将从死里复活。但耶稣恰恰在这两件事上都叫他们吃惊不小！被葬后的第三天，主复活了！祂与两个门徒在前往以马忤斯的路上相遇时，一开始隐瞒了自己的身分（路24:13-49）。两个门徒刚开始交谈时都没认出耶稣，他们只是抱怨："我们素来盼望要救赎以色列的就是祂"（24:21），却没加上这一句："不单要救以色列，还要使以色列成为万民的祝福。"他们心中仍然有盲点，看不清亚伯拉罕之约的关键部分。

耶稣回应他们说："无知的人哪，先知所说的一切话，你们心里信得太迟钝了！基督这样受害，然后进入祂的荣耀，不是应当的吗？"（24:25-26）

接着，耶稣"从摩西和众先知起，把所有关于自己的经文，都给他们解释明白了"。虽然祂在先前已经把这部分跟门徒仔细讲过，但祂还是耐心地再与他们回顾一遍（24:27）。但这一次，门徒聆听主解释圣经时心里火热（24:32），这是否表明一个更为宽阔的视野终于进入他们的心灵了呢？

稍后，他们认出了耶稣！但就在此时，主忽地不见了！他们立即折回耶路撒冷去找那十一位使徒（指犹大背叛主后剩

下的使徒），讲述方才的经历。只是还不等他们说完，主耶稣又亲自显现，站在他们当中，于是十一位使徒亲身经历了故事的尾声！

正如燕子能准确地归巢，耶稣回到圣经，点明其中心主题：

于是祂开他们的心窍，使他们明白圣经；又说："经上这样记着：基督必须受害，第三天从死人中复活。人要奉祂的名，传讲悔改与赦罪的道，从耶路撒冷起，直传到万国。你们就是这些事的见证。我要使我父的应许临到你们身上，你们当在城里等候，直到得着从上面来的能力。"（24:45-49）

去使万民作门徒

然而我们应当留意，此时耶稣仍然没有命令他们出去传福音。这道命令还得等上几天，才会在加利利的一座山上赐下；就门徒来说，一切都要从那里开始。两千年前的亚伯拉罕之约已经预示这里所赐下的命令，耶稣也花了漫长的三年来预备门徒去领受：

天上地上一切权柄都赐给我了。所以，你们要去使万民作我的门徒，奉父子圣灵的名，给他们施洗，我吩咐你们的一切（留意这里限定的范围），都要教导他们遵守。这样，我就常常与你们同在，直到这世代的终结。（太28:18-20）

这道命令并不过分，旧约早已预示此命令；从耶稣平日的教导也可预见这个命令。祂经常在撒玛利亚人和外族人中作工，毫无偏见，切切实实地给门徒立下了向外族人传福音的榜样。现在，耶稣还加上应许，将祂的权柄赐给门徒，并与他们同在，前提是顺服耶稣！

又过了一段时间，就在耶稣从伯大尼附近的橄榄山升天之前，祂再次赐下应许："圣灵降临在你们身上，你们就必领受能力……作我的见证人……"紧接着，耶稣宣布了福音向外推进的著名方案："要在耶路撒冷、犹太全地、撒玛利亚，直到地极，作我的见证人。"（徒1:8）

这才是主的最后一道命令。无需赘言，无需讨论提案，耶稣立即升天而去，等祂的跟随者去完全遵行这个大使命！

研习问题

1. 请简述耶稣如何利用与非犹太人接触的几个例子，使门徒有"万族"的视角。

2. 在马太福音十五章中，为何耶稣先是拒绝帮助那位迦南妇人，声称自己只是被差事奉犹太人？本文作者依据耶稣的回应而问的一个问题："这当真是世界的救主说的话吗？"祂自己如何来解答这一问题呢？

第19章 基督的福音大计

罗伯特·高尔文 (Robert E. Coleman)

我们从福音书查考基督的脚踪，就能了解他的宣教原则。从他事工整体的角度来分析他的策略，就能看出他在培养门徒传讲天国福音这件事上，有更大的目标和意义。

目标明确

耶稣成为肉身，是实现神创世之初所计划的。实现神的计划一直是他的目标，就是要为自己从世上救出一群人，然后建造一个充满圣灵、永不衰残的教会。耶稣已经看见他的国在荣耀和权能中必要降临；这世界是为他而造，然而他不把这世界当作自己的永久居所。

耶稣的爱是普世性的，愿意世上所有人都享受到他恩典的旨意；这一点我们要搞清楚，他真是"世人的救主"(约4:42)，盼望所有人得救，能够认识真理。为了拯救世人，耶稣情愿为世上所有的人、所有的罪摆上自己；如此，他为每一个人而死，也是替世上所有的人而死。

所以耶稣根本不像我们所想的那么肤浅，分什么所谓的"本土"和"海外"宣教；他从来就不这么认为，在他，宣教永远都是普世性的。

志在必得

耶稣的一生都按照使命行事。他所做的每一件事，所说的每一句话都是神整个计划的一部分。他的言行所以重要，就是因为他所言所行成全了他生命的终极目的，就是为神救赎世人；这成为他一切行为的动力，他的每一步都受这终极使命的指引。我们要牢记：耶稣一刻也没有偏离过他的目标。

因此，我们有必要观察耶稣达成目标的方式。我们的主所揭示的神得着世界的策略，是因为他在世上按神的计划而活，对未来满有把握。他的一生从不随心所欲、浪费精力、无聊闲谈。他总

作者是伊利诺斯州迪尔菲尔德市三一福音神学院的荣休教授，并担任该州惠顿葛培理布道研究院主任。作者是洛桑世界福音大会的创办成员，著作达二十余本。本文摘自《布道大计》(*The Master Plan of Evangelism*)(1993年)，版权使用承蒙许可。

"以……父的事为念"（路2:49）。祂按计划活在人们中间，死在十字架上，然后从死里复活；如同一位运筹帷幄的将军，神的爱子为了胜利谋划全域，绝不容有任何闪失。祂审慎地权衡人类经历中可能的各种取舍和变数，让这个计划成竹在胸，绝不失败。

器皿门徒

这个计划由耶稣呼召几个人跟随祂开始，立即显明了祂福音策略的方向。耶稣关心的不是建立可以直接触及大众的事工，而是先培养出一批可以跟从的门徒来。特别令人惊奇的是，耶稣首先召聚门徒，才正式开始福音行动、公开布道。因为门徒要成为耶稣为神赢回整个世界的器皿。

耶稣最初的目标是，呼召能够为祂作见证、并在祂回到天父那里之后继承祂工作的人。把这些门徒召来后，耶稣便和他们一起实践神的计划，而祂培训门徒最首要的就是让他们跟从祂。

耶稣期待门徒与祂在一起，顺服祂。祂要求的不是聪明过人而是忠诚，这成为耶稣的门徒与众不同也广为人知的标志。他们被称为"门徒"，因为他们是主耶稣的"学生"或者"徒弟"。只是到了后来他们才被人叫做"基督徒"（徒11:26），其实这一称呼也顺理成章，因为顺服的跟从者最终会变得越来越像带领他们的师傅。

耶稣一直在建立祂的事工，准备好让门徒接手祂的工作，进入世界传扬这救赎的福音。门徒们跟随耶稣，渐渐明白祂的计划。

策略得当

为何耶稣如此精心地刻意培养这几个为数不多的人呢？祂来不是要救赎全世界吗？施洗约翰传道的呼声还回响在群众的耳中，只要耶稣愿意，祂完全可以借此机会轻易地叫这些人立刻跟从祂。为何祂没有立即利用这份"资产"，抓住机会招募一支声势浩大的信徒军队去横扫全球呢？毫无疑问，神的儿子本有能力广招人马，采取一个更有吸引力的计划。但事实却是，作为统管万有的造物者情愿为拯救世人降世受死，而后只剩下一小撮穷门徒继承祂的工作，这怎不令人失望呢？

回答这一问题，就要来看耶稣传道计划的真正目的。耶稣来不是为了哗众取宠，而是带来天国的福音；所以，祂的事工需要有能够引领大众的人物。若是兴起一群人却无人监督，也没有人在主的道路上给他们指导，那对祂的终极目标便毫无意义。多处经文告诉我们，人群失去适当的照顾很容易成为假神的猎物，宛若无人牧羊的群羊，无助地四处游荡，漫无目的（太9:36，14:14；可6:34）；只要有人许以好处，无论是敌是友，他们就跟随去了。这就是耶稣时代一般群众的悲剧，人们很快被耶稣激起崇高的愿望，但也几乎立时就可以被文过饰非的宗教权威压倒、掌控。以色列的宗教领袖是瞎眼的向导（参太23:1-39；约8:44，9:39-41，12:40），虽然人数不多，却完全掌控了群众的一举一动。

因而，除非归信耶稣的人都得到称职的属灵领袖的带领和在真理中的保护，否则很快便会陷入困惑和绝望之中，结果比先前的光景更加糟糕。因此，在福音能够为全世界带来彻底的改变之前，兴起一批能在神的事情上引领群众百姓的人就非常必要。

耶稣深谙现实是怎么一回事，了解人类堕落本性的软弱易变，也深知撒但的爪牙在世上积蓄一切势力苦害人类，因此耶稣制定了一个能满足需要的布道方案。这些不知所措而又彼此不合的人虽然有望成为耶稣的跟从者，但肉身的耶稣无法给每一个人所需的亲密关怀。因此，耶稣唯一的希望就寄托在那些深受祂生命感染且愿意为祂作工的门徒身上。于是，耶稣集中培养他们成为第一批领袖。虽然耶稣尽其所能，从诸多方面服事群众百姓，但祂还是主要着眼栽培少数几人。祂这么做也是为了使多人最终能得救。这正是祂策略的高明之处。

所以我们就要来看门徒的重要性。他们是耶稣将要兴起之福音行动的先锋，人们能"因他们的话而信"（约17:20），这样福音就能够口口相传，使世人最终都认识耶稣及其降世的目的（21和23节）。耶稣整个福音策略的成功与否——实为成就祂降世为人、十架受死以及死里复活的目的——都取决于祂所拣选的门徒是否对这个使命尽忠。开始时人数少不是问题，只要能不断增长，再教导他们的门徒增长再增长。这是神的教会最终获胜的方式——就是借着那些认识救主之人，被圣灵感动、按主的计划推动，去向他人传扬这道。

耶稣的目的，是众门徒在蒙神召聚的教会中活出基督的样式，并传扬基督的样式。这样，耶稣在圣灵里的事工，就能

> **耶稣整个福音策略的成功与否……都取决于祂所拣选的门徒是否对这个使命尽忠。**

借着祂在门徒生命中的事工结出加倍的果实。如此代代相传，福音事工就会不断开疆辟土，直到天下万国万民都能认识到当年主所教导门徒的。历代门徒依循这一策略，忠心执行主的计划，那么主得着全地就是早晚的事。

耶稣在门徒身上建立的教会架构，能够挑战并最终胜过死亡和地狱的一切权柄。开始时虽然小得像一粒芥菜种，然而最终会"成为一棵树"，"比一切蔬菜都大"（太13:32；参可4:32；路13:18-19）。耶稣并没有指望所有人都能得救（祂意识到，就现实而言，尽管神满有恩典，人还是会悖逆）。然而，祂早已预见，靠祂的名得拯救的福音将会传给凡有气息的。在这见证之中，祂教会的勇士们终将联结整个宇宙的教会，成为得胜的教会。

要赢得这场战争并不容易。许多人会遭受逼迫，甚至在属灵争战中被害殉道；然而不论属祂的人要经历多少无法想像的试炼，也不管有多少场战役一时失利，最终的胜利已经在握！主的教会最终一定会得胜。没有任何势力能够在祂面前夸胜，"死亡的权势"也"不能胜过它（教会）"（太16:18）。

耶稣在受死复活即将升天前夕，明确地将宣教使命的原则托付给门徒。在

祂复活的主向门徒显现的至少四个情景中，祂叫他们要出去作祂的工。主在第一个复活节夜晚，首次向聚集在马可楼的门徒提到这使命时，只有多马不在场。耶稣伸出自己手脚的钉痕，这些门徒目瞪口呆（路24:38-40），又与他们一同吃饭（24:41-43），随后对他们说道："愿你们平安。父怎样差遣了我，我也怎样差遣你们。"（约20:21）耶稣以此再次向门徒保证自己的应许不会落空，并且将赐下圣灵的权柄给他们。

没多久，耶稣在提比哩亚海边与门徒共进早餐时，三次让彼得喂养主的羊（约21:15、16、17）。祂那温柔的责备表明了主对这位渔夫（彼得）爱主之心的肯定。

在加利利的一座山上，耶稣将大使命赐下，不单是给在场的十一个门徒（太28:16），也是给整个教会，当时大约有五百人（林前15:6）。祂明确宣告得着全地的福音策略：

> "天上地上一切权柄都赐给我了。所以，你们要去使万民作我的门徒，奉父子圣灵的名，给他们施洗，我吩咐你们的一切，都要教导他们遵守。这样，我就常常与你们同在，直到这世代的终结。"（太28:18-20；参可16:15-18）

最终，就在耶稣即将升天回到天父那里之前，祂与门徒一同复习了一遍整个福音策略，向他们揭示自己与他们同在时经上所记的一切事是怎样应验的（路24:44-45）。耶稣的受难、受死以及第三日从死里复活，都在计划之中（24:46）。耶稣进一

福音不是我们生命里可有可无的附属品，而是我们蒙召行事为人的命脉。

步向门徒显明："人要奉祂的名，传讲悔改与赦罪的道，从耶路撒冷起，直传到万国。"（24:47）为了成就这个神圣的目标，门徒肩负的责任也很重大。他们要作宣告福音的人间器皿，而神亲自所赐下的圣灵能加添他们力量。

> "可是圣灵降临在你们身上，你们就必领受能力，并且要在耶路撒冷、犹太全地、撒马利亚，直到地极，作我的见证人。"（徒1:8；参路24:48、49）

很显然，耶稣交给门徒的福音大工，不会考虑人怎么看福音，或是人怎样才能容易接受福音。祂给门徒的，就是一个确切的命令，在他们成为门徒之始，福音大工的种子便深埋在他们的心里，在跟随主的过程中渐渐发芽成长，变得明朗；最后清晰地阐明出来。任何长久跟随耶稣的人一定会得出这样的结论。两千年前如此，两千年后的今天亦是如此。

基督的门徒都是受差者，被差派出去执行主的普世福音大工——祂受差来到世上、为此献上生命。福音不是我们生命里可有可无的附属品，而是我们蒙召行事为人的命脉。尊奉这个大使命，我们一切奉基督的名所行的事就都充满了意义，也实现了神救赎的旨意，我们与有荣焉。

研习问题

1. 耶稣为何不利用自己的名声、权势和影响力招募一支信徒大军来横扫全球？
2. 耶稣的策略有何高明之处？你认为今天仍然需要遵行这种策略吗？请简述你的理由。
3. 今日的宣教策略如何参考耶稣的策略？

第20章 山上受命

贺思德 (Steven C. Hawthorne)

> 那使者对妇女们说："……快去告诉祂的门徒：……'祂会比你们先到加利利去，你们在那里必看见祂。'"（太28:5-7）

> "不要怕，去告诉我的弟兄，叫他们到加利利去，他们在那里必看见我。"（太28:10）

> 十一个门徒往加利利去，到了耶稣指定的山上。他们看见耶稣就拜祂，但仍然有些人怀疑。（太28:16-17）

门徒在山上等待着，这座山座落在俯瞰加利利海的群峰之中。他们肯定觉得自己来对了地方，他们之前就是在这里与耶稣会面，耶稣有时也来这里祷告。[1] 也的确是，雅各、约翰和彼得带其他几位门徒所去的地方，正是他们曾目睹耶稣变了形象、荣耀彰显之地。

大家俯瞰加利利湖，终于有人打破沉寂，开始追忆湖边发生的往事，感叹现在只剩下十一个人了。作为凡人，他们只能私下琢磨耶稣来时究竟会发生什么事情，天马行空期待着、憧憬着，时间就这样缓缓流逝。

先前，耶稣的行动就无人能料，即便是起初与门徒在加利利的时候就是如此。现在祂明明死在十架上了，接下来到底会发生什么事情呢？难道祂真的还活着？十一个门徒在祂复活后都再次见过祂；不过也难说，或许那只是某个长得像祂的人罢了。他们每一次与耶稣相会都有非同寻常的经历。

之前，耶稣直接穿过紧锁的门；有一次，祂居然跟曾与自己朝夕相处的门徒并肩行了数里，却一直没被他们认出来，然后又在被认出的一刹那间销声匿迹。还有一次，祂像是一个花匠，拾掇着那些花花草草。或海岸边一个不起眼的平常人。你甚至可能与祂面对面却不知道那就是祂，不过在你认出祂的当儿却被吓得失魂落魄。哦，原来是主！自从祂死了，又从坟墓中复活以后，祂就在这种意想不到的场合与门徒见面，不加预告、不着痕迹。

但是，这一次祂居然指定了特定的见面场所。那么，这次祂会说些什么呢？我们实在难以想像，耶稣还能预备哪一种比这更能抓住门徒注意力的会面方式。

贺思德现任 WayMakers 的总干事，该组织开展宣教和祷告动员事工。在1981年共同参与编辑"宣教心视野"课程和读本后，他发起了"约书亚计划"，主要针对亚洲和中东的未得之民进行一系列研究考察。他与 Graham Kendrick 合著了 Prayerwalking: Praying On-Site with Insight 一书。

虽然门徒全都对主翘首以盼，然而当主最终显现，并从远处缓缓而来时，所有人还是都怔住了。大家心里惴惴不安：这个人究竟是谁呢？祂真是活着的吗？也许是个鬼魂？尽管他们有人满腹狐疑，但还是全都俯伏拜祂。他们大概也对自己的举动感到吃惊，这毕竟是耶稣第一次在完全彰显的荣耀身分中受他们的敬拜；[2]这是一个让他们永远难忘的时刻。接下来耶稣要说的话，他们更是不会忘怀。

耶稣开口说话，虽然声音不大，但祂口里所出的每一句话都那么铿锵有力，仿佛洞穿了他们的身体一般，仿佛他们身后也聚拢了一大群人来听主讲话；他们将来会认识到，主确实在当天向所有凡愿意来跟从祂的人发出了命令。

耶稣在训示中四次用到"一切"这个词来宣告历史的结局。我们不妨逐一思考这四个"一切"，就能以最简单明了的方式理解主的话：一切权柄、一切族群、一切吩咐和一切日子。

一切权柄

当门徒看见耶稣大步走近他们，发现此时的耶稣与以往有些不同。的确，主从死里复活了，这就足以让他们摸不着头脑了；然而此时的耶稣还有一些别的变化，祂似乎浑身充满了奇妙的力量。自门徒认识祂以来，祂一直向门徒显明自己的权柄，并对自己的权柄毫不矫饰：祂无非是用天父所交给祂的属天权柄来行事。但是，此时的祂拥有更大的权柄。祂没有戴王冠挥权杖，却像一个老朋友那样，带着与从前一样深情的微笑和满有耐心的恩

> **尽管他们有人满腹狐疑，但还是全都俯伏拜祂。**

典。但如今，在他们面前，祂还带着一种说不出的气势，宛如一位尊贵的君王驾临全地，令人生畏、不怒自威。祂原是全地之主。在耶稣还未开口之前，门徒就体认到这一点。

"天上地上一切的权柄都赐给我了。"当耶稣这么评价自己时，门徒一点都不觉惊奇。因为这完全合情合理！全能的神，那位过去犹太人口中所称颂的耶和华，如今赐给了耶稣至高的权柄。即便门徒穷尽心力，也无法测透其深度，然而这是事实：基督已在十字架上胜过了一切邪恶势力。如今，因为这一伟大的胜利，天父已经将爱子升到至高，立祂为全人类的元首。主耶稣也已然掌管了居于深不可测的诸天之中的众天使，现在祂有权柄按自己的旨意决定历史的走向。天国的权柄先前就已经赐给祂，为要带来神国的丰盛。

当天上山的有十一个门徒，约翰是其中一个。我认为这必定影响到他多年以后，在异象中领受从天而来扭转时空的视野，看到这一王权如何从圣父交到圣子手中（启5章）。全能之神向约翰显现，祂坐在宝座上，将手中有七印的书卷给约翰看。天上所有居民都对这书卷里的内容翘首以盼，想要知道这书卷里究竟如何描述大地的命运。一切的不公和不幸都记载在这书卷里，神必将报应做这些事的人。书卷里注明了世上列国末后的命运和荣耀。世人所能想到超越一切的最大盼望，都显

明在这书卷中：万恶被制服，配得荣耀的人领受荣耀的冠冕。这是全人类故事里缺失的最终篇章，也是人类在弥赛亚的领导下揭晓的最精彩一幕。

为什么约翰看到这书卷中的盼望后反而放声大哭呢？因为如果世上没有一个人配得展开这书卷，神的计划便无法成就，也就没有人打开这书卷。难道说，就没有人有权柄来执行神的旨意吗？"不要哭！"天使对约翰说。接着，有一位配得展开那书卷的出现了："看哪，那从犹大支派出来的狮子，大卫的根，祂已经得胜了，祂能够展开那书卷，拆开它的七印。"（5:5）神所拣选的这一位，是完全的人，从大卫谱系而出；然而祂又是完全的神，是那位从至高宝座的中心走下的羊羔。天父赐给这荣耀的人子基督耶稣的是至高的权柄，去施行祂一切的旨意。

那位自有永有的君王已经把一切都赏赐给了人子。谁能与祂的智慧分庭抗礼？谁能打垮祂医治万族的决心？哪一种恶魔的权势能够以恐吓使祂有一点颤抖呢？谁又能改变祂召聚万民归向祂的意愿呢？从未有任何人有这样的能力。祂永远不可能被超越，也绝不会从祂的至圣王位上退下来。在祂圆满实现天父的旨意之前，祂也绝不会停歇手中的工。

一切族群

这位荣耀的人子如今就站在门徒面前。在陈说自己的权柄之后，祂停顿了一会儿，仿佛是让大家揣摩祂的心意。既然祂拥有一切权柄，那祂还有什么渴求呢？

紧接着耶稣说："所以……你们要去使万民作我的门徒"。

这段话中，"使……作门徒"是最要紧的动作词。门徒当时就明白的这一点，后来译本的读者却可能没领会。固然其他几个动词"去……给施洗……教导"都是主命令去行的，但是，这些词都只是耶稣最关键的命令"使万民作我的门徒"的组成元素。

是目标而非过程

耶稣的口吻仿佛门徒在这座山上真的可以看到世上的万族万民。叫万民作主的门徒意味着所有部落、语言和族群中将会发生永久性的改变。

就这句话的句法而言，译作"使……作……门徒"的希腊词要求有一个宾语，作为"作门徒"这个行动的对象、接受者；[3]宾语里所涵盖的范围（在这里是"万民"）界定了使人作门徒的广度。因此大使命绝不应该简略地翻译为"栽培门徒"，似乎耶稣只想看到有人努力培养门徒的过程而已。[4]"使万民作我的门徒"这句话必须被视为一个整体。耶稣树立了一个宏大的目标，即在世界的每一个族群内掀起门徒浪潮。祂把这任务交给了这十一位门徒。

耶稣并未强调传播福音的过程，事实上，祂甚至没提到福音本身。门徒奉命，不只是要叫人听见福音而已；他们受托，是要带来成果，带来回应，在万民中掀起跟随耶稣的全球浪潮。耶稣给他们的是一个需要完成的任务，而这任务也一定会完成，门徒对此毫不疑惑。毕竟，耶稣总是完成祂自己开启的工作。

族群

当今的大多数圣经译本把 "The Peoples" 一词译为 "万国"。现代人听到 "国"（nation）这个词时就立即联想到 "国家" 或 "民族国家"。然而该词的希腊原文是 *ethne*，也就是我们今天英语里的 "ethnic"，相当于中文的 "民族"。虽然该词有时用来指称所有非犹太人或者非基督徒，然而当它和希腊语里的 "一切" 连用时，应该是表示最常见的意思：一个族群或一个特定的文化群体。

为了避免产生歧义，我们这里还是使用 "族群"（People Group）一词。今天的世代其实和门徒所处的世代一样，人们仍然是按照其持久延续的民族身分而形成一定的群体。所以，可以用几个因素来界定族群：语言、文化、社会、经济、地理、宗教以及政治，每一个因素都可能是族群身分的一部分。

从普世宣教的角度来说，"族群" 是指这样一种人数范围（可能）最大的群体，因为其中没有阻碍人们理解和接受福音的一些因素，故而可以开展门徒培训和建立教会，福音也就得以传开。

门徒从未把大使命中的 "族群" 概念跟世上的政治概念 "国家" 相混淆，或是将这个重要概念误解为广义上的非犹太人。实际上，他们十一个人都是来自一个被蔑称为 "外族人的加利利" 的地方（马太福音四章15节中的 "gentile" 外族人与马太福音廿四章14节和廿八章20节中 *ethne* 族群或列国，在希腊语原文中是同一词）。当时，加利利这个地方以种族混居而广为人知，语言习俗也多种多样（约12:20-21；太8:28等）。

门徒知道圣经论到 "万族"，也清楚认知自己是亚伯拉罕的后裔，得神命定要祝福地上的万国万族（创12:3，22:18，28:14）。他们知道人子弥赛亚的事，明白弥赛亚国度的治理将临到天下的 "各国、各族和说各种语言的人"（但7:14）。

去到万族之中

基督告诉门徒要准备到各地去作成这工。[5] 也就是说 "去" 并不是一个偶然之举，犹如耶稣说的是 "你们什么时候碰巧去旅游的话，就试试在你们所到的地方带领几个人成为门徒"。多年来，门徒随耶稣周游各地，亲眼见证也参与祂一步一步在加利利全地所作的工（可1:38；太4:23-25）。

祂不只一次差派门徒到指定的地方或人群中，使那些地方的人群得以进入与神的真实关系中，愿意不断地向往基督那即将降临的国度。传讲福音必须进入各个实实在在的地方和人群之中（太10:5-6、11-13；路10:1-3、6-9）。如今，祂把门徒差往遥远的地方，去成就本质上与先前一样但规模更大的工作，在所到之处留下以家庭为基础的门徒培训和祷告力量，带出更深的福音影响。

一切吩咐

耶稣指示他们两条关于使万民作门徒的具体做法：给他们施洗，把主的教导传授给他们。与其岔开话题去讨论后期有关洗礼的意义或教导什么主题等等，不如想想这群最初跟从耶稣的人到底听到的是什么内容。

归于耶稣名下的群体

耶稣这样表达这个命令："给他们施洗，归入父子圣灵的名。"当施洗约翰还在约旦河里给人施洗的时候，门徒就遇见了耶稣。施洗约翰的洗礼是表示从先前的罪恶生活中悔改、洗净自己，加入神的子民的行列，预备承受神国的丰盛。

在跟从耶稣期间，门徒也开始给人施洗，最后他们施洗的人数超过了施洗约翰（约4:1-2）。人们所受的这次洗礼，乃是宣告自己已经悔改并预备跟随即将到来的弥赛亚。这洗礼表示效忠对象的转变，受洗的人实质上是宣誓在弥赛亚来临时完全效忠于祂。

如今耶稣再一次差派他们出去给人们施洗，当时他们当然无法完全理解这使命，然而他们之后就会从遵行这一使命所产生的结果而明白耶稣的意思：一个全新的群体要借着这洗礼建立起来了。圣父、圣子、圣灵的名可不是举行洗礼仪式时空喊的口号，而是神向受洗的人完全显明自己，亲自迎接他们来到自己面前。受洗的人不再是等待一位神秘未知的弥赛亚。他们都得以亲自遇到天父，透过祂的爱子与祂建立美好的关系，并要领受祂赐下的圣灵。

借着这洗礼，神便在整个世界为自己召集一群亲自认识祂，并了解普世宣教之

附篇
20-1 　大使命与大诫命　　贺思德 (Steven C. Hawthorne)

"大使命"（马太福音廿八章）与"大诫命"一直被视为两个对等的命令，耶稣称后者是圣经全部诫命中最大的一条。在这些耳熟能详的经文中（太22:34-37；平行经文见可12:28-34；路10:25-37），耶稣指出：圣经最大的诫命就是要"全心、全性、全意爱主你的神"，又要"爱人如己"。许多重要的福音派观点把大使命和大诫命相提并论，以示基督徒在世界上担负的全部责任。

那么，大诫命和大使命之间的关系是怎样的呢？这两个通常被视为需要平衡的均等概念，是神对人类不同方面需求的回应。大使命针对属灵需要，大诫命则针对物质和社会性的需要；但当我们把二者结合起来回应人类的需求时，如何把二者整合为统一的基督徒宣教则令人茫然。

不同点：一为历史性任务，一为永恒命令

只有正视其中的区别，才能发现这二者如何更协调地共同发挥作用。若为同等的命令，反而致使我们哪一个命令都无法充分地执行。

全心委身于爱神又爱邻舍的命令，这样的事永无止境；爱，惟有花时间才能成长，且是必须永远用心追求的事。然而，大使命则是一项全球性，又是在历史中必须要完成的任务；与时下流行的观点不同，大使命并不是命令信徒尽量随时随地去传福音，这大

精意的子民。受洗的民将在每个族群中公开披戴神的名，之后他们还会认识到，神是要从所有族群之中，召聚一批"归在自己名下"的人（徒15:14）。

活在耶稣的主权之下

耶稣提到"教导"这个概念时，门徒不会误解为只是指把某些知识传授给慕道的人而已。

门徒亲自听到耶稣说"教导他们遵守"。主并没有差派门徒用希伯来人的方式和思路来招生，而是要以最有果效的方式训导人们认识和跟从耶稣。他们福音事工的首要任务是活出顺服的生命，而不是强迫所有人相信一致的信条。福音关乎的是信心，只是其目标如保罗之后所述："在万族中使人因祂的名相信而顺服。"（罗1:5）

顺服耶稣从来就不是一件含混不清和主观的事情，让善男信女自己编制出一套灵性操练的规条。耶稣给他们的命令少之又少，但非常明确；这些命令与宗教系统中的功德规定有天壤之别！耶稣首要的命令，就是要所有门徒"爱人如己"，这命令简明而又具有普世意义。实际上，单独一个人是不可能"爱人如己"的。这是人与人相互的命令，需要两个或两个以上的人有意去做才能完成。耶稣这样做，是要

使命乃是交托给一切信从基督之人的一项神圣使命，要求代代基督徒全力以赴，在历史的末了一定会胜利完成。

相同点：都为荣耀神

想要平衡或比较大使命和大诫命，可能错失了二者的要领；二者的主要关注根本不是人类的需要，无论是属灵的还是其他方面的。这两大命令主要的目的是建立与神的关系。尽管我们通常更注意"爱人如己"，但其实耶稣的教导强调的是使人"全心、全性、全意爱主你的神"。大使命的最终目的也是如此，就是完全以神为中心，使万国万民之中都兴起顺服祂的门徒来事奉祂。

因此，命令的重点不只是"爱"神而已，更是要殷勤作工使祂受更多人爱戴。最能表达我们对主之爱的方式就是要看到祂受万人敬拜、有万族跟从、得万民爱戴。此外，神托付给我们的远比"爱自己的邻舍"更为深远。我们奉命要使按基督的命令彼此相爱的人多而又多，使千家万户转向神。

两者如何相辅相成

其实，两个命令之间并没有优先次序。说到底，两者互不可缺。没有爱就不可能使人归于主的名下；同样，若是没有建造起一群更深地爱神，又借着爱自己的邻舍来顺服神的人，那么号称彻底完成福音工作也只是信口开河。

在祂的主权之下形成一个使人得生命喜乐的群体。

门徒深为这命令而惊叹。呼召每一个族群的人来跟从主耶稣，是多么迫切而又正确的事情啊！耶稣并没有向门徒颁布难于登天的命令。自有永有的神已经将祂升为至高，成为唯一的救赎主和历世历代所有男女老少的最终审判者。唯有耶稣能成全世上每一个族群的终极归宿。

一切日子

"这样，我就常常与你们同在……"主最终的命令实际上是"看哪！"（标准译本）意即"留意我；完全专注于我；倚仗我"。[6]主耶稣刚刚把使命赐给门徒，叫他们要一直把福音传到地极。然而，主并没有打发门徒远离祂；实际上，祂示意门徒要比以往更加靠近祂。祂不只是把自己的一些能力传给他们——如果祂在此处是要说离别的话，那倒挺有可能。然而，他却宣告说祂将留在地上，施行祂的权柄直到时间的末了。祂要亲自与门徒共度每一天，直到这世代的终结。[7]

这之后不久，在耶路撒冷附近的另一座山上，门徒将要目睹主被接升天（徒1:9-12），然后要从耶路撒冷城出去"遍传福音"。他们一路前行，坚信耶稣不是就这样消失了，祂已经坐在天国的宝座上。他们也绝不会忘记耶稣应许会与他们同在，[8]因为祂确实时时刻刻都与他们同在！根据马可福音记载，主被接到天上，"坐在神的右边"的同时，也在门徒远走他乡，四处传福音时"和他们同工"（可16:19-20）。

耶稣所提到的"这世代"还没有结束。自那次山上会面后，耶稣每一天都与那些要完成祂使命的人"同在"。

亲爱的读者，你读到这篇文章的今天，也包含在耶稣所说的"一切日子"。耶稣在山上赐下大使命的那天，早已知道你今天会读到本文。祂了解你，也了解在你有生之日那些将要跟随祂的族群。你能想像自己在加利利海边的山上，双膝跪地，十一门徒也跪在一旁，静静地听主发出这些话吗？你完全有权利想像自己就在那里，因为主确实说过这些话。而且当主说这番话时，祂是刻意清楚地向每个将要跟随祂的人说话。你和我就是跟随祂的人。那么，我们又该做什么来回应祂呢？祂已经向自己的所有子民赐下了使命，要他们带着祂一切的权柄去作工，好让万民顺服并遵守祂的一切教导。我们怎能不把自己的全人都献上给祂呢？

附注

1. 天使指示他们到加利利去，"祂会比你们先到加利利去，你们在那里必看见祂）（太28:7），又叫他们到一座山那里，即"到了耶稣指定的山上"（太28:16）。这极有可能是加利利海附近的同一座山（可9:9、14、30），耶稣曾在此荣耀地显现，彼得、雅各和约翰当时在场，并且听到父神的声音（可9:1-9 = 太17:1-8 = 路9:28-36）。这个事件时常称为"登山变像"。

2. 当门徒看见耶稣在水面上行走之后，马太福音十四章33节提到在船上的门徒敬拜祂；马可则说，他们只是十分惊奇，但心里仍然困惑。马太福音廿八章17节也可能描述类似的情形，他们充满让人困惑的恐惧；但依我看来，马太福音廿八章是门徒依据对耶稣的全部认识而敬拜祂的起点。

3. "mathetuesate" 这种动词形式属于及物动词，意味着它必须有宾语才能有完整的意思。这个短语必须作为一个整体来理解，"mathetuesate panta ta ethne" 是一个融为一体的动词概念。

4. 近来有人认为动词 "mathetueo" 的意思是训练跟随者变成与师傅完全一样的人，但这个动词极少用来指整个训练过程的完成。该词在新约圣经和基督时代的其他文学中出现时都是指招募人成为跟随者，而不是完成训练的过程。认为门徒在成熟和灵性操练方面是一些已经达到先进水准的人这一观点，乃是现今人的想法，这受到第二次世界大战之后美国开展的布道"跟进"计划影响。如果使人作门徒这个概念是指招募跟随者，而不是全备地训练他们，那么在对考虑门徒训练的对象时就会有重大意义。有人宣称，耶稣使用作门徒这个概念的用意是命令各个国家要转化成神国的理想状态。但是如果耶稣只是命令门徒去招募跟随者，那么把国家、城市或任何其他团体视为作门徒的对象就没有什么意义。

5. 有人认为耶稣并不是在命令门徒改变地点或跨越文化障碍，而是呼吁在人们所在的任何地方或任何职业中使他们作门徒；但是这节经文的希腊文句法不能如此理解。"该动词的简单过去式表明这个命令是确定且紧迫的，并不是说'如果你碰巧要去'或'无论何时你去'，而是'去执行这个行动'"（Cleon Rogers, "The Great Commission," *Bibliotheca Sacra*, Volume 130, 1973, p. 262）。马太在以下经文的命令语气之前使用了同一动词"去"的分词形式，二章8节（希律的命令："你们去细心寻访"），十一章4节（耶稣指示"你们回去……告诉"在监里的约翰），廿八章7节（天使的吩咐："快去告诉祂的门徒"），以及其他经文。当命令语气之前有一个分词时，二者的命令效力实际上都增强了。

6. 有些译本用了一个感叹词："当然"或"瞧"，而不是命令语气，"看啊！"

7. 译作"每一天"的同一个希腊文词语在这段经文之前三次都译作"所有"。

8. 关于"我与你们同在"这一表达形式，比较创世记廿六章3、24节，廿八章14-21节；出埃及记三章12节；申命记卅一章8、23节；约书亚记一章5节；士师记六章16节。当神告诉以撒、雅各、摩西、约书亚和基甸"我必与你同在"时，那时的处境都是面临一个几乎不可能完成的任务。所罗门以及后来那些与哈该同工建造圣殿的人都奉命寻求神的同在（王上11:38；该1:13，2:4）。因为神宣告祂自己将会是他们所领受的每一个使命最终得以完成的主要力量，那么我们几乎可以认为，神实际上是在告诉他们："你们必与我同在。"在这些经文，尤其是在马太福音廿八章20节中，中心思想并非神在人孤独之时带来一些保证或安慰，而是表明神赐下力量来带领。

研习问题

1. 马太福音廿八章18-20节中有哪四个 "一切"？
2. 基督的权柄为何在主的大使命中至关重要？
3. 作者为何声称使万民作主门徒的使命不是过程，而是目标？

第 21 章 使万民作门徒

all nations

派博（John Piper）

> 耶稣上前来，对他们说：
>
> "天上地上一切权柄都赐给我了。
>
> 所以，你们要去使万民作我的门徒，
>
> 奉父子圣灵的名，给他们施洗，我吩咐你们的一切，
>
> 都要教导他们遵守。这样，我就常常与你们同在，
>
> 直到这世代的终结。"（太 28:18-20）

作者自 1980 年起，就在明尼苏达州明尼阿波利斯市的伯利恒浸信教会担任牧师。著作等身，其代表作有《渴慕神——论禁食祷告》（Desiring God）、《神就是福音》（God Is the Gospel）、Let the Nations Be Glad, What Jesus Demands from the World 以及 Don't Waste Your Life. 本文摘自 Let the Nations Be Glad 一书（1993 年）、版权使用承蒙许可。

主的话对于决定今天教会的宣教事工应该如何进行是至关重要的。具体说来，一定要仔细查考一下 "使万民作我的门徒" 这句话。这句话里面包含 "万民" 这一极其重要的词语，该词语在希腊语中经常用 *panta ta ethne* 来表示（*panta* 表 "所有的"，*ta* 表 "那些"，*ethne* 表 "国家"）。这个片语之所以重要，是因为当 ethne 被译为 "国家" 的时候，听起来更像一个从政治或地理意义上讲的团体，这是英语中最为常用的意思。但是我们很快会看到这并不是希腊语中的意思，而且英语中也不都指国家这个意思。例如，我们会说印地安切诺基族（Cherokee Nation）或者苏族（Sioux Nation）。这里的意思是指具有某种共同民族特征的人们。事实上，民族（ethnic）这个词来源于希腊语 *ethnos* 这个词（是 *ethne* 的单数形式）。那我们的推论就是 *panta ta ethne* 指的是 "所有民族群体"，"去使所有民族群体作我的门徒。"

因此，我们需要广泛而仔细地研读圣经上下文，以便掌握其中的真义。

新约中 *ethnos* 的单数用法

新约中 *ethnos* 的单数形式从来没有用于指个别的外族人，[9] 这一点非常令人吃惊。每次出现单数 *ethnos* 的时候，一般指的是一个族群或者民族，往往指以色列民；而用复数的时候，通常被译为 "外族人"，以与以色列民族区别开来。[10]

下面这些例子，表明单数的 *ethnos* 所具有的集合概念：

一个民族（*ethnos*）要起来攻打另一个民族（*ethnos*），一个国家要起来攻打另一个国家，到处都有饥荒和地震。（太24:7）

那时住在耶路撒冷的，有从天下**各国**（*ethnos*）来的虔诚的犹太人。（徒2:5）

他们唱着新歌，说："祢配取书卷，配拆开封印，因为祢曾被杀，曾用祢的血，从各支派、各方言、各民族、各邦国（*ethnos*），把人买了来归给神。"（启5:9）

这一考察所要表明的是，单数形式*ethnos*通常情况下都有集体的含义，指具有某种民族特征的族群。事实上，使徒行传二章5节中的"各国"所表达的，在形式上与马太福音廿八章19节中的"万民"非常类似，在使徒行传二章5节中肯定是指某种族群。

新约中 *ethnos* 复数用法

"*ethnos*"的复数用法并不总指的是"族群"，有时就是指多个外族人个体，[1]但很多情况下意义是模糊不定的；重要的是，该词的复数用法可指某个民族群体，亦可指个别的外族人，还不构成一个族群。下面这些经文可以用来表明外族人个体这一概念：

保罗在安提阿被犹太人拒绝，便转向外族人。对此，路加说道："**外族人听见了就欢喜，赞美主的道。**"（徒13:48）这其中指的并不是国家，而是在会堂中听保罗讲道的那群外族人。

"你们知道，你们还是教外人的时候，总是受迷惑被引诱，去拜那不能说话的偶像。"（林前12:2）这里的"你们"指的是哥林多归向主的单个外族人。如果理解为"你们还是民族的时候"，根本说不通。

这些经文足以表明，复数的*ethnos*并不一定表示民族或者"族群"。另一方面，复数形式同单数形式一样，也能经常表示"族群"。例如：

谈到以色列民占领应许之地时，保罗说："灭了迦南地的七族（*ethne*）之后，就把那地分给他们为业。"（徒13:19）

"从各民族、各支派、各方言和各邦国（*ethnon*）中，都有人观看他们的尸首三天半。"（启11:9）根据这一顺序，"各邦国"指某种民族群体，而不仅仅是许多个外族人。

从这些经文中，我们看到的是，复数形式*ethne*可以表示还不构成一个族群的许多个别的外族人，但也像单数形式的常见用法一样，可以指具有某种民族特点的族群；那么，这就意味着我们还不能肯定马太福音廿八章19节倾向于哪个意思。宣教的目的究竟是要得尽可能让更多个别的人归主，还是使全世界所有族群都听到福音？对于这个问题，我们还不能作答。

新约中 *panta ta ethne* 用法

我们需要特别关注的是马太福音廿八章19节中"你们要去使万民作我的门徒"之中的 *panta ta ethne* 的意思。

panta ta ethne（包括其变体）出现了十八次，仅有马太福音廿五章32节中的意思似乎是"许多个别外族人"（参见上文有关此节经文的评论）。有三处的意

思依据上下文是族群（徒2:5，10:35，17:26）。另有六处从其和旧约的关系来看，意思也是族群（可11:17；路21:24；徒15:17；加3:8；启12:5，15:4）。其他八处（太24:9、14，28:19；路12:30，24:47；徒14:16；提后4:17；罗1:5）的意思既可以是前者也可以是后者。

到目前为止，关于 *panta ta ethne* 在马太福音廿八章19节中的意思，以及对于宣教大业更广范围的影响，我们能够得出什么结论呢？

在新约中，*ethnos* 的单数用法总是指某个族群。复数用法有时一定是指某个族群，有时一定是指许多个外族人，但通常情况下二者兼可。短语 *panta ta ethne* 仅有一次确指许多个别外族人，九次确指族群。剩余八次有可能是指族群。这些结果整体非常倾向于表明 *panta ta ethne* 的意思是"万民（族群）"。

旧约的盼望

旧约里充满应许和期望，有朝一日世界上所有族群的人都要来敬拜神。我们将看到这些应许明确地构成了新约宣教异象的基础。

panta ta ethne 这个短语在旧约中出现了大约一百次，从来没有哪一次的意思是指多个外族人个体，其意思总是"万民"，指以色列以外的族群。[2]

"地上的万族都要因你得福"

新约宣教异象的基础是神在创世记十二章1-3节中对亚伯兰作出的应许：

耶和华对亚伯兰说："你要离开本地、本族、父家，到我指示你的地方去。我必使你成为大国，赐福给你，使你的名为大，你也必使别人得福，给你祝福的，我必赐福给他；咒诅你的，我必咒诅他；地上的万族，都必因你得福。"

这个给世界上"万族"赐福的应许，在创世记十八章18节、廿二章18节、廿六章4节、廿八章14节中都有重复。

在创世记十二章3节和廿八章14节中表示"万族"的希伯来文（*kol mishpahot*）在旧约希腊文译本中被译为 *pasai hai phulai*。在大多数语境中，*phulai* 的意思是"支派"；但是 *mishpaha* 有可能，并且在一般情况下要比支派小。[3]例如，当亚干犯了罪的时候，以色列从大到小接受检验：首先是支派，然后是 *mishpaha*（宗族），最后是家室（书7:14）。

所以，在亚伯拉罕身上的福，神的旨意是要达到非常小的人群身上。但我们没有必要为了感受这一应许的力量，而来非常精确地定义这些群体。在创世记中，重复亚伯拉罕应许的另三处用了"万族"（希伯来文 *kol goyey*）这个短语，七十士译本把这三处都译作大家所熟悉的 *panta ta ethne*（创18:18，22:18，26:4）。这又极强地暗示了 *panta ta ethne* 这个短语在表示宣教的上下文中很可能指族群，而不是许多个别外族人。

新约有两次非常清楚地复述了神给亚伯拉罕的这个特别应许。在使徒行传三章25节中彼得对犹太人说："你们是先知的子孙，也是承受神向你们祖先所立之约的

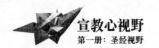

人。神曾经对亚伯拉罕说：'地上万族，都要因你的后裔得福。'"

新约中另外一处引用亚伯拉罕的应许是在加拉太书三章6-8节：

正如亚伯拉罕信神，这就算为他的义。所以你们要知道，有信心的人，就是亚伯拉罕的子孙。圣经既然预先看见神要使外族人（*ta ethne*）因信称义，就预先把好信息传给亚伯拉罕："万国（*panta ta ethne*）都必因你得福。"

我们从创世记十二章3节的措辞及其在新约中的用法可以得出结论：按照神的旨意，神赐给亚伯拉罕的福分，也就是因着亚伯拉罕的后裔耶稣所成就的救恩，是要让全世界各个民族的群体都得到。当每一个群体的人信靠耶稣，进而成为"亚伯拉罕的子孙"（加3:7），成为"按照应许承受产业的"（3:29），这一目标就能实现。在"所有族群"中，都将发生人因信靠耶稣而得到救恩的事实。

大使命：旧约早有记载

在路加福音廿四章45-47节中，路加记录了主的话；当查考类似的旧约经文上下文，就会更多发现基督的心意是要"所有族群"都蒙福。

于是他开他们的心窍，使他们明白圣经；又说："经上这样记着：基督必须受害，第三天从死人中复活。人要奉他的名，传讲悔改与赦罪的道，从耶路撒冷起，直传到万邦（*panta ta ethne*）。"

这里的上下文对于我们至关重要。首先，耶稣"开他们的心窍"，然后祂说"经（旧约）上这样记着"，（按希腊原文的语序）后面跟的是三个并列的不定式从句，明确地说明旧约中所写的是什么：首先，耶稣来是要受害，其次，第三日从死里复活；第三，人要奉祂的名给"所有族群"传悔改、赦罪的道。

所以，耶稣的意思是，旧约的"经"上"记着"祂吩咐人把悔改、赦罪的道传给万邦这一托付，这是祂开他们的心窍要他们明白的事情之一。然而在旧约中，对于神拯救全世界的看法（我们上面已经看到）又是什么呢？这正是保罗眼中所看到的，那就是赐福给地上万族，从"所有族群"中得着敬拜祂的百姓。[4]

因此我们有强有力的证据表明，在路加福音廿四章47节中出现的 *panta ta ethne*，耶稣并没有仅仅视之为许多单个的外族人，而是一大批由世界各个族群组成的人，他们必须听悔改的道以使自己的罪得赦免。

万民祷告的殿

对于神向全世界宣教的旨意，另外一节经文表明了耶稣的看法，这处经文来自于马可福音十一章17节。耶稣洁净圣殿的时候，引用了以赛亚书五十六章7节的经文：

"经上不是写着'我的殿要称为万国（*pasin tois ethnesin*）祷告的殿'吗？"

这节经文对我们所以重要，是因为这

里表明耶稣回到旧约（如在路加福音廿四章45-47节中一样）来解释神对全世界的旨意。祂引用的以赛亚书五十六章7节这节经文，在希伯来语中非常明确："我的殿必称为万族（*kol ha'ammim*）祷告的殿。"

这里族群的意思不容质疑。以赛亚并不是表示每一个外族人都有权与神同在，而是说"所有族群"都将有信徒进入圣殿敬拜神。耶稣非常熟悉旧约这一盼望，并且把自己对于福音传遍全世界的期望建立在这一盼望上（可11:17；路24:45-47）；可见，我们也应该沿着这条线索去理解祂托付给我们的大使命。

回到马太福音里的大使命

我们现在回到早些时候的研究。当耶稣在马太福音廿八章19节中说："你们要去使万民（*panta ta ethne*）作我的门徒"时，祂是什么意思？与之对应的马太福音廿四章14节应许说这个命令必要成功："这天国的福音要传遍天下，向万民（*pasin tois ethnesin*）作见证，然后结局才来到。"这命令和应许的范围，都取决于*panta ta ethne*的意思。

基于前述，我的结论是，如果有人要把*panta ta ethne*理解为"所有的个别外族人"或"所有的国家"，那他就必须完全否定我们以上的这些证据；恰恰相反，大使命的中心是使世界上所有的族群作耶稣的门徒。我们的结论是根据下面对圣经的查考所作的总结：

1. 新约中*ethnos*的单数用法从来没有指个别外族人的意思，总是指族群或者民族。

2. 复数的*ethne*既可指许多个别外族人，也可表示族群。有时上下文决定它的意思到底是哪一个，但大多数时候两种意思都有可能。

3. 短语*panta ta ethne*在新约中共出现了十八次。仅有一次确指许多个别外族人，九次的意思确指族群，其他八次的意思并不确定。

4. 实际上，在希腊文的旧约中，*panta ta ethne*大约有一百次之多指万民，以便与以色列民区分开来。

5. 新约中引用了神对亚伯拉罕的应许，就是"地上的万族都要蒙福"，他要成为"多族的父"。由于旧约的这一强调，教会的宣教工作应当以族群为中心。

6. 路加福音廿四章46-47节讲述了耶稣的宣教使命，其旧约的上下文表明*panta ta ethne*非常可能是指"所有的族群或民族"。

7. 马可福音十一章17节表明，当耶稣着眼神拯救全世界的计划时，祂想到的极可能是族群。

所以，耶稣打发门徒去宣教，很有可能并不仅仅是要他们尽可能得到无数的一个个人，而是要进入世界上的所有族群，把四散的"神的儿女"聚集起来（约11:52），并且呼召那些"从各支派、各方言、各民族、各邦国"买了的人（启5:9），直到被赎的"万民都颂赞祂"（罗15:11）。

因此，我们看耶稣在马太福音廿四

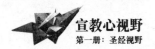

章14节中说："这天国的福音要传遍天下（*panta ta ethne*）"这节经文，不能不理解为：在末期到来之前，福音必须传到世界上所有的族群。另外一句，耶稣说："你们要去使万民（*panta ta ethne*）作我的门徒"，我们也不能不理解为：教会宣教工作是努力使福音传到未得之民，直到主再来。这是耶稣给我们的命令，也是向我们的保证，在祂再来之前这一切必定会完成。祂所以如此应许，因为是祂亲自在所有族群中建立祂的教会，也正是为此，天上地上所有的权柄都赐给了祂（太28:18）。

附注

1. 加拉太书二章14节在英文版本中看起来是一个例外（"If you, though a Jew, live like a Gentile and not like a Jew, how can you compel the Gentiles to live like Jews?" 中文：你是犹太人，生活既然像外族人而不像犹太人，怎么还勉强外族人跟随犹太人的规矩呢？）。但这里的希腊文词语不是 *ethnos* 而是副词 *ethnikos*，意思是外族人的生活模式。

2. 新约圣经中所有的单数用法如下：马太福音21:43，24:7（＝马可福音13:8＝路加福音21:10）；路加福音7:5，23:2（二者都指犹太民族）；使徒行传2:5（"天下各国来的犹太人"），7:7，8:9，10:22（"全犹太族"），35，17:26，24:2、10、17，26:4，28:19（最后五个指犹太民族）；约翰福音11:48、50、51、52；18:35（都是指犹太民族）；启示录5:9，13:7，14:6；彼得前书2:9。保罗从未使用该词的单数形式。

3. 例如，马太福音6:32，10:5，12:21，20:25；路加福音2:32，21:24；使徒行传9:15，13:46、47，15:7、14、23，18:6，21:11，22:21；罗马书3:29，9:24，15:9、10、11、12、16，16:26；加拉太书2:9，3:14；提摩太后书4:17；启示录14:18，16:19，19:15-20:8，21:24。我在本章使用 "外族人个体" 一语的意思并非不关注具体的个人，而是以其笼统性地指代非犹太人，而不用指出他们各自具体的民族身分。

4. 我的研究主要是找出 *panta ta ethne* 所有经文中不同用法的变化。以下经文的出处乃是依据旧约的希腊文译本（七十士译本），其章节的划分偶尔会与希伯来圣经和英文圣经的划分不同。创世记18:18，22:18，26:4；出埃及记19:5，23:22、27；33:16；利未记20:24、26；申命记2:25，4:6、19、27，7:6、7，14，10:15，11:23，14:2，26:19，28:1、10、37、64，29:23-30:1、3；约书亚记4:24，23:3、4、17、18；撒母耳记上8:20；历代志上14:17，18:11；历代志下7:20，32:23，33:9；尼希米记6:16；以斯帖记3:8；诗篇9:8，46:2，48:2，58:6、9，71:11、17，81:8，85:9，112:4，116:1，117:10；以赛亚书2:2，14:12、26，25:7，29:8，34:2，36:20，40:15、17，43:9，52:10，56:7，61:11，66:18、20；耶利米书3:17，9:25，25:9，32:13、15，33:6，35:11、14，43:2，51:8；以斯拉记25:8，38:16，39:21、23；但以理书3:2、7，7:14；约珥书4:2、11、12；阿摩司书9:12；俄巴底亚书1:15，16；哈巴谷书2:5；哈该书2:7；撒迦利亚书7:14，12:3、9，14:2、16、18、19；玛拉基书2:9，3:12。

5. Karl Ludwig Schmidt 认为 *mishpahot* 是 "一个国家或主要群体中较小的宗族性社群"（《新约神

学辞典》, Vol. 2, ed. Gerhard Kittel, trans. by Geoffrey Bromiley [Grand Rapids: Wm. B. Eerdmans Publishing Co., 1964], p. 365）。

6. 从耶稣可能间接提到的 *panta ta ethne* 在旧约中的所有用法，至少以下这些与神子民的宣教异象有关：创世记18:18，22:18，26:4；诗篇48:2，71:11，17，81:8，85:9，116:1；以赛亚书2:2，25:7，52:10，56:7，61:11，66:18-20（所有经文出处都以七十士译本的划分为准）。

研习问题

1. 作者表示，希腊文 *ethnos* 一词有时指外族人，而不是指族群。他基于什么根据确定马太福音廿八章19节是指族群？

2. 作者是如何将创世记十二章3节的字词与新约中族群的词语联系起来的？

3. 如果 *panta ta ethne* 是指族群，那么宣教的工作会有什么样的改变？

第 22 章　顺服的行动

贺思德（Steven C. Hawthorne）

使徒接受大使命后是否迅速付诸行动？或许这样问更好：使徒是否顺服了耶稣？如果说遵行马太福音所记载的大使命意味着，在听到使万民作门徒的吩咐后的一两个月内就打点行装搬到西伯利亚，那他们的行动或许算是慢的。[5]不过根据路加对他们从耶稣领受使命及其随后遵行使命的描述来看，我真希望自己像他们那样顺服。如果把马太福音和使徒行传的一些经文联系起来看，确实让人觉得使徒在遵行马太福音廿八章向全世界宣教的使命时有些拖延，然而路加的记载对我们非常有指导意义。我们先不要轻率妄加认定使徒没能完成马太所记载的使命，要先来弄清路加的观点。细看路加的记载，不难发现使徒领袖在使徒行传中体现了三方面的顺服。第一，弘大的异象敦促着他们坚持不懈地追求神国里更高的目标。第二，严酷的逼迫没有阻止他们大胆公开地为主作见证。第三，他们忠心持守朴实无华的福音，帮助不同文化背景的人跟随耶稣而不被文化中无关紧要的因素所阻碍。

持守弘大异象

耶稣升天前"借着圣灵吩咐所拣选的使徒"（徒1:2）。那么耶稣是如何借着圣灵吩咐使徒的呢？

在耶稣升天的那一天，祂遇到两个前往以马忤斯的门徒（路24:13-35）。这两人虽不在十二使徒之列，却也是核心信徒；他们或许正逃离耶路撒冷，前往一个安全的地方。尽管城里有那么多爱戴耶稣的人，耶稣的敌人还是把祂给杀了。满怀敌意的当权者可以轻而易举地追捕整个事件余波中幸存的领袖，一举歼灭。这两个信徒必定担心自己也难逃随时被捕。

突然有一个陌生人（其实是耶稣）以一种很不礼貌的口吻对他们说："无知的人哪，先知所说的一切话，你们心里信得太迟钝了！"他们听了非常惊讶。耶稣接着说："基督这样受害，然后进入祂的荣耀，不是应当的吗？"顺着受苦在先，荣耀在后这个基本脉络，耶稣把圣经故事给他们讲解了一遍（路24:26-27）。这个围绕着

贺思德现任 WayMakers 的总干事，该组织开展宣教和祷告动员事工。在1981年共同参与编辑"宣教心视野"课程和读本后，他发起了"约书亚计划"，主要针对亚洲和中东的未得之民进行一系列研究考察。他与 Graham Kendrick 合著了 *Prayerwalking: Praying On-Site with Insight* 一书。

弥赛亚展开并收尾的故事是那么合情合理，一切都以神指定弥赛亚进入 "祂的荣耀" 而达巅峰；"祂的荣耀" 表明一个异象，到时弥赛亚将得到万民永永远远的尊崇，万民也得到平安。[6]弥赛亚贯穿于整本圣经，圣经故事也以祂为高潮。

带着重新点燃的炽热盼望（因他们说："我们的心不是火热的吗？"），他们急忙赶回危机四伏的耶路撒冷，重新回到悲伤的使徒们的藏身之所 —— 那间门窗紧锁的屋子（约20:19；路24:32-33）；忽然，耶稣现身屋内。祂再次给他们讲解了经文记载的各样事，并更加详细地讲明祂将如何进入荣耀：当悔改与赦罪的道传给万族的时候，祂的名要在世上被尊崇。为帮助门徒能够对这个异象的价值心服口服，祂又补充了一项重要的细则：祂的荣耀要 "从耶路撒冷起" 向全世界拓展（路24:45-47）。

正如路加接下来在使徒行传中的记载，耶稣一连三十九天多次向门徒讲解神国的事。在与门徒的一次相遇中，耶稣明确地吩咐他们 "不要离开耶路撒冷"（徒1:4）。要让宣教行动铺天盖地，却又命人不要离开城镇，这听起来着实奇怪。不过有一个常被忽视的事实或许能帮我们解惑：耶路撒冷并不是这些人的故乡！这些人都来自加利利。熟知地理的天使在给他们报信息时称他们为 "加利利人哪！"[7]（1:11），而在耶路撒冷的精英分子，就算是在黑夜里也能听出使徒的加利利口音（太26:73；路22:59）。

对于使徒来说，耶路撒冷是世界上最危险的地方。他们的敌人大权在握，可以公开置他们于死地却不必受罚；就在前些天，这些人还企图在客西马尼园逮捕他们（可14:50-52；约18:8-9），遑论可能再来搜捕。难怪路加记载到耶稣特别吩咐他们要留在耶路撒冷。因为如果耶稣不曾这样吩咐，这些门徒很可能已经卷铺盖回自己在加利利的安乐窝了。

但是这些人到底遵行了耶稣的命令，留了下来。今日的读者也应该承认他们勇气可嘉。他们留下来在马可楼上祷告，等所应许的能力降临在他们身上，立即公开活动；自此，他们便一直活动在公众的视线中，哪怕有生命危险也在所不辞。

耶稣要他们留在耶路撒冷，这个命令的焦点是成就神的应许，包含神过去的应许和耶稣过去所告诉门徒的。祂 "吩咐他们不要离开耶路撒冷……要等候父的应许" 祂说："父的应许就是你们听我讲过的……"（徒1:4-5）难道天父的应许仅局限于圣灵的赐下吗？看似如此，因为这里强调圣灵降下只是 "再过几天" 的事情。然而读完整段经文就清晰了，使徒们的使命是在耶路撒冷作见证，而不是空等圣灵的降临而已；他们所要作的见证，也不限于五旬节当天传讲的信息。大逼迫来临时，使徒并没有四散逃亡，他们在耶路撒冷的见证还未完满。他们坚守在最具战略意义的地方，也是最危险的地方；在那里，他们多次被捕、蒙羞、受审和挨打（徒4:1-21，5:17-41），然而还是坚持了下来；结果，其中一个门徒雅各殉道了（12:2）。即便遭此劫难，他们还是坚守在耶路撒冷，绝不逃散；当时任何的敌对势力都能轻易地找到他们，事实上就是这样。彼得被捕了，天使把他从监里救出来以后，他才听劝去到城外安全的地方

（12:17）。没有证据表明十二使徒中其余的人随他出了城。可见，这群人是多么坚定地顺服主的旨意啊！任何威胁或恐吓都吓不倒他们。

回应：当今如何顺服

就如耶稣在往以马忤斯的路上所做的一样，即便在我们最蠢笨无知或得意忘形时，我们也应当寻求基督来和我们并肩行走，好提醒自己牢记那个"大画面"，即神在整个历史中的作为。就如基督在前往以马忤斯的路上为门徒所作的一样，祂也要开我们的"心窍"，"使我们明白圣经"，好让我们打开视野，抓住神的宏伟使命（路24:45）。我们可以期待，就在今天，基督能够并且愿意"借着圣灵"赐给

附篇
22-1　高墙与深谷　贺思德 (Steven C. Hawthorne)

宣教任务包括两个部分。第一，确保福音为宣教对象所理解，让基督与祂的救恩向众人显明出来；第二，福音为宣教对象所接受，使信徒可以公开地跟随主。我们经常认为沟通福音的任务重大，因为沟通似乎是堵让每个宣教士望而生畏的高墙。实际上，比起沟通福音，还有一项艰难得多的任务，那就是协助宣教对象寻得出路，好在不丢失自己的社群和文化身分的前提下跟从主，这样就有助于为新生信徒本家和本文化中的人打开信道的门。

素食主义的印度教徒可能害怕成为基督徒，因为作基督徒似乎就意味着必须吃肉喝

攀越高墙：跨文化沟通

这个目标是让任何一个族群都能以其自有的语言和文化去理解福音。跨文化沟通就是致力将理解神的信息的难度减至最低，清楚地沟通福音信息，好让基督的启示不受阻拦。因此，任何交流沟通的工具都应当纳入考量之中。为了让神的道能够进入人的心，不管是需要学习当地语言，还是需要逐步适应当地文化，都应不遗余力去做。

沟通遇到的高墙

- 理解上的障碍
- 宣教士面对的挑战
- 沟通福音
- 启示的神迹
- 基于"E-尺规"[6]
- "身分认同"[7]

我们指示，好让具体的指引与成就神普世旨意的大画面异象相配合，荣耀基督。

刚强壮胆，公开见证

那么，使徒忠心于基督所托付的使命吗？根据路加的记载，他们当众为基督作见证（路24:48；徒1:8）。路加所说的"见证"，基本上不是对亲友作个人交流式的福音宣讲，这是近来人们把"作见证"和广义上的福音传讲等同起来。细读路加有关"见证"的记述，我们就会发现见证人都是在公开场合下作见证的，[1]为何在法庭和街口公开宣告如此重要呢？这是因为神要实现的远不只是让基督复活这件事在人群中广为流传而已！神要建立一个不可

血；中国人可能不愿意"跟从基督"，因为他们认为这等于要弃绝祖先的传统；游牧民族可能会敌挡基督，因为他们认为所有的基督徒都要住在大城市里，还要说英语。此类错误的观感在我们看来可能是小事一桩、微不足道；然而，对于未得之民中的人来说，这些都是真正的障碍，几乎要他们自绝于社会。西方社会的人无法想像这些有何难以跨越。然而，基督死在十字架上，可不是为了让穆斯林吃猪肉，或者让土著非得穿鞋子。

让人听到福音、在理性上理解福音还远远不够。不论是为了自己还是自己的族类，宣教对象都必须能够从福音中感受到蓬勃的生命气息、属天的大能和充满希望的启示。只有在能反映本土文化基督徒团契的敬拜和生命中，才能清楚地显露出福音的特征。道必须再次在文化中成为肉身！

归主遇到的深谷

- 接纳福音的障碍
- 福音对象面临的挑战
- 跟随基督
- 悔改的神迹
- 基于"P-尺规"[6]
- "身分持守"[7]

跨越深谷：促进跟随基督

这个目标是确保世上每个族群都接受福音，虽然不见得该族群的每个人都会接受。要让人们不会觉得自己蒙基督所召，就必须向自己的文化"死"（弃绝自己的文化或者自己的族群）而抵制基督。这当然有别于传一种轻松皈依耶稣的廉价福音。神呼召所有人真心悔改，而不是归向某种外国的生活方式或教会传统。

撼动的教会。见证人不仅肯定了有关耶稣的各样事实，更是以自己随时甘愿受苦的心志来表明耶稣是配得跟随的。

公开受审的严酷考验，恰恰把基督的跟随者从人群中分别出来，整个教会都在公众的视线中。平民百姓，不论男女，都带着基督的样式登上了公众舞台。即便是仇敌，也不得不承认说他们"是跟耶稣一伙的"（徒4:13）。这些基督徒的生命带给教会这个群体极高的评价（5:13）。作见证是一个过程，不能简化为仓促地聊聊福音而已。初代信徒顺服的见证往往要历经日日夜夜、经年累月才逐渐为人所知。

作见证一定是蒙羞与荣耀并存。彼得和同行的见证人在某一次出席法庭后，便大大喜乐，因为他们发现自己居然配为主的名受苦（徒5:41）。耶稣透过亚拿尼亚传话给保罗，说他被选中"为要把我的名传给外族人、君王和以色列人"。这听起来像是宫廷圣职，其实代价沉重——要在苦难之中作见证。主给保罗的下一个指示则是这样的："我要指示他，为了我的名他必须受许多的苦。"（9:15-16）他们虽然蒙羞，却将基督的荣耀显明出来。

回应：当今如何顺服

作见证不单是个人一对一的分享福音，更是要建造教会；要在没有教会的地方建立教会福音见证，简单表面的口头宣讲是远远不够的。使徒行传中的曲折故事正是建立任何新教会的范例。虽不能排除例外情况，但历史告诉我们，大多数时候，靠耶稣的名而兴起的福音影响必须展现给公众。躲躲藏藏的福音事工迟早会走向衰弱，甚至消失殆尽。生命力持久的福音影响力总是为主的名大胆作见证，同时让自己族群不得不佩服。这是如何发生的呢？通常，普通男女（多是当地的平信徒而非宣教士）因莫须有的指控而被带到公开场合来作见证；正是在这些时刻，跟随基督的真实价值就体现出来了。

忠心推动福音的突破

即使是在耶路撒冷，使徒仍以行动表明他们专注于传讲神的道（徒6:4），并没有裹足不前，反而儆醒、火热，留意福音传扬的情况。只要听到福音在一个地方传开，就立即差派人去确证这事，然后祝福和扶助那里的信徒（8:14-25，11:22）。当教会在犹大、加利利和撒玛利亚兴旺的消息传来时，彼得亲自"周游各地"，帮助当地的教会增长（9:31-32）。

正是在这次宣教之旅中，彼得领受了圣灵进一步的指示。"圣灵对他说：'你看，有三个人来找你！起来，下去吧，跟他们一起去，不要疑惑，因为是我差他们来的。'"（10:19-20）

有人以为彼得在哥尼流家门口就好像一个种族主义者，仿佛彼得低吼着说出这样的话："我就不该在这儿，你们到底要我做什么？"你自己仔细读读彼得的原话。依我看，这话更像是为先前的态度表示歉意，当然也反映出他及时的顺服。"你们知道，犹太人本来是不准和外国人接近来往的，但神已经指示了我，不可把任何人当作凡俗或不洁的。所以我一被邀请，就毫不推辞地来了。现在请问：你们请我来是为什么事？"（徒10:28-29）

在听到圣灵指示将福音带给外族人

的命令短短数小时之内，彼得便动身前往。他走进哥尼流的家门，是圣灵奇妙地打开的；同时，另一扇门在这一天也打开了。神使用彼得和其他使徒让这道门敞开着——这不是指宣教士进入未得之民的门，而是一扇向万民敞开的信道之门，让他们无需与自己的文化割裂就能跟随耶稣。

因为使徒忠心留守在耶路撒冷，他们就一直敞开神为万民打开的这扇门。"从耶路撒冷起"（路24:47）掀起一场席卷全球的福音浪潮。神把使徒聚拢在一起，让他们同心合意，准备好迎接历史上伟大的时刻，就是记载于使徒行传十五章的耶路撒冷会议。此时，福音已经处于危机边缘，几乎要沦为犹太传统的一个分支；竟然，聚集在一处的使徒能够证实神已经"为外族人开了信道的门"（徒14:27）。

一些初代教会的信徒认为，神要所有得救的人完全融入以色列民族的文化和宗教传统。有些人甚至坚持要外族信徒接受割礼，也就是从根本上皈依犹太教，而不是单纯地跟随耶稣，这表示外族人实际上需要离弃同胞才能认识神。然而，神却在使徒行传中明示，尽管外族人应享受与以色列的"属灵"合一，但无需在"文化习俗"上变成犹太人；他们不必离弃自己的家庭、文化、根源和名字就能成为基督的门徒。

彼得提醒其他使徒，神早已启示给他们，生命的道要传到万族中。于是众人就"把荣耀归给神，说：'这样看来，神也把悔改的心赐给外族人，使他们得生命。'"（徒11:18）为叫众人都信服，彼得重述了他的故事、保罗向人们宣讲神在现今所做

> **今天，我们必须尽一切努力，欢迎人们从那扇信道之门来到基督面前，帮助他们跟随基督而无需担负"别的重担"。**

的事情、雅各则向人宣讲神在旧约里的应许现在得以实现。耶路撒冷会议的最终决定，清除了一切障碍，无人可以拦阻神为万民开启的福音之门（15:1-31）。守律法（"律法"在此指宗教和文化传统）不成为救恩的前提条件，[2]世上任何一个民族的男男女女都能够因信得救，在保罗所说的"因信顺服"之中跟随基督（罗1:5）。

在历史上这么大规模的信仰革命中，人们如此迅速而忠实地彻底打破当时的宗教偏见，这样的情况实为少见。实际上，基督教历史中没有几次这么迅猛就决定了历史走向的变革，使得异文化中的人可以在自己的文化中跟随神。使徒见到神向外族人开启了信道的门，他们打定主意，不让任何障碍拦阻人凭着单纯发自信心的自由去跟随基督。

回应：当今如何顺服

今天的我们，反而不像初代信徒那样放胆敞开信仰的门了。许许多多族群被挡在基督的大门之外，无数的人更是直接从福音面前被赶走。可悲的是，驱赶他们的不是基督自己，也不是基督要人发出的悔改；而是那些本意并不坏，但无比热心坚持"基督教传统"的人。他们要求恪守所

谓的"基督教文化传统"，比如饮食、衣着、音乐、姓氏等无伤基本信仰的外在表现。可事实上这些东西根本不是福音的要点。如果我们非要说这些东西是必要的，那我们不得不承认自己原来是在强调一种神根本没有要求的"基督徒割礼"。我们得记住，是神自己打开了信仰的大门，而不是我们靠自己的努力打开的。使徒行传十五章里，耶路撒冷会议表现出的勇敢顺服才是我们应该继承的伟大遗产。今天，我们必须尽一切努力，欢迎人们从那扇信道之门来到基督面前，帮助他们跟随基督而无需担负"别的重担"（徒15:28），就是那些虽有圣经基础却与凭信心顺服基督无关紧要的传统。只有这样，福音才能够传扬各处，让万国万民跟随基督"没有受到什么禁止"（徒28:31）。

附注

1. 马可福音的记载表明他们大有能力地遵行主耶稣的吩咐，丝毫没有提及他们非常缓慢开始（可16:20）。马太福音丝毫没有提及大使命之后发生的事情。约翰福音只是预言到彼得在生命最后完全顺服的行动（约21:18）。

2. "祂的荣耀"不是指基督独自在天上得到的那种尊崇。正如基督详细叙述的旧约经文一样，弥赛亚丰盛的荣耀乃是关系到祂在历史当中得到顺服（赛2:2-4；结37:24-28；诗第二篇，廿二篇，八九篇，一一○篇等许多其他经文）。

3. 耶路撒冷并非他们的家乡。这个事实揭示了许多人对使徒行传一章8节常见的误解，人们以为福音要从家乡到地极逐渐并连续地传播。这种常见的观点把某人的家乡比作耶路撒冷这个城市，例如人们常说的"我们自己的耶路撒冷"。这令人瞠目结舌的民族中心论使得现今的布道工作，与耶稣竭力强调在历史中展开的使命完全脱节。实情是，福音只有一个起头；在神的历史中绝对不会再有另一个五旬节，往后的每一个开创都是当初圣灵的浇灌和顺服产生的果效。我们现在已经在"地极"，不是在重复向"我们自己的耶路撒冷"传福音的那一幕。使徒行传一章8节固然有地理的指示，但丝毫不逊色的乃是其历史性的递进。美国的每一个地方比起亚洲或非洲的任何地方来说，耶路撒冷都是更为遥远。

4. 使徒行传里提及的见证人或见证工作都处于公开场合中（徒1:8、22，2:32，3:15，4:33，5:32，10:39、41、43，13:31，14:3，15:8，16:2，20:26，22:15、18、20，23:11，26:16、22）。

5. 他们决定除了神在挪亚时代给所有人类的要求之外，不能再做额外的要求。禁止拜偶像和吃被勒死牲畜的血显然与神给挪亚的禁令有着密切联系（创9:1-17）。使徒行传（15:20、29，21:25）提到的奸淫是否间接提到创世记里的记载？希伯来人关于流血的起因肯定与创世记创世记六章1-6节中不正当的交合有关联，不管交合的各方是人还是天使，都是如此。这是创世记中第一次非常清楚地记载到神不喜悦的性犯罪事件。

6. "E-尺规"是比较沟通者与接收者之间文化距离的尺度。"P-尺规"则是比较某个族群与现存教会之间社会、宗教和民族距离的尺度。

7. 塔尔曼和安东尼在本书第廿四章讨论了"身分认同"和"身分持守"这两个术语。

研习问题

1. 路加如何说明使徒顺服了他们所受的使命？有什么迹象看出他们拖延了遵行大使命？

2. 何为"见证"？作者把现代一对一的分享和古代公共场合或者法庭的见证区别开来。使徒行传中的公开见证有什么价值？这类见证要多长时间才为人所知？

3. 假设你站在未得之民的角度，你会如何来看"高墙"和"深谷"这两种障碍？

第 23 章　福音传扬的转折点

汤玛斯（M. R. Thomas）

尽管有些人认为新约教会面对的最大危机是教义之争，实则却是文化的冲突。对于早期的信徒而言，生活中没了摩西和律法简直难以想象；因为千百年来，摩西律法早已超越宗教本身，成为赋予犹太人民族身分的根深蒂固的传统。然而，神向保罗启示外族人不必依循犹太人的传统，保罗也意识到不能强迫外族人接受一个混淆恩典与犹太传统的福音。

若是要求初信者遵行一套新的习俗才能成为"神家中的一员"，他们很快就会把行为和因信而得的恩典混淆起来。何况，一旦他们接受了异族文化之后，就常被自己的同胞视为异类。结果使福音动弹不得，无法外展。任何超越圣经的要求都无异于给人套上枷锁，在圣经之外添加任何东西都是画蛇添足！这一点虽然不言自明，却常常被我们忽视。纵观宣教历史，人们不断陷入这一误区，导致冲突。直至今日，我们仍然忍不住要对恩典的福音做一些修改补充，这岂不是重蹈覆辙？

耶稣在世上的事奉

主耶稣颁布给祂的跟随者一个大使命，让他们往普天下去使万民作祂的门徒，意思是要他们在耶路撒冷、犹太全地、撒玛利亚，直到地极作祂的见证。耶稣和门徒同在的时候，向他们显明自己是神的儿子，并为了前面的使命来训练他们。耶稣告诉他们："父怎样差遣了我，我也怎样差遣你们。"（约20:21）此外，耶稣应许圣灵会赐给他们力量并且引导他们。五旬节那天，宣教大业隆重地拉开了序幕；圣灵如约而至，门徒们把福音传给了一大群"从天下各国来的虔诚的犹太人"（徒2:5）。人们对福音反应强烈，有成千上万的人随即信了耶稣。使徒行传一至十二章记载了福音在十四年间从耶路撒冷拓展到安提阿的历程。

作者是印度人，数十年来带领印度人作基督门徒的工作有宝贵的心得。目前，他在印度一家大型资讯技术公司工作，同时继续在印度教徒中服事。

福音传给犹太人

这是一个独特的时期：福音浪潮几乎发生在每个犹太社区中。神用了两千年的时间，预备犹太人来迎接他们的弥赛亚；犹太人在摩西律法、先知书和诗篇中读到神的话，他们谙熟弥赛亚的故事，并对弥赛亚来临这一应许有着坚定不移的信念。早期的门徒认为福音就是弥赛亚预言的实现，笃信耶稣就是所应许的弥赛亚。

有关耶稣的真理以及他们见证耶稣死而复活的亲身经历，都催逼着犹太基督徒把福音带到整个犹太世界。而福音又如此自然而然地融入到已存的犹太宗教礼仪中，他们的活动一如既往，以圣殿为中心，也继续遵守犹太传统、习俗和节期。在他们看来一切如常，唯一不同的就是如今他们找到耶稣这位弥赛亚。在他们的观念中，犹太教现在得到印证，古老的经文得以应验。不过，大多数的犹太基督徒并没有意识到，他们只是神亲自展开的这项全新的普世工作中的一部分。

福音也传给外族人

只有为数不多的人洞察到基督教所带来的巨变。司提反肯定已经意识到福音不是犹太教所独享的，圣殿及相关的礼仪和体系都属于昔时之物。由他被捕时所作的辩护显明他深知神的旨意。他被带到公会受审，罪名是"抨击圣地和律法"以及说过"这拿撒勒人耶稣要毁坏这地方，改变摩西传给我们的规例"（徒6:13-14）。司提反引用以赛亚书六十六章1-2节作出回答，反映出耶稣和井边妇人谈道时所提到

的根本性改变——"时候将到，现在就是了，那用心灵按真理敬拜父的，才是真正敬拜的人。"（约4:23）

司提反被人用石头打死，随后的大逼迫使许多犹太基督徒逃离耶路撒冷。对于这些人来说，圣殿不再是他们敬拜的中心；福音得跨越地域，向外广传。"那些因司提反事件遭受苦难而四散的门徒，一直走到腓尼基、塞浦路斯、安提阿；他们不对别人传讲，只对犹太人传讲。"（徒11:19）不过，这些基督徒始终相信耶稣只属于犹太人。在他们的观念中，他们才是福音的"继承人"；可是他们中的一些人"也对希腊人传讲主耶稣"（11:20）。这一点意义非比寻常。

这实际上成了宣教历史上的转折点！神祝福他们的工作，并且"主的手与他们同在，信而归主的人就多起来"（11:21）。这一事实开启了向外族人传福音的浪潮，这波浪潮随着保罗、巴拿巴和其他使徒离开安提阿而涌现。使徒行传十三至廿八章记载了福音如何传到外族世界，整个过程充满了张力和许多冲突；但正是如此，神永恒的目的才得以明朗，为人所认识。

深入了解犹太基督徒和外族基督徒世界的巨大差别，能够帮助我们理解初代门徒所经历过的艰难挣扎，并从中学习功课。不过其中有一个例外，还在保罗从安提阿出发向外族人传福音以前，福音就已经超越犹太模式，传到了外族人的家。这个特例就是使徒彼得去了"敬畏神……常常向神祷告"的罗马军官哥尼流的家中（徒10:2）。彼得是受圣灵催逼而去的，他甚至对这位接待他的外族人说："你们知

道，犹太人本来是不准和外国人接近来往的。"但是神早已在彼得身上动工，以致彼得能够坦言："但神已经指示了我，不可把任何人当作凡俗或不洁的。"（10:28）彼得已经克服了自己一个重要的心理障碍，所以当他听到哥尼流的陈述，马上有了新的看见，惊叹道："我实在看出神是不偏待人的。原来在各民族中，凡敬畏祂而行义的，都蒙祂悦纳。"（10:34-35）

彼得因着这样的认识，就开始向聚集在哥尼流家的人讲解福音。他话音未落，神就赐下圣灵，以此印证方才所讲的信息。犹太信徒"因为圣灵的恩赐也浇灌在外族人的身上，都很惊讶"（10:45）。可是彼得回到耶路撒冷后却遇到了麻烦，那里的犹太信徒批评他："你竟然到未受割礼的人那里，跟他们一起吃饭！"（11:2-3）彼得就把发生的一切都讲给他们听。那些批评他的人只好承认："这样看来，神也把悔改的心赐给外族人，使他们得生命。"（11:18）

这些小插曲让我们窥见早期门徒在明白神的作为和开展福音的过程中所经历的挣扎，然而最大的难处还在后头。神拣选保罗去向外族人传福音，想必保罗也是花了几年的时间才领悟到神对犹太人和外族人的心意。他最终认识到基督的福音不同于犹太律法和传统，救恩是因着对耶稣基督的信心而得，与律法无关；也开始意识到恩典的福音是关乎全人类的，不分犹太人和外族人。这样的认识并非出于保罗自己的凭空想象，而是神的启示。神"为外族人开了信道的门"之后，保罗和巴拿巴在第一次宣教旅程中所传讲的就是此信息（14:27）；当时，许多外族人归向基督，

福音的种子播撒到外族人当中。

一些可能来自耶路撒冷和犹大地区的犹太信徒不认同保罗所传讲的信息。他们宣称："你们若不照摩西的规例受割礼，就不能得救。"（15:1）于是，这些人到处去"修正"保罗传讲的福音，因为他们认为保罗的福音信息遗漏了割礼的必要性，保罗没要求外族人遵守犹太人的风俗，也没教导他们守犹太人的节期。听到这一切，保罗怒不可遏。

在耶路撒冷大会上，一些犹太基督徒坚持"必须给外族人行割礼，吩咐他们遵守摩西的律法"（15:5）。请特别留意使徒和长老评析整个事件的经过，以及最终作出结论的依据。他们争论了许久之后，彼得回忆起在哥尼流家中发生的那一幕以及从中得到的看见。他说："神也为他们作证——赐圣灵给他们，像给我们一样；而且祂待他们和我们没有分别，因为借着信，祂洁净了他们的心。"（15:8-9）彼得接下来说的一针见血："现在你们为什么试探神，把我们祖先和我们所不能负的轭，放在门徒的颈上呢？"（15:10）紧接着是保罗和巴拿巴发言。"大家都静默无声，听巴拿巴和保罗述说'神……在外族人中所行的神迹奇事。'"（15:12）最后雅各发言了。他引用阿摩司的话来呼应彼得所言："所以我认为不可难为这些归服神的外族人。"（15:19）

福音今日依然不变

那是一个决定福音的纯正，以致扩展的关键日子，福音的精髓与其犹太文化背景区分开来。试想如果保罗在那场辩论中

败北，这"好消息"能传多远呢？基督的追随者所掀起的这一波被称为"这道"的浪潮或许会落得与犹太教其他几百个派别同样的命运，消失在历史的长河中。然而神却精心成就了一个巨大的改变：跟随基督的外族人无需依循犹太文化传统。神诚然为外族人开了信道的门。

第一世纪的门徒必须把耶稣普世的荣耀从犹太教的文化模式中区分出来，然后才能遵循大使命，把福音传给万民。我们今天面对的挑战也是如此，一定要把耶稣从我们的宗教传统中区分出来，把耶稣从"我们的"基督教中区分出来，也绝对不能使福音受限于耶稣基督的恩典之外所添加的种种规条。同时，我们还要乐于接受不同族群的人们依循其特有的文化方式，来全心全意地跟随耶稣。只有这样，福音才能够不受限制地得以广传（徒28:31）。

研习问题

1. 现代基督徒在圣经教导之外给信徒加了哪些文化规则？
2. 宣教士群体应如何判断初信者的哪些习俗可以保留，哪些应该抵制？

第24章 身分认同和身分持守

哈利·塔尔曼（Harley Talman）

在真正遇见穆斯林之前，我学了一门介绍伊斯兰教的课程；了解到穆斯林对基督教抱持的观点，他们对基督教神学的错误认识使我大为震惊。后来，我从一些宣教学者那里了解到，文化、社会及社群等因素也阻碍穆斯林跟随基督，而且这些因素恐怕比神学上的阻力更大。

身分认同（Become Like）

多年前我搬到一个穆斯林国家，立志与当地穆斯林认同、接受他们的文化，效法使徒保罗的做法。正如哥林多前书九章19-22节所说的那样：

> "我虽然自由，不受任何人管辖，但我自愿成为众人的奴仆，为的是要多得一些人。对犹太人，我就作犹太人，为了要得着犹太人；对律法以下的人……我……作了律法以下的人，为了要得着律法以下的人。对没有律法的人，我就作了没有律法的人……为了要得着没有律法的人。对软弱的人，我就成了软弱的人，为了要得着软弱的人。对怎么样的人，我就作怎么样的人；无论如何，总要救一些人。"

保罗入乡随俗的做法是有道理的。不管是持守旧约传统的犹太人，还是不受"摩西律法"约束的外族异教徒，甚至因宗族规条而无法享受基督徒自由的"软弱"者，保罗都愿意变得像这些人，为的是得着他们。

出于这种考虑，我像本地人一样地穿着打扮，像虔诚的穆斯林一样留大胡子，融入他们的文化，钻研他们的宗教。因此常有人问我："你是穆斯林吗？"自然而然地，我就有很多机会分享基督信仰。

此外，我也研习古兰经，背诵有用的经文。久而久之，我便能够使用阿拉伯谚语、伊斯兰教中的概念和古兰经中的经文，来和他们分享基要的圣经真理，纠正他们对福音的误解和反对意见。我发

作者曾参与恩光使团（Christar），多年在中东和非洲从事植堂和神学教育。他在达拉斯神学院取得神学硕士学位，之后在富勒神学院跨文化学院获得博士学位。

24-1

现，当我愈"像"那些穆斯林朋友，他们就愈容易理解圣经真理，愈有可能归信基督。

身分持守（Remain Like）

可是，穆斯林归信基督后发生了什么事呢？在穆斯林接受福音后，就有人鼓励甚至迫使他们变得像他们社群中的本土基督徒，或是像外国宣教士；因此，他们不只转变了信仰，还在文化、生活方式、宗教身分和习俗等方面发生"改宗"。他们变得"像基督徒"，加入不乏挂名基督徒的基督教群体，结果招致穆斯林群体的迫害与驱逐。这倒未必是因为他们跟随基督，而是由于他们给家人带来的羞耻、对原有文化的拒绝，以及对原属群体的背叛。这种情况非但不幸，也常是不必要且不合乎圣经的，与使徒保罗在哥林多前书七章17-20节的吩咐背道而驰：

"不过，主怎样分给各人，神怎样呼召各人，各人就要照着去行事为人。我也这样吩咐各教会。有人受了割礼而蒙召的吗？他就不要遮掩割礼的记号。有人未受割礼而蒙召的吗？他就不要受割礼。割礼算不得什么，没有割礼也算不得什么，要紧的是遵守神的命令。各人蒙召的时候怎样，他就应当保持原来的情况。"

这一属灵原则的核心在于让信徒"守住蒙召时的身分"。虽然这段经文的上文论到各人守住自己的婚姻状况，这一原则也是应用于宗教、社会及文化身分方面。假如有人信主时是已受割礼的犹太人，那

> ## 这一属灵原则的核心在于让信徒"守住蒙召时的身分"。

他无须（透过外科手术，林前七章18节）改变现状。同样，外族人也无须接受割礼、遵守摩西律法和犹太人的生活方式。在任何情况下，身分持守都涉及社会、文化甚至宗教等方面。

使徒保罗提倡"身分持守"是出于什么理由呢？这段经文至少体现了三点：第一，"主怎样分给各人"情况（7:17）。这是人蒙召时的处境，是神赐给的境况。第二，信徒可以仍旧与不信的配偶同住，而不算为玷污。事实上，因着信神的一方，不信的配偶也会成为"圣洁"（7:14）。第三，守住各人的身分可以把救恩带给同伴（7:12-16）。

放到每个人所处的社会群体中，这个主张及其理由同样适用。神差派跟随基督的穆斯林在穆斯林社群中传福音，信主的穆斯林不会因为和生活方式相同但不信主的穆斯林打交道而被玷污；相反地，因为神的旨意，信主的穆斯林反倒让他原属的社群得着"圣洁"。最重要的是，继续留在原属的社群，神救赎的福音便可以在信主的穆斯林的人际关系中发挥影响，从而带领更多人归向基督。

身分认同与身分持守

明白这两个真理对于推动福音传播至关重要。很多宣教士意识到，在他们前去

传福音的社会中，为了得着更多人归主，他们必须多方与当地社群身分认同。但事实上，若要兴起大规模归主影响，外来宣教士还需要帮助本地信徒持守身分。我的朋友说得好："我们要认同他们，他们就能在持守身分中跟随主。"这句话听起来不错，但怎样实行出来呢？

我的同工团队目前在非洲针对穆斯林进行处境化的事工。虽然当地政治局势不稳，甚至还有人身危险，但我们已经适应了当地的非洲文化及宗教，努力透过全面的人道关怀工作来表达神的爱。我们培训长老（当地部落的首领和村中的元老）来做社区健康发展的工作，这个工作为我们开启了一扇门，可以教导他们有关心灵上的健康和福音的信息。我们表明得很清

附篇
24-1　新造的人　　大卫·安东尼 (David Anthony)

我在穆斯林中服事的二十五年就如一段旅程，陪伴过许多人走上跟随基督的道路。他们一旦跟随基督，就得面临弃绝自己同胞和文化的挣扎。我所能给予他们的最好帮助，就是和他们一起读圣经，祈求圣灵教导我们，帮助我们一起找到解决之道。站在他们的立场读保罗书信，使我得以透过他们的视角领悟保罗的教导。

我们认真研读保罗写给哥林多信徒的信，可以发现他沟通福音的策略说到底其实很简单，就是"身分认同"——向什么人、作什么人。他竭力与福音对象的身分认同，"为的是要多得一些人。"他在哥林多前书九章19-22节中说他甘愿受管辖，甚至成为众人的奴仆，为的是要多得一些人。在这短短的几节经文中，保罗五次提到他与福音对象的身分认同；也是在这几节经文中，保罗五次说明他这样做的目的："为的是要多得一些人"或"总要救一些人"。这些话深深触动了我。我意识到自己在穆斯林中应该扮演的角色，所以竭力地与他们的身分认同。

然而，我发现我的穆斯林朋友却误以为他们应该和我认同，反倒想要追随西方的教会传统。我们看到保罗也曾努力解决这一问题。在哥林多前书七章17-19节，保罗说道："神怎样呼召各人，各人就要照着去行事为人。"他又在20和24节两次重申了这一原则："弟兄们，你们各人蒙召的时候怎样，就应当在神面前保持这原来的情况。"

保罗在17节直接点明对这一点的强调，他说："这是我在各教会订下的原则（中文圣经简明译本）。"那么，这"原则"具体指什么呢？或许有人说这段经文只是论及婚姻。不过，紧随其后的一节就讲到了割礼，这是概括针对遵守犹太宗教传统而说的。

"有人受了割礼而蒙召的吗？他就不要遮掩割礼的记号。"我们可以这样来解读保罗所提的这个问题："如果有人在开始跟随基督的时候还遵循着犹太传统，那他就无需设法

楚，不会要求他们改变自己的身分以改信 "基督教"；我们强调的是，他们要成为追随弥赛亚耶稣的忠心门徒和神国的子民。

按照传统的决策过程，酋长们对我们的新教导进行考量，最后达成共识。结果，一百多位穆斯林长老相信主耶稣是弥赛亚，相信祂有权柄赦免他们的罪。他们继续祷告礼拜和守斋戒，只不过，现在是照着耶稣的教导而作（比较马太福音六章）。

最重要的是，他们能带领部落中数以千计的百姓，在保持穆斯林身分和文化的前提下，像他们一样效忠基督和圣经的权威。可以简单这么说：我们要作身分认同，如此他们就能在持守身分中跟随主。

脱离那些传统。"

"有人未受割礼而蒙召的吗？他就不要受割礼。割礼算不得什么，没有割礼也算不得什么。"（7:18-19）。我们可以这样来诠释保罗所提的这个问题："如果有人在开始跟随基督的时候并没有遵循犹太传统，那他就不应该试图在文化上归附于犹太传统。"

对于保罗所说的这个 "原则"，我们可以这么理解：保罗鼓励新信徒和教会保持他们原有的社会和文化环境，而非采纳另一种文化。

有人认为宗教身分是借着犹太割礼而得，如果宗教身分算不得什么，那什么才是要紧的呢？保罗在接下来的论述中指出："要紧的是遵守神的命令。" 现在保罗的策略就一目了然了，那就是：传好消息的人透过 "身分认同"，让那些得救的人可以 "保留身分"。简言之，"我与你身分认同，你保留原有身分；我们一起顺服神的旨意"。

若是继续查考，便会发现使徒保罗在加拉太书中也有同样的论述："受割礼或不受割礼，都算不得什么，要紧的是作新造的人。"（加6:15）

与哥林多前书七章7-17节无异，保罗在这里用 "准则" 来描述一个普遍的指导性原则："所有照这准则而行的人，愿平安怜悯临到他们。"（加6:16）显然，保罗所说的 "准则" 并非强制遵守的一条律法，而是在外族人跟随基督的新兴浪潮中作为普遍的指导原则。

当我们按着这个原则来对待新信徒的时候，我们会欣然看到这些基督里新造的人在他们自己的文化中，也可以活出彰显像基督的新生命。这股不同文化归主的浪潮现在仍在穆斯林世界中壮大，不，不是穆斯林世界，而是在整个旧世界中成为新创造，新造的人！

作者与妻子在穆斯林中生活并开展门训已有二十余年。他们一直参与将福音 "植入" 五个不同穆斯林族群的工作。

第25章　使徒保罗与宣教重任

葛伟骏 (Arthur Glasser)

作者在富勒神学院任教多年，是该校宣教学院神学、宣教以及东亚研究的荣休系主任和资深教授。他曾参与中国内地会在中国西部的事奉，并担任北美 OMF 的国内部主任达十二年。他于1976至1982年间担任《宣教学》杂志编辑。本文摘自作者合著的 *Crucial Dimensions in World Evangelization* (1976年)。版权使用承蒙许可。

使徒保罗这个拉比，曾经是专门逮捕初期基督徒的狂热逼迫者，后来居然成为了"蒙召作使徒，奉派传神的福音……在万族中使人因祂的名相信而顺服"（罗1:1-5）的人。保罗的故事震撼人心，他的转变很可能也是史上最令人称道的转变。这个故事讲述了保罗如何奠定外族人教会的根基，所带动的宣教影响持续至今。

五旬节圣灵降下之后，教会便显出向外传播生命的能力，一颗颗愿意敬拜神、委身于神的心被点燃了；神的大能激励他们，迫不及待把基督耶稣的福音传出去。我们在使徒行传二章12节中发现当时教会向"近邻传福音"的一些契机，传耶稣是弥赛亚的犹太会众在规模和数量上都迅速扩张，信徒也勇于面对逼迫；然后福音在撒玛利亚地区一下子传开了，而彼得也把福音传给哥尼流及其家人，哥尼流一家成为最早的外族基督徒；接着，神呼召并转变了扫罗这个逼迫教会的狂热分子。我们现在就来讨论这个故事。

使徒保罗最早以扫罗的身分在新约中出场。当时这个年轻人看到司提反被石头打死感到欣欣鼓舞（徒8:1），还凶残地逼迫日益壮大的犹太基督教福音拓展。他于是展开迫害基督徒的雄心壮志，却在一次去大马士革的路上，突然被耶稣基督得着（腓3:12）；就在最初遇到基督，经历了悔改、降服和信心开启之同时，保罗接受了宣教的呼召。他后来这样写道："（神）既然乐意把自己的儿子启示给我，使我可以在外族人中传扬祂。"（加1:16）

保罗必须学习如何传扬福音。他领悟到该怎么做：

> "我……差遣你到他们那里去，开他们的眼睛，使他们从黑暗中归向光明，从撒但的权下归向神，使他们的罪恶得到赦免，并且在那些因信我而成圣的人中同得基业。"（徒26:17-18）

这个过程也就是先使人发现自己生命的需求，再认识到这位神足以供给他们的需要。然而若要得到拯救，得到从圣灵而来的生命，就必须为罪悔改，接受耶稣为自己的主，弃绝撒但在生命中的权势。只有这样，人们才能罪得赦免，得以与教会其他弟兄姐妹的生命相连结，一同敬拜神。保罗欣然地接受了这种传福音的方式，其实这也是耶稣在地上的事工中采用的方法；他先前设法摧毁耶稣的追随者，如今却竭力宣扬耶稣就是犹太民族所等待的弥赛亚，也是世界的救主。自那时起，保罗一直忠心不悖这从荣耀的基督而来的"天上的异象"（徒26:19-20）。

使徒型团队的重要性

使徒行传第十一章把故事推向了高潮。我们在此看到，神在地中海地区第四大城市安提阿，建立了一个外族信徒占大多数的教会。神又定意使这教会成为福音向地中海西部地区推进的关键。起先由若干规模不大的"家庭式教会"组成，迸发着惊人的活力，以致耶路撒冷教会差派了巴拿巴去支援他们的事工。后来巴拿巴又去找充满精力和恩赐的保罗来帮助建造初信的人。这两人合力带领教会长达一整年的时间。安提阿教会有不少显著的特点，例如大都会的地理位置、福音差传的热心、良好的教导以及慷慨的奉献之心。不仅如此，使徒行传十三章1-5节指出，安提阿教会对主的事情满有负担，谦卑俯伏在主的面前，"事奉主，并且禁食"。

到底碰到了什么难题，他们这样禁食祷告？教会领袖禁食，表示他们决心寻求神的指引：教会肩负着怎样的责任？又该怎样把福音带到安提阿之外地中海的各个族群呢？安提阿的基督徒坚信福音应该分享给所有的人，然而，要怎样分享呢？之前"邻近地区，自发差传"的模式，只在同质文化体系中才管用。现在，他们需要

的是一种更加组织化的方式，这种模式必须能够克服诸如地理、语言、文化、种族、社会甚至经济等一切障碍。于是，安提阿教会禁食祷告，无比迫切！

他们回应了圣灵的带领，踏出了前无古人的关键一步。"他们组织了第一次后世称为'海外宣教'的事工。"[1]圣灵指派巴拿巴和扫罗成为该事工的创始人，而教会只不过是"派他们去了"（徒13:3），因为从本质上说，他们是"奉圣灵差遣"（13:4），这一切都出于圣灵的权柄和指派。

由此，我们得出一个必然的结论：在神眼中，堂会型架构和流动宣教团队模式都是合宜的。二者中没有哪一方更配称为"教会"，因为两者都是神的子民生命的外在表达。的确，圣经这里的记载会挑战普遍为人接受的教会和差传观念，因为很多人认为"本地教会是新约宣教事工的差派主体，也是宣教的媒介和权威所在"。[2]而且也无法证明保罗

> 是地方性教会（在一个固定地方的神的子民，有可见的堂会生活，也与其他堂会互相联络合作）差遣的，保罗一方面拥有使徒的权柄，另方面感到还是要向当地教会负责。[3]

流动型宣教团队大致上是自给自足的。在经济上自给自足，当然也愿意接受当地教会的捐献；自己安排招募和训练，必要时根据纪律训诫成员。由圣灵指引方向，如同以色列在旷野一样，有带领者，有跟从者。

宣教团队是使徒性的。队员视自己为

神向未得之民所差派的使节，"在信与不信的界线之间来回穿越，好为基督得着那些还处于不信之地的人"。[4] 只有当无新的领域可拓展，也就是耶稣基督再来，万民都伏在祂至尊的权柄之下时，这种宣教型团队模式才没有必要存在。

自这时起，使徒型团队就采用使徒保罗的宣教方法来作工。使徒行传十四章21-23节如此描写使徒型团队的工作流程：

● 传扬福音
● 使人作门徒
● 把信徒带入群体生活，使他们活出基督肢体和彼此相顾的生命，并作天国福音的管家。
● 组织信徒成为堂会，叫他们互相委身，遵从圣灵的命令和管教。

第一次宣教之旅结束后，队员们乘船回到了安提阿，"召集了会众，报告神跟他们一起所行的一切，并且祂为外族人开了信道的门"（徒14:27）。

使徒型团队的策略

那么，使徒型团队在追随神所给的宣教异象时，采用了什么策略呢？这策略似乎包含两大目标。第一，在宣教之旅早期，团队力图探访所有散落在罗马帝国疆土上的犹太会堂，第一站就是小亚细亚。既然福音的对象"先是犹太人"（罗1:16），这种做法显然顺理成章。而保罗也确实投身于此。那时候，基本上每所犹太会堂都有入教的外族人，也有"敬畏

神的外族人"，后者已经摒弃异教偶像崇拜，被犹太教－神论伦理吸引，但尚未皈依犹太教。保罗深知，在这些犹太会堂里有神在外族人中已经作工的证据，也只有在犹太会堂里，他才能同时接触到犹太人和外族人。若是某地的犹太会堂大部分会众敌挡福音，保罗就把精力投在其中回应福音的犹太人和外族人身上。我们可以回想保罗在彼西底的安提阿对敌挡的犹太人是怎么说的：

"神的道，先讲给你们听，是应该的。但因为你们弃绝这道，断定自己不配得永生，所以我们现在就转向外族人去了。因为主曾这样吩咐我们说：'我已立你作外族人的光，使你把救恩带到地极去。'"（徒13:46-47）

按现代的观念来看，早期向这些犹太人和外族人传道的工作还不能算"宣教"，所谓宣教是指到那些不信神的人中去。可是犹太人已经拥有了"嗣子的名分、荣耀、众约、律法、敬拜的礼仪和各样的应许"，"蒙拣选的列祖也是他们的祖宗；按肉身来说，基督也是出自他们这一族。"（罗9:4-5）使徒保罗就向他们分享了这样的好消息：弥赛亚已经来了，还有祂钉十字架和复活的意义。每次当犹太人敌挡这福音，保罗就用神已经在悔改的外族人中间所作的奇妙大工，来"激起我同胞的嫉妒之心"（罗11:11、14，标准译本）。神对自己在古时拣选的子民工作尚未完成；对犹太人宣教仍然是当今教会的首要任务，毕竟福音的对象"先是犹太人"。

使徒保罗宣教策略的第二大目标，是在凡有犹太人回应福音的地方，建立称颂耶稣基督的弥赛亚会堂；在以外族人信徒为主的地区，便建立外族教会。公元一世纪是犹太教宣教活动的繁盛时期（太23:15）。"敬畏神的"希腊人虽被犹太教的道德高度、聪明程度、严谨的生活方式以及健全的家庭生活吸引，却大多止步于割礼这个仪式，没有完全成为犹太人；保罗定意得着这些灵里饥渴慕义的外族人，在兴起中的基督教福音浪潮成为希腊堂会的核心力量。

路加这样写道："全亚西亚的居民，无论犹太人或希腊人，都听见了主的道。"（徒19:10）他是指宣教型团队的足迹大概已经遍布亚细亚，这个地区位于现今土耳其的西南部。他还表明，由称信耶稣基督的犹太人和得救的希腊人组成的全新教会，也齐心合力地参与传扬这一信仰。

教会与宣教

"为了这事，我也被派作传道的和使徒（我说的是真话，不是谎言），在信仰和真理上作外族人的教师。"（提前2:7）保罗定意要见到教会成长，他的确把福音看作教会最主要且不可替代的任务：就是向所有人传扬福音，又要将所有信了福音的人归入教会信徒相通的生活。他感到，只有致力于大量兴起新的教会，才有可能在他的世代将福音传开。作为使徒，又是使徒型团队的一员，保罗必须身先士卒走到福音的最前线去。

这必然意味着，保罗要让自己的宣教

型团队和他蒙神祝福所建立的新兴教会建立好的关系，成为事工的基石。因此我们就能理解保罗为何会忙于从外族教会中收集奉献来赈济犹太教会（罗15:25-27），因为他看重神要"使他们都合而为一……让世人相信"（约17:21）的旨意，为此而努力。

保罗以身作则，悉心教导、提醒大家，教会承载了使徒的呼召；神已经差派教会进入世界，走出去，将福音带给邻舍及远处的人。他们的任务是带领那些尚未称信基督为王的万民进入神的国度，因为基督也为他们付上了生命的代价。

保罗希望本地教会和流动宣教团队相互密切关系。罗马书把他的这种愿望表达得很清楚。这时他的宣教生涯已经走了大半，其团队在地中海东部地区的差传也刚好告一段落；他可以自豪地这么说："我从耶路撒冷直到以利里古（如今的巴尔干半岛地区），把基督的福音都传开了。"（罗15:19）但是，地中海西部地区还没有从属灵的黑暗中走出来，只有散落在罗马各地的犹太人信徒和外族人信徒，在其中摇曳着一线光明。显然，保罗多年来在迫切的祷告中，在筹划未来的事工时，心中都想着这些信主的群体（15:22）。

于是，保罗提笔写下了伟大的罗马书。保罗"以事工念兹在兹的神学家"精心挑选了一些主题展开论述，以预备罗马基督徒接受他的宣教策略。首先清楚地论述罪性和罪行（1:18-3:20）、称义和救赎（3:21-25）、恩典、圣灵内住与能力（6:1-8:39），以及神定意透过教会救赎外族人世界（9:1-11:26）这些主题。之后保罗才向罗马的信徒揭示自己的策略：他们

将预备自己成为第二个安提阿教会，作使徒型团队向西班牙和地中海西部地区宣教的新兴基地（15:22-24）。这样，罗马众教会要扮演一个重要的角色，就是为保罗及其团队提供训练有素的工人；更为重要的是，在经济上和祷告上支持。这封信的对象是身在异教大城的一群坚定的"家庭式教会"，唤醒他们关注自己地界之外的未得之民。透过在宣教中的顺服，罗马信徒就会明白自己身分的新含义——他们既是被神所差，也是为神差派他人的（1:11-15）。他们是教会和差会的组成元素，无论是固定堂会还是流动的宣教团队。如此，"这天国的福音要传遍天下，向万民作见证，然后结局才来到"（太24:14）。

受苦的策略

最后，我们来看宣教的另一个元素。当我们研究使徒保罗的宣教生涯时，很难不被他一生所经历的各种苦难所打动。当主耶稣召他成为使徒时，主说："我要指示他，为了我的名他必须受许多的苦。"（徒9:16）虽然保罗从主得到了自由，但他明白，这一自由不是让他据为己有，而是为了使自己能够把神的爱带给所有人。根据新约里的用词惯例，"主"这个词表示奴隶的主人；虽然今天我们比较习惯把自己当作神的"仆人"，但保罗时代的基督徒并不这么认为。保罗知道，若要与主一起同工，自己就要成为"众人的奴仆"（9:19-23）。

这就将我们带入基督徒信仰历程和事奉的最深处，信徒的生命与自身所处的时代，以及阻挡福音救人灵魂的灵界势力相互角力，是无可避免的。事实上，保罗所有的书信（除腓利门书）都提到撒但如何无休无止地阻拦神的计划。我们若不明白这一点，就很难得见保罗的心思和信仰历程（例如帖撒罗尼迦前书二章18节）。

如他提到"不法的事"、"属这世界的污灵"、"这世代的神"以及"执政的和掌权的"。他完全了解仇敌对付福音的各种诡计。保罗的宣教策略处处提及"这个世界的权势"。尽管仇敌仍旧喜欢在保罗面前张牙舞爪、假装强大，但保罗很清楚，基督在十字架上已经胜过了它们（西2:8-15）。他深知，我们靠着信心与基督的爱，借着祷告、顺服、甚至患难，就一定能胜过这些属灵权势。所以保罗如此写道："我们受患难原是命定的。"（帖前3:3）这句话突显出一个至高原则：若是信徒没有心志"补满基督苦难的不足"（西1:24），福音就不能真正进入人心，神在万民中的儿女，也无法聚集成为教会（约11:52）。

保罗这里所说的"基督的苦难"，显然不是指基督在十字架上为我们赎罪而受的苦。那个苦难只有基督能够承受，并且当祂终于完成这伟大的救赎时，祂大声呼喊："成了！"即是说，基督救赎大工一次并永远地完成了（来9:26）。

保罗提到"苦难的不足"，这是指基督在地上公开事奉期间，为了满足事工的所有需要，因完全投入而在身体、情感和灵性上遭受的难处。基督经历了身体的疲乏困顿，遭遇过极大的敌意（"祂到自己的地方来，自己的人却不接受祂"，约1:11）和属灵的敌挡。这些苦难一定会临到所有愿意专心委身于基督并事奉祂的人身上，在他们寻求为福音公开作见证的时候尤为如此。这些苦难之所以"不足"，从某种意义上说，是因为世世代代属神的人都必须自愿接受苦难，才能完成宣教重任；而只有到那时，基督徒"受苦的特权"才算结束。然而时至今日，在"热切地追求那些更大的恩赐"（就是爱，哥林多前书十二章31节）的人身上，这依然是我们的特权；不付上这个代价，我们事奉基督也难见果效。

我们必须要认真思想这其中的含义。灵界一直真实存在，恶魔也从不会心慈手软——对那些定意要事奉主的人尤其如此。保罗的经历就是这样，他甘愿以为主受苦当作兵器，胜过仇敌。

若是保罗今天在我们中间，他会呼吁我们奋起反击所有阻挠神宣教旨意的事物——包括各种宗教组织、知识体系（各种主义和学说）、道德秩序（规条和习俗）、政治体制（暴君、经贸、教育、法庭、种族和国家各方面）中的权势。[5]

我们这个世代迫切需要听到一个好消息，就是神的国已经借着胜过一切敌对势力的主临到我们；然而，凡为主的名事奉的人都要受苦，十字架仍然代表苦难。难怪保罗激励天国的同胞要"穿戴神所赐的全副军装"。因为只有这样，他们才能"敌挡魔鬼的诡计"（弗6:10-18）。穿军装显然表示要整装上阵，让我们永远铭记在心，事奉基督肯定少不了面对属灵争战和遭受苦难！

附注

1. Neill, Stephen, *The Church and Christian Union* (London: Oxford University Press), 1968, p. 80.

2. Peters, George W., *A Biblical Theology of Missions* (Chicago: Moody Press), 1972, p. 219.

3. Cook, Harold R., "Who Really Sent the First Missionaries?" *Evangelical Missions Quarterly*, October 1975, p. 234.

4. Bocking, Ronald, *Has the Day of the Missionary Passed?* Essays on Mission, No. 5. (London, London Missionary Society), 1961, p. 24.

5. 尤达（Yoder, John Howard）著，《耶稣政治》（*The Politics of Jesus*）廖涌祥译，信生出版社 (Grand Rapids: William B. Eerdmans Publishing Co.), 1972, p. 465。

研习问题

1. 作者认为保罗写作罗马书的目的，是让罗马基督徒为他的宣教策略做好预备。请简述这一看法。

2. 保罗在自己的使徒型团队中采用了什么策略？

3. 作者提到使徒型事工总会遇到苦难。原因何在？

第26章　神计划中的教会

霍华德・斯奈德（Howard A. Snyder）

作者现任加拿大多伦多安大略丁道尔神学院卫斯理研究学教授，先后在巴西圣保罗和伊利诺州芝加哥担任牧师和神学院教授。著作等身，代表作有《皮袋的难题》（*The Problem of Wineskins*），*Community of the King*，以及 *Liberating the Church*。本文摘自 *Community of the King*（1977年）。版权使用承蒙许可。

神宇宙性的救赎计划宏伟远大，祂的心意远不止于在天堂塞满得救的灵魂。圣经论到神对整个受造界都有计划，而教会在其中扮演着核心的角色。圣经阐明了教会的本质，并为其定下使命。

大家庭的主人

以弗所书前三章非常简明地阐述了神的宇宙性计划。保罗谈到"神的旨意"（弗 1:1），祂的"旨意"和"自己所喜悦的"（弗 1:5），以及"祂照着自己在基督里预先安排的美意，使我们知道祂旨意的奥秘"（弗 1:9）。保罗反覆提到神按自己的旨意"拣选"、"委派"并"命定"我们。

请留意以弗所书一章 10 节中"计划"这个词，其原文是 *oikonomia*，源于"家室"或"家庭"一词，指对整个家庭的监护，或为家庭管理而作的计划或安排。也就是"这个大家庭中以神为主人，在祂智慧安排之下妥善管理"。[1]

保罗在此处视神的计划为一个与整个受造界有关的宇宙性策略。神的计划是"使天上地上的万有，都在基督里同归于一"（弗 1:10）。保罗在以弗所书里五次提到"诸天"。神是"万有的父……祂超越万有，贯彻万有，并且在万有之中"（4:6），而基督则是"升到诸天之上的，为了要……充满万有"（v. 10）的那一位。

重归于好：并非"后备计划"

可是，到底神的总计划是怎样的呢？简言之：神要借着将万有联合于基督而荣耀自己。"神的计划就是使万有在基督里与自己合一、和好，这样，人们就能够再次事奉自己的创造主。"[2]

神的计划是要胜过堕落对人和自然造成的毁坏，恢复自己的创造。神使万有与自己和好的计划似乎仅仅是要实现祂造物的初衷，但这是从人的角度说的，是出于我们对现实的井蛙之见。我们不该认定神对全宇宙的和好计划是"后备计划"，以为神因为创造出了差错，就想出一种次优的备选策略；因为，神永恒的计划在人类堕落和一切受造以先。早在"创立世界以前"，神便有了这个计划（弗1:4）。[3]

这计划不只包括人与神和好，也包含"天上地上的万有"与神和好（弗1:10）。如同保罗在歌罗西书一章20节中所说的，神的旨意是借着基督"在十字架上所流的血成就了和平，使万有，无论是地上天上的，都……与神和好了"。这个计划的核心就是世人借着耶稣基督的宝血得以与神和好。不仅如此，基督所带来的和好恩典也击败了所有因罪而导致的隔绝，包括人与自我之间，人与人之间，甚至人与环境之间的疏离。虽然难以置信，但圣经的确教导我们，这和好的工也能使"服在虚空下的万物脱离败坏的奴役"，因为都被带到耶稣基督的主权管辖之下（罗8:19-21）。或者，按照英文圣经新国际版（NIV）对以弗所书一章10节的译法来说，神的旨意就是"将天上地上的万有归于一个名下，就是基督"。[4]其含义令人震撼：在基督的王权之下，万物都将得以进入比堕落之前更大的丰盛和富足之中。保罗从宇宙的角度看待我们个人的得救；此处，我们不得持有狭隘的非此即彼思维，或信仰上的一孔之见。救赎人类的确是神计划的核心，但绝不是计划的全部。

教会在神宇宙计划中

以弗所书三章10节有个值得留意的说法。保罗说神的宇宙计划是"为了要使天上执政的和掌权的，现在借着教会都可以知道神各样的智慧。"[5]

让我们仔细思考下面这段话：

你们读了，就可以知道我深深地明白基督的奥秘。这奥秘在以前的世代并没有让世人知道，不像现在借着圣灵启示了圣使徒和先知那样。这奥秘就是外族人在基督耶稣里，借着福音可以同作后嗣，同为一体，同蒙应许。（弗3:4-6）

这奥秘如今显现出来了，就是外族人也可以和犹太人一道领受神所应许的救恩。事实上，犹太人和外族人已经成为"一体"。诚如保罗所言，神借着耶稣基督"拆毁了隔在中间的墙"，因此所有基督徒都成为一个身体，"成为一个新人"。这是"借着十字架消灭了仇恨"才得以做到的（弗2:14-16）。

请注意这里有两层意思：犹太人和外族信徒不仅与神和好，也彼此和好。他们如今进入了与耶稣的和好关系中，就借着这神圣的关系，胜过并消除了从前彼此之间的仇视。如今他们不再是仇敌，而是弟兄姊妹了。

那么，神计划之中的奥秘又是什么呢？那就是神在基督里施行大能胜过所有的仇恨，化解所有的敌意。犹太人和外族人"在祂里面成为一个新人"，这奥秘不仅是福音传给了外族人；也因福音的传扬，使外族信徒得以"同作后嗣"、"同为一体"。

神对教会的计划触及到整个宇宙：

为了要使天上执政的和掌权的，现在借着教会都可以知道神各样的智慧。这都是照着神在我们主基督耶稣里所成就的永恒的旨意。（弗3:10-11）

借着神"各样的智慧"，教会初步彰显出基督在所有时代终结之时将成就的丰盛；这奇观定要超越人类群体，直达众天使的领域。教会就是要成为神彰显基督和好之爱的平台，在神的家中连结犹太人和外族人作弟兄姊妹。但仅仅是犹太人和外族人而已吗？福音的奇迹在犹太人和外族人于公元一世纪和好之时就停止了吗？断然不是！在神计划中的奥秘还不止此。这最初且富有历史意义的和好之事让我们看到，神透过十架上的宝血使所有彼此疏离的个人和民族与自己和好。最初是犹太人和外族人，扩展到自由人和奴隶、男人和女人、黑人和白人、富人和穷人（西3:10-11；加3:28）。最终，这和好的工作要延伸至"天上地上所有的家族"（弗3:15）。

圣经的教会观

圣经说教会不仅只是基督的身子，而且也是基督的新娘（启21:9）、神的羊群（彼前5:2）和圣灵的居所（弗2:21-22）。基本上，圣经中所有关于教会的比喻都强调基督和教会之间一种基本、活泼而又充满爱的关系。这突出了教会在神计划中的关键角色，也提醒我们"基督爱教会，为教会舍己"（弗5:25）。如果教会是基督的身子，由头部指挥而执行，那么教会便是福音不可或缺的一部分，因此，教会论和救恩论也就密不可分了。由此看来，采纳任何"反教会的立场"不仅会使福音自身大打折扣，同时也证明其对圣经中所言的"教会"存有误解。

圣经显明，教会处在文化漩涡中，虽

竭力持守信仰，却有时掺杂了异教影响和律法主义而得罪神。圣经里面让我们看到，教会是有属地与属天的两面相得益彰，却不是互不相容，割裂不合。因为教会只有一个，是基督的完整身体，既地上也是在"天上"的（弗1:3，2:6，3:10）。这种教会观符合圣经对教会的基本看法，对当今这个时代尤其适切。[6]

首先，**圣经是从宇宙和历史的角度来看教会**。教会是神的子民，神在历史中设立且要透过教会工作。从这个角度说，教会要追本溯源到旧约，甚至可以追溯到人类的堕落。教会的使命还要再向前延伸至以后的历史，直到永恒。这条水平线就是历史的维度。

而宇宙维度提醒我们，我们所处的时空世界，其实是由神掌管的更大属灵宇宙的一部分。教会是神赋予基督这位得胜救主的身体。神决意把教会和基督一同放在世界与自己和好的计划中心（弗1:20-23）。

因此，教会的使命就是在世上继续执行耶稣所开启的天国之工，叫神得荣耀（太5:16）。因此教会理所当然要更放开步伐"去传福音给贫穷的人……去宣告被掳的得释放，瞎眼的得看见，受压制的得自由，又宣告主悦纳人的禧年"（路4:18-19）。

其次，**圣经是从圣灵恩赐的角度，而非从体制的角度来看教会**。虽然从广义上讲教会是一种机构，但就其根本而言，却是一个有属灵恩赐的群体；也就是说，教会靠着神的恩典（charis）存在，又建立在靠圣灵赐下的恩赐（charismata）之上。如圣经记载，教会不同于企业或学校组织，而像是人的身体、是有生命的。从最核心层面来讲，教会是一个共通的群体，没有上下等级分别；一个有机体，不是一个组织化的机构（林前12；罗12:5-8；弗4:1-16；太18:20；彼前4:10-11）。

第三，**圣经视教会为由神子民共通的群体**。在此，教会的宇宙性和恩赐性就有了交叉点，我们可以看到，教会既在世上，又超越这个世界。

既然教会是神的子民，那么它就包含了神所有时代和所有地区的子民，也包括那些如今已经活在神的亲密同在之中、不受时空约束的人。然而神的子民必须在当地有一个可见的表达形式，从这个层面来看，教会就是有圣灵同在的社群。如同撒母耳·伊斯科巴（Samuel Escobar）所说：

> 神呼召那些蒙恩作祂子民的人成
> 为一个共通的群体。这样，基督所创
> 造的新人才能在这群体中被人看见，
> 反映基督所立的典范。[7]

所以教会的身分，无论置身在一个城市或文化中，还是在更大的普世环境里，都既是属神的子民，又是相互合一的群体。

圣经用基督的身子、基督的新娘、神的家、神的殿和神的葡萄园等比喻，给我们解释了教会的本质；当代任何关于教会的定义，都必须要与这些比喻找到相通点。然而，比喻毕竟是比喻，不是定义；我相信最合乎圣经的定义，应该将教会视为由神的子民共同组成的群体。这里有两个要素：首先，教会是神的子民，是新造

> **神的子民必须在当地有一个可见的表达形式，从这个层面来看，教会就是有圣灵同在的群体。**

的族类或新人类；其次，教会是一个合一的群体或者圣灵里相交的团契。[8]

神子民共通的群体

这两个相关的概念强调教会首先是一群人——而非一个机构性的组织。其次，更进一步强调教会不只是许多孤立的人聚集在一起，还要互相合一、相交，这正是教会的根本属性。最后，这两个真理显明教会所以成为一个共通的群体和一群神的子民，都是神借着耶稣基督和圣灵的内住而赐下的恩典；不是依靠人的技术和蓝图建立起来的。有了这样的认识，才能建立一个真实相交、关系深厚的属神群体。在这里，基督的身体这个比喻就多了一层意义，既包括团契的层面，又包含子民的层面。

子民的概念深植于旧约之中，强调神在整个历史中动工，呼召并预备了"蒙拣选的族类，君尊的祭司，圣洁的国民，属神的子民"（彼前2:9；出19:5-6）。"子民"的希腊文是 *laos*，由此产生英文单词"laity"。这就提醒我们，**整个**教会其实是一群"普通的人"，一个族类。这里的重点在于教会的**普世性**，强调神的子民遍布整个世界，又来自成百上千个宗派、各种

运动和其他组织。教会包罗普世万众，是由历史中无数借耶稣基督而与神和好的男女所组成的普世性实体。这多么让人赞叹神在历史中的作为，祂亲自建立一群同奔天路、与神有约的子民。**这就是从宇宙和历史的角度看——教会就是神的子民。**

另一方面，**教会是一个共通的群体或团契**。新约圣经非常强调这一点，追溯到五旬节的经历就可明白。如果说子民这个概念强调神的计划从旧约到新约的连续性，那么共通的群体这个概念则把焦点放在"新的约"上。这新的约也被称为"新酒"，是神借着耶稣基督的复活和五旬节的灵洗做成的"新事"。这个方面强调教会在地上有热切互动的群体生活。这就是**把教会看做一个充满属灵恩赐的有机生命体、满有圣灵同在的群体。**

这有共通群体特性的教会，强调的是教会在既定文化环境中有暂时性、在地性的生活。这就把我们从高不可攀的远处，拉回到基督徒日常生活共处、肢体相交的层面。在这里，我们也发现一个基本的事实，即真切的团契关系才会发挥有效的见证。因此，我们面临新酒要装在新皮袋的难题——也就是需要找出能够许可并鼓励真实团契关系的实际架构。

当今教会处于一个全球性的多元文化环境中，因此更要认清教会的实质不是组织，而是子民；不是机构，而是共通的属神群体。而对教会的看法，在今天最大的分歧也在于此。但按圣经来看，教会无论是在哪一种文化中，都是由神的子民组成的实实在在的属灵群体。然而诸如神学院、宗派组织、差会、出版社等基督教机构都不是教会。应该说，都是支援教会生命见证和宣教使命的辅助机构。

这些支援性机构有文化因素的限制，可以从社会学来理解和评估，但她们本身不是教会。若是把这些机构与教会混为一谈，或者视之为教会本质的一部分，就会产生各种令人遗憾的误解，并且把教会禁锢于当代的某个文化表达形式。

教会是基督的身体、属圣灵的群体和神的子民。教会是属万王之王的代表，去执行神使"万有和好大计划"；而且，教会绝不是神实现祂宏伟远大计划时一种无关紧要的方式。因为，"基督爱教会，为教会舍己，为的是……教会……成为圣洁，可以作荣耀的教会归给自己，什么污点皱纹也没有，而是圣洁没有瑕疵的"（弗 5:25-27）。教会的重要性，这个真理从十字架直到永恒都是不变的。

附注

1. 尼可（W. Robertson Nicoll）编，《希腊文圣经解说》（*The Expositor's Greek Testament*）(Grand Rapids: Eerdmans, 1961), 3:259。英文的 economic（经济）一词由此而来。另请注意以弗所书三章 2 节；歌罗西书一章 25 节；提摩太前书一章 4 节；路加福音十六章 2-4 节中的管家（*oikonomia*）一词及其各种不同的译文。

2. Bernard Zylstra, 引用于 *Perspective* (newsletter of the Association for the Advancement of Christian

Scholarship), 7, no. 2 (March/April, 1973), p. 141。

3. 留意这一重要的片语重复出现在马太福音十三章35节，廿五章34节；约翰福音十七章24节；以弗所书一章4节；希伯来书四章3节；彼得前书一章20节；启示录十三章8节，十七章8节。这些经文清楚地表明基督从永恒之初就被立为救主，且神国度的计划也是永恒的。

4. 见 Gerhard Kittel and Gerhard Friedrick, eds., 新约神学辞典（*Theological Dictionary of the New Testament*）(Grand Rapids: Eerdmans, 1964-74), 2:681-8。

5. 钦定本（AV）将"借着／通过教会"这个片语模糊地译作"被教会"，使人觉得教会是神的计划的施行者。

6. 接下来的三点总结了斯奈德（Howard A. Snyder）所著 *Radical Renewal: The Problem of Wineskins Today* (Houston, TX: Torch Publications, 1996) 一书第十三章的内容。

7. 伊斯科巴（Samuel Escobar），《让全地听见祂的声音》（*Let the Earth Hear His Voice*）中 "Evangelism and Man's Search for Freedom, Justice, and Fulfillment"，1974年世界福音大会纲要，J. D. Douglas编辑。（洛桑：World Wide Publications, 1975），p. 312。

8. 孔汉思（Hans Kung）也相似地把教会描绘成"神的子民……忠信之人的群体"，是"神呼召出来并召聚在一起的新子民的群体。" *Structures of the Church*, trans. Salvator Attanasio (London: Burns and Oates. 1964), pp. x, 11。

研习问题

1. 作者认为神的计划一方面是促成和好，另一方面是使万有降服于基督的主权。这两方面自相矛盾吗？以弗所书怎样将二者结合起来？

2. 教会是和好的结果，还是和好的执行者？

3. 作者为何将教会定义为一个"共通的群体"？有什么其他可选的定义吗？为何这个定义对于福音的传扬非常重要？

第 27 章　恳求的祷告：反抗世恶

大卫·韦尔斯（David F. Wells）

作者现任美国马塞诸塞州汉米尔顿市戈登·康威尔神学院，历史神学和系统神学的 Andrew Mutch 教席杰出教授。其著书撰文颇丰，包括 *The Person of Christ: A Biblical and Historical Analysis of the Incarnation, The Gospel in the Modern World*，及 *Above All Earthly Pow'rs: Christ in a Postmodern World*。本文改编自〈*Prayer: Rebelling Against the Status Quo*〉一文（*Christianity Today*, Vol. XVII (17), No. 6, November 2, 1979）。版权使用已蒙许可。

接下来我要讲的故事会让你大吃一惊。换句话说，要是你有一点社会良知，你一定会震惊不已。

在美国芝加哥市南区，住着一个可怜的黑人妇女。她希望自己所住的公寓能供应暖气，好度过那几个严寒的冬月。该市确有此类法律，但是房东却不讲仁义道德，断然将她拒之门外。黑人妇女是个寡妇，一贫如洗，对法律制度也一窍不通；但她还是把这件事告上了法庭，自己为自己辩护。她坚决地表示：正义应该得到伸张！但不幸的是，她几次出庭都碰上同一位法官；原来，这位法官是个无神论者兼种族主义者，他所遵循的原则就是"黑人当守本分"。所以这寡妇没什么胜算，再加上她拿不出可观的贿赂，少了这个胜诉必备的条件，要想打赢官司就更没希望了。尽管如此，她还是坚持上诉。

起先，法官连头也不抬，继续看自己放在膝上的书，然后便命人退庭。后来他开始注意到她。"又是个黑鬼，"他心想："无知透顶，居然以为能在我这里讨到公道"。但寡妇的不屈不挠却唤起了他的自我良知，这种自我觉察继而转化成内疚和恼怒。最后，法官在尴尬和盛怒之下，允准了她的诉求，执行了这项法律。这可是反抗"体制"的一大胜利，至少在这个腐败的法庭是胜利了。

其实我刚才所讲的这个故事并不完全真实。因为就我所知，这种事在芝加哥还没有过先例，但也不是我的"原创"。这个虚构的故事来源于耶稣在路加福音十八章 1-8 节里说的一个比喻，祂说这个比喻是为了说明祈求式祷告的真谛。耶稣在这个比喻中显然不是把神比作那个腐败的法官，而是要在这个寡妇和祈求者之间找到相似点。这个类比有两个方面：其一，就如寡妇拒绝接受不公的境遇，基督徒也该拒绝与这个败坏的世界妥协。其二，虽然受到重重阻挠，寡妇还是坚持上诉，而我们也应该不断祈求。第一个方面与祷告的实质有关，第二个方面则与祷告的操练有关。

我们的问题：误解了祷告

我的观点是这样的：太多时候，我们的祷告祈求微弱无力而且没有恒心，其原因在于这些祷告的出发点往往就错了。在祷告祈求中，我们为自己意志薄弱、欲求乏味、祷告无方、思绪游走而气馁；老是觉得自己祷告的方式有问题，绞尽脑汁寻找原因。照我看，问题出在对祷告祈求的实质有误解。除非我们像那位寡妇一样明辨现况，否则我们的祷告绝不会像她请求法官那样有毅力。

恳求的祷告就是反抗世恶

那么，究竟恳求的祷告到底是什么呢？本质上说，祈求的祷告就是反抗——反抗现状，反抗世界罪恶和堕落的现状，不把那完全失常的事看为正常现象。这种祷告是抵抗与神起初设立的规范相冲突的一切事、一切诡计以及一切观点。我们的恳求祷告是伸张善与恶之间有不可逾越的鸿沟，为要向世人宣告：恶并不是善的变形，两者根本是对立的！

放弃恳求的祷告就是投降

换言之，接受现状，或者耸耸肩说："人生不就是这样"，这就等于将圣经的神观放弃，缴械投降；隐含着一种难以察觉的假设，好像神改变世界和以善胜恶的权能不会在这里实现了。

没有哪件事情比放弃会更快地摧毁恳求的祷告（以及合乎基督信仰的神观）。耶稣说："常常祈祷，不可灰心。"（路18:1）

> **接受现状，或者耸耸肩说："人生不就是这样"，这就……隐含着一种难以察觉的假设，好像神改变世界和以善胜恶的权能不会在这里实现了。**

其他世界观对世事照单全收

由于人自己的退却，恳求的祷告者越来越少。在历史上，这种现象与其他宗教有某种耐人寻味的关连。那些强调默默接受现状的宗教，总是对恳求式的祷告十分轻蔑；例如，斯多亚派（Stoics，禁欲主义哲学）宣称：世界的现状即为神旨意的表达，强求祷告就等于不愿接受这种旨意；他们还说尝试求神改变事物，好使我们逃离世界现状，乃是不好的。佛教徒也有类似的观点。我们今天的世俗文化虽然用了一套不同的逻辑，但却和前两者殊途同归。

世俗主义以活着就是为了今世的态度，①认为生命与神之间没有关系。结果，现实的世界就是生命中唯一的、应有的准则（不论是关于每件事的意义的准则，还是关于道德伦理的准则）。世俗主义者认为，人必须向生活妥协，接受事物的现状；用任何其他准则来规范我们的生活不单没用，而且还有逃离主义之嫌。这样，就不单是神（祂是我们基督徒的祈求对象）变得无足轻重，就连他与世界的关系也有了另一种看法，②也就是说在现世中神

也许是"存在"、"有活动"，然而他的存在和活动并没有改变了什么。

我的信念则是，坚信祈求式的祷告只有在以下两个信念之下才能开花结果。第一，看到人尊神的名为圣实在太不恒心；他的国彰显得远远不够；他的旨意行在地上也太少。第二，相信神自己可以改变这个局面。因此，恳求的祷告表达我们的真实希望——我们遭遇的生活现实确实可以也应该有所不同。

耶稣：以祷告改变现状

我相信这一点就是主耶稣生命中发出祈求祷告的关键所在。虽然福音书作者没有清楚说明祂大部分的祷告生活（例如可1:35；路5:16，9:18，11:1），然而我们可以从那些促使耶稣祷告的情形中看出一个模式。

首先，耶稣在做出重大决定前都先祷告（例如拣选门徒，路6:12）。确实，拣选的这班门徒夸夸其谈而又无知，悟性低下且籍籍无名，简直如同乌合之众；祂如此行唯一合理的解释，就是祂在拣选他们前做了祷告。其次，当祂忙碌费神、受压力甚重，就会祷告：例如，五饼二鱼的神迹之后，祂就独自上山祷告（太14:23）。再者，耶稣遇到生命中的重大危机和转捩点时也会祷告，例如祂的受洗、登山变像，以及被钉十字架（路3:21，9:28-29）。最后，祂在面对不寻常的试炼和试探之前和当中都祷告，最生动的例子莫过于客西马尼园的祷告（太26:36-45）。当那"邪恶的时刻"临到，耶稣面对的方式与

门徒的方式完全不同。祂坚持祷告，而门徒却心里发沉，昏睡不醒。

每一个转折事件，都可能会让耶稣从神的计划、旨意或行动中脱离出来，另辟捷径；而祂每次都因祂的祈求祷告拒绝了那旁门左道。祷告就是祂拒绝属世生活的方式，祂也以此拒绝用天父以外的方式来管理天父的事；简而言之，祂恳求的祷告就是反抗世界扭曲堕落的失常状态。同理，对于我们来说，要是没有规律的祷告，那就谈不上按照神的方式活在世界，用神的方法来作祂的工。

向绝望说"不"

祷告就是宣布神和这个世界是相互矛盾的。我们要是"昏睡"、"昏沉"或是"泄气"，就等于假装这两者没有冲突。我们为何很少为自己的教会祷告呢？真的是因为我们祷告无方、意志薄弱、思绪游走吗？我想不是如此。当今在教会里热烈而贴切的讨论多的是（合理与否姑且不论）：关于讲道平庸乏味、敬拜空洞没有生气、团契生活流于形式，还有的是关于福音传播缺乏效率。

与其花那么多时间精力来高谈阔论，为什么不用这些时间来祷告呢？答案很简单，因为我们不相信祷告会使事情发生改变。结果在失望透顶、绝望中接受了如下观点：现实状况已是残局、不可逆转，不能有什么起色了——做什么都无济于事。这不是操练祷告的问题，而是关于祷告的实质问题。或者更精确地说，这问题关乎到我们如何看待神的本质，以及祂与这个世界的关系。

不像比喻里的那个寡妇，我们太轻易接受身边这个不公和堕落的世界，甚至任由它侵入基督教机构。我们并非都不知道将会发生什么情况，而是感到完全束手无策；无力感让我们在不情愿中与错谬的事情签下了和平协议。

换言之，我们在社会上为神作见证和在神面前祈祷两方面，都失去了正义感。好在神并没有不分是非！祂的震怒就是祂对不公的坚决抗争，是为了让真理回归王位，把罪恶送上绞刑架。没有神的震怒，就毫无理由在这世上过有道德的生活，却有充分理由不过有道德的生活。神的震怒因此与祈求的祷告紧密相连，这样的祷告就是追求真理得到胜利，邪恶受到驱逐。

耶稣用神的国来给我们作为思考这件事的框架。所谓国度，就是指国权或权威得到承认和施行的范围；因为我们这位君王是神，祂施行权柄也就是超自然的。在耶稣里，这"将来的世代"终于给盼来了，祂就是那位闯入这个世界的弥赛亚。如此说来，作基督徒不仅要有正确的宗教体验，还要将自己归给耶稣，尊耶稣为王。传福音能够成功不是因为我们的技巧"对了"，而是因为福音所开启的时代划破了时空，切入了罪人的生命之中。神的"时代"——祂那被钉十架的爱子之纪元——在全世界开启了；因此，我们的祷告应当超越我们自己关心的事务，开阔视野，放眼于神所关切的全人类。若福音是普世福音，我们的祷告就不能局限于本地需要而已。

坚持"上诉"

这么说来我们这样看并不为过，就是（如同开头的比喻里）把世界看作断定"案子"是非的法庭；我们的祷告软弱无力正是因为失去这种洞见。除非我们重拾这种观点，否则我们不会在神面前坚持作个辩护人或诉讼当事人。我们没有任何理由不夺回自己的异象，抓住我们的机会，因为我们所面对的这位"法官"神圣而不腐败。那荣耀的神是我们的法官，是我们主耶稣基督的天父。你真的认为祂不会为昼夜呼吁祂的选民伸冤吗？难道神会耽误他们吗？"我告诉你们，"主宣布说，"祂要快快地给他们伸冤。"（路18:7-8）

研习问题

1. 在恳求的祷告和教会宣教使命之间，有着什么样的关系？

2. 作者指出我们对于恳求的祷告有两个方面：方式和实质。请你用自己的话复述这两个方面。其中哪个更为重要？为什么？

3. 请留意作者如何解释耶稣基督的祷告。祂的祷告为何是一个"宣教"的祷告？

第 28 章　策略的祷告

罗约翰（John D. Robb）

作者是国际祷告协会（International Prayer Council，全世界各地区性和全国性祷告事工联合网路）主席，曾在世界宣明会服事了二十三年，去过一百个国家，协调召开基督徒领袖会议和讲座，并在其中五十个国家与国际团队的祷告领袖一同发起跨宗派的祷告。本文摘自 In God's Kingdom...Prayer is Social Action，世界宣明会，二、三月期刊，1997。版权使用承蒙该作者许可。

在距离埃塞俄比亚（Ethiopia）首都亚的斯亚贝巴（Addis Ababa）两小时车程的阿瓦什河河岸，干旱的河谷上矗立着一棵参天古树，仿佛千秋万世，从亘古直到永远都不改变。周边地区的居民由于无法将河水引上高地，而遭受了多年饥荒；于是，患难中的人向这株古树投去了求助的目光。他们因为相信有神灵赋予它神力，所以就向这棵巨树献上崇拜。年长的人路过，会去吻那树干，还用轻柔而又满怀尊敬的口吻对它倾诉。孩子们则说："这树救了我们。"

世界宣明会于1989年在此地启动了一个发展专案，打算开发一个灌溉系统，让河谷中龟裂的土地富饶起来。然而这棵参天古木就像一个护卫旧秩序的禁卫哨兵一样矗立在那里，掌控着整个社区；居民都笼罩在恐惧之下，他们相信只有献上祭牲和不犯忌讳，才能安抚这棵树的神灵。世界宣明会的同工看到村民拜树，便意识到这个偶像是整个社群的拦路虎，不让人进入基督的国、生命得到改变。

一天早上，世界宣明会的同工在祷告时突然想起耶稣的一个应许特别适用于此："我实在告诉你们，如果你们有信心，不怀疑，不但能作我对无花果树所作的，就是对这座山说'移开，投到海里去'，也必成就。"（太21:21）于是同工们开始向神祷告，求祂动工扳倒这张牙舞爪的上古巨兽；很快地，整个社区都知道有基督徒正在针对这棵树祷告。半年之后，古树果真开始干枯；叶子落光了，最后像个病死的巨人一头栽进河里。当地的居民非常震惊，惊呼道："这奇迹是你们的神行的！你们的神使树枯死了！"几周之内，有差不多一百个村民接受了基督，因为他们知道基督徒的祷告得到了惊人的回应，这真是个神迹，是神的大能显现。

社会问题的属灵根源

对于什么是改变世界的最有效方式，多年以来基督徒众说纷纭。究竟该多口头分享见证呢，还是该多行善？实际上，这两者密不可分。缺少任何一样，就毫无"福音"可言，而祷告则把这两样

维系起来。当我们向神祷告，祈求祂拯救人的灵魂，用祂的公义光照今日的是非时，福音和善行义举就紧密相连。是神感动祂子民的心为世界祷告，以致起而行动，既向世人分享祂的福音，又向他们显明爱心和怜悯。每一次看到有人归向基督、健康转好、经济上显出蓬勃生机，或者神国的价值观逐步实现，我们总能发现背后都有信徒的祷告支持。因为这世界有恶者盘踞欺凌，我们必须要祷告。

基督徒做一些帮助穷人和对抗不公等善举义行，往往不知道自己其实是与各种灵界权势争战。从伊甸园时代开始，人类要凌驾他人乃至整个社会，其实也是与撒但及跟随撒但的邪灵同伙，导致这世界上饥荒、瘟疫、贫困、奴役、不公，苦难频仍。所以若想要救助这些身陷水火的受害者，我们实际上是加入了一场与灵界势力角力的战争。这些灵界权势在整个人类社会，奴役着世界上的各种组织、社会结构，乃至整个制度。

撒但和其喽啰决心要摧毁那按神的形象所造的人类。撒但不但精于骗术，而且也是偶像崇拜的唆使者，试图辖制整个世界，扼杀人对神的信仰，扭曲神国的价值观，又将各种虚假的意识形态推销给人。它无所不用其极地渗入到各种财团、政府、宣传媒体、教育体制乃至宗教团体之中，以引诱人类去崇拜金钱、名利、成功、权力、宴乐、科学、艺术、官场乃至宗教偶像。

这种兼具社会和灵界的邪恶势力，从两种途径将我们的社会紧锁在暗无天日、走向毁灭的牢笼之中。一是借着公然的偶像崇拜和邪教枷锁，二是用各种错谬的思维方式，蒙蔽人的心眼，使人看不见神和神的真道。

拜偶像的毁灭性后果

旧约圣经多处记载到撒但不断地诱惑以色列偏离真神，让他们不敬拜真神，反而去讨好埃及、亚摩利、迦南和以东等地的假神。神曾警告过以色列人如此行的后果，而以色列人也的确自食苦果，遭受了各种压迫、奴役、外族入侵和贫困（士6:6，10:16；申28章）。如今，同样的罪孽及苦果也困扰着全世界。

印度北部是世界上最黑暗的地区之一。据印度人估计，这个地区大约有三亿多个神明。毁灭女神卡莉（Kali）是西孟加拉加尔各答地区供奉的保护神。去过那里的人都知道供奉卡莉对那里百姓造成的毁灭性影响。这类邪教的触角还延伸至世界其他地区，造成了二十世纪最凶残的一些惨案。在二十世纪七〇年代的柬埔寨，屠杀了两百多万人的红色高棉就是以两个邪教为营垒：印度教的毁灭与繁殖之神湿婆（Shiva）和蛇神那伽（Naga）在这些北部地方都有人崇拜。在利比里亚的内战中，据国际事工差会（SIM）的宣教士报导，许多作战的士兵靠非洲一种名为"猪猪"（juju）的法术（或巫术）来支取神力。他们佩戴咒符，呼唤精灵上身，然后喝个烂醉，杀害整村的无辜百姓。

黑暗营垒带来的绝望

如果撒但无法借助公然的偶像崇拜或对鬼神的恐惧来影响众人，那么就用错谬的思维将人辖制在属灵的黑暗中。使徒保罗说到 "……诡辩，和做来阻挡人认识神的一切高墙"（林后10:5）时，就提到了这种捆绑。保罗的措词是希腊文里的 *hupsoma*，直译出来就是 "自负" 或者 "高寨"。这本是个星相学的字眼，意思是 "众星权势管辖的地界"。[1] 保罗认为敌挡福音之人的思维方式必然受到这类权势的影响。在小乔治·奥提斯（George Otis, Jr.）看来，

> 这些营垒并非鬼魔，在地图上也寻不见，而是深埋在人心之中。"诡辩"（也有争论或论点之意）一词时常被译作 "想像"，这是很有意思的。该词源于希腊文 *logismos*，确切地说，它的意思是指那些经过长期精密计算而提出的理论；与之相反的是各种随机且不成系统的思绪。这个定义使得这些 "论点" 和 "想像" 很贴近它们的常见形式——各种宗教和哲学系统。[2]

法兰西斯·弗朗吉派恩（Francis Frangipane）也注意到这些位于人心灵之中的营垒。他说："这些属灵营垒是撒但和跟随它的魔军藏身和庇护之地，存在于受辖制的个人、教会、整个族群乃至国家的各种思维定式和成形的想法中。"[3]

例如：在印度教中，"命"（fate）这个观念将数以亿计的人禁锢在精神贫瘠与经济贫困之中。据称，"命" 这种遮天蔽日的势力决定了一个印度人生在哪个种姓当中。如果你生于一个贫贱的种姓，你就无法指望透过成为律师或会计来改善自己的生活。这种想法就是一种魔鬼营垒，是一种将人禁锢在贫穷之中的谎言。在深受悲观宿命论束缚的群体当中，社区发展项目效果十分有限，因为这些人早已确信：无论做什么都无法改变自己的命运。

除了阻碍人发挥神赋予他们的潜力之外，那恶者还擅长用思想中的营垒来发动恐怖的毁灭性事件。胡图族（Hutu）极端分子于1994年在卢旺达夺取政权后，用恶毒的种族偏见贬低图西族（Tutsi），宣称要像对待 "蟑螂" 一样将他们赶尽杀绝。仅仅三个月之内，多达一百万的图西族人连同那些不肯伤害图西族邻居的胡图族人，都遭到了成群流窜作案的凶手所屠杀。

在这种社会性的邪恶面前可以做些什么呢？毫无疑问，我们必须向人们传扬神的真道，运用神的道敌挡这种谎言，但也一定要坚决而又热切地祷告。

坚决对付邪恶力量

邪灵是不可能归正的，也无法与之谈判，我们只能以最强势的方式驱赶它，这种方式可以看作是属灵上的 "动武"。我们通常觉得耶稣是爱好和平的榜样，反对用暴力对待仇敌；不过，祂是叫我们把左脸伸过去给人类仇敌而非灵界的仇敌打，祂从不让魔鬼及其魔下的恶如愿以偿。相反地，耶稣每次都采取了一种强有力的，有权柄的，甚至是粗暴之势来驳斥、抵御和赶出这些邪灵。

耶稣也提到，天国的降临必会不断地遭遇暴力抗争和各种反击："天国不断遭受猛烈的攻击，强暴的人企图把它夺

去。"（太11:12）许多圣经学者一致同意，这确实是指神的国从起初到现在都受到仇敌的暴力袭击。是人和人的制度俘虏和杀害了施洗约翰，是宗教领袖和罗马当局勾结起来把耶稣处死了；然而在这些人类势力的背后，耶稣看出了祂称之为"这世界的王"的撒但。祂指出撒但如同那捆锁多人的壮汉，不先绑住他，就无法释放其阶下囚。要捆绑一个壮汉（可3:27）就免不了一场激烈搏杀，而在这场战斗中，教会可以借着神的力量取胜。耶稣亲自应许道："我的教会，死亡的权势不能胜过他。"（太16:18）使徒保罗也强调说：

"因为我们的争战，对抗的不是有血有肉的人，而是执政的、掌权的、管辖这黑暗世界的和天上的邪灵。"（弗6:12）

在这场争斗中，祷告是决胜性的武器，力道猛烈无比。不公、压迫和战争的势力太过强大，我们若不先请求神加入战斗，所有的努力都会付诸东流。除非我们已经在祷告中得胜，否则对抗外界的争战根本无望取胜。

我并非说祷告是改变世界的唯一途径。长久以来，许多福音派基督徒错误地把祷告当成行动的替代品，甚至把神在圣经里训诫我们应该担当的责任都一股脑地丢回给神。但是同样地，善行义举也不是祷告的替代品。对于祷告以及神如何透过我们的祷告去改变世界，我们还没法完全参透其中的奥秘。神学家沃尔特·温克（Walter Wink）写道：

祷告不是魔法，不会每次都灵

验；祷告也不是我们在做什么，而是回应神在我们和世界当中所做的。我们的祷告是一种必要的开头，好让神不妨碍我们自由意志的同时做祂的工。祷告是我们与神同工的最基本行动。[4]

颇为矛盾的是，最具威力的属灵争战往往必须在个人的深深破碎和软弱之中打响。最典型的例子就是耶稣被钉十字架的时候，祂在极度羞辱和无力之中胜过了黑暗的权势。同理，当我们与耶稣同钉十字架，也就是向祂承认曾与黑暗权势勾结，但现在决心要依靠祂而与黑暗权势划清界限，我们才能够敌挡撒但、无敌不克。

祷告的功课

1994 年，一群柬埔寨的基督徒领袖向我讲述了他们当时正经历激烈的属灵争战，请求国外成立祷告小组来支援他们。我带领一个小组，开始为支援柬埔寨这六十位牧师和传道同工和他们的国家祷告。祷告期间，我们很快就感觉到有杀戮之灵在影响我们的祷告，就是柬埔寨人所膜拜最典型的毁灭之神湿婆和蛇神那伽从中作祟；那伽是柬埔寨人公认的守护神。此时，圣灵透过我们的一个组员说道："你们中间有人手上沾满了鲜血。"原来，在场就有人是前红色高棉成员，曾经亲手屠戮了千百人的凶手。接下来一阵痛哭，他们公开承认在"杀戮战场"的可怖罪行。

这样的公开卑躬忏悔，使柬埔寨的基督徒公开宣告：放弃他们先王与黑暗权势在北部吴哥寺庙立下的誓约，展开一连串和好行动，成立了一个全国性的基督徒团契。在我写这篇文章时，柬埔寨的教会已经从一百来间猛增到五百多间。另外，红色高棉也已经风光不再，这场恐怖统治就算还未倒台，也只能苟延残喘了。

他们的祷告有许多方面都是我们学习祷告的宝贵教材：

1. **在这个事件之前，在过程之中，都有很多的祷告托住。**我们的小组和那些柬埔寨同工不是孤军奋战。全世界有数以千计的人为我们代祷，支持我们。联合祷告实在是个强大的联军，将神在世界各地的子民的祷告拧成一股绳，在某个特别的地方和特别的人群中发挥作用。

2. **本地的领袖代表自己的民族认罪悔改。**我们的代祷队伍竭力地成为仆人和催化剂，相信神已经给了当地领袖破除邪灵权势枷锁的权柄。

3. **所有参与者谦躬忏悔、破碎自己。**

4. **每一步都紧紧依靠主的带领。**每个加入我们祷告事工的人都寻求圣灵的引导，同时对该国当前的局势及其历史做了研究，然后等待圣灵的引导。

5. **全面地祷告。**不单为政府祷告，也为全国的社会问题和各种未听闻福音的族群祷告，求神使教会合一且充满生命力。求神的平安临到柬埔寨，使这个国家的灵性和社会状况都能持续好转。

6. **恒切祷告就是有效的祷告。**我们这一行人的柬埔寨祷告之旅结束许久之后，当时的小组成员仍然持续祷告。

最近政府内部多个派系的分裂和公然冲突使我们明白，警醒代祷绝对不能放松。代祷的人要像城墙上的哨兵时刻守望；否则恶者就悄然乘虚而人，在最意想不到的地方制造纷争，带来毁灭。

"卡利"能出什么好人吗？

神垂听人的代祷，把平安和更新也赐给了在哥伦比亚的卡利市（Cali）。[5] 不久之前，这个拉美城市还一直被臭名昭著的卡利贩毒集团牢牢攥在手心里。这是有史以来规模最庞大、财力最雄厚、组织最严密的犯罪集团，控制了政府的许多部门，敛聚巨额资金，时刻谋划着最惨无人道的暴力犯罪。谁敢与之抗衡，就会被杀害。在深切的绝望中，卡利市的牧师们达成共识：从1995年一月开始，每周集会为这城市祷告。

那年五月，牧师联会主办了通宵祷告会。地点是在可以容纳两万七千人的市政礼堂。他们原本指望只有几千个人来把前排的座位填满，结果却来了三万人！一个主办者说：

> 这次通宵祷告的主要目的就是表明立场，反对贩毒集团及隐藏在贩毒集团背后的灵界主脑。这两者已经统治我们的城市和国家太久了。我们在神面前谦卑下来，并且彼此虚己，然后象征性地将基督的权杖置于卡利市之上，包括毒品、暴力犯罪和腐败对卡利的捆绑。

连市长都看到信徒祷告的巨大成效，他宣布："本市当真需要耶稣基督赐下平安。"

我们看出祷告会的即时成果，就是卡利市在接下来的一整天里没有发生一起谋杀案，这简直可以成为头条新闻。因为在当时，平均每天都有好几起谋杀案（1993年上半年，哥伦比亚的谋杀案有一万五千多起，这个数字是美国的八倍，也是世界第一）。其后的四个月内，九百名与贩毒集团有染的警员被撤职；紧接着，好几个代祷者梦到天使抓捕了贩毒集团的头目；六周后，哥伦比亚政府宣布向贩毒头目全

面开战；到那年八月，也就是代祷者得到神的启示三个月以后，哥伦比亚当局便成功抓获了贩毒集团全部七个头目。

卡利市的弟兄姐妹决定再举行一次通宵祷告会。筹备阶段，他们调查了全市二十二个行政区的政治、社会和属灵需要；接着，他们按着调查结果对所有专案逐个具体祷告。奇迹般的变化再一次发生了，哥伦比亚当局展开一项反腐败调查，不只是针对卡利市政府，甚至上至哥伦比亚总统的办公室。

自那以后，卡利市的经济增长率超过了25%。连市长都看到信徒祷告的巨大成效，他宣布："本市当真需要耶稣基督赐下平安。"市政当局还提供音响设备和演讲平台，让四十多位本国和外国的传道人可以同时在二十二个地方布道。卡利市的犯罪率急剧下滑，以前卡利市的爱滋病感染率高居拉美地区之首，现在也大大降低了。

卡利市的教会急速增长如同"属灵爆炸"。根据研究教会增长的专家彼得·魏格纳（Peter Wagner）的观察，卡利市的属灵觉醒延及其他城市，可以说业已成为一座福音的先锋城市。然而，这并不是没有代价的，因为灵界的反扑尾随而至。在过去的两年里，哥伦比亚有两百多位牧师被游击队或者民兵杀害。

为未得之民祷告

向未得之民传福音，积极而又有策略性地祷告是必不可少的。主要有两个原因：

1. 促使人顺服基督

首先，未得之民，顾名思义就是"没

有教会"的族群，依种族、语言和其他社会特征来划分。共同的特征都是还没有属于自己族群的教会、又蓬勃发展教会倍增、向自己族群传扬和见证神国的福音。神定意要教会成为公开顺服基督的见证群体，但撒但总是敌挡这种顺服，把人蒙蔽、看不见事实真相、附庸社会普遍价值。我们不能肯定这些营垒是怎样筑起的，不过，极有可能是当人们追求自我满足的所谓"高超的智慧"，就在这种"智慧"中划地为牢。我们发现，大凡在人不顺服基督的地方，也就是没有教会的地方，这些营垒都有恃无恐；有时甚至可以横行数百年，在一代代人中间安营扎寨。

这样说来，勇敢且坚定地发起属灵争战就势在必行，因为若没有属灵争战，就无法削弱、摧毁这种阻挡"人认识神"和"顺服基督"的傲慢营垒（林后10:3-5）。任何劝说都无法将整个未得之民拉出黑暗。我们绝不可轻忽祷告，因为只有神因着自己的怜悯作工，才能除掉这种遍及社会、族群的蒙蔽，让基督光照他们。

2. 差派工人去收割

祷告对未得之民至关重要的另一个原因是，我们急需神差派祂的工人。通常，未得之民一直以来敌挡福音又不容易被发现，因此实际上能接触他们并在他们当中作工的宣教士少之又少。基督曾吩咐最初追随祂的门徒，要留心查看那些庄稼多但工人少的地方，大胆地向庄稼的主祈求，求祂伸手做唯独祂能做的：兴起并差派能为祂作工的人去收割庄稼。

看到未得之民中间出现奇妙突破确实令人振奋。我们往往发现，恒切且有策略

地为未得之民祷告是发生突破的关键。借着祷告，神从各地召来工人，开通道路，击溃仇敌的威胁，并在一定的时间彰显福音的大能。宣教史上这种激动人心的故事比比皆是。如果我们联合起来，同心而有策略地祷告，必会更清楚地看到，是神在祷告的呼求声中动工成就了这些事情。我们只能得出这样的结论：庄稼的主定意要差派工人进入世界各地的族群中。

如今，我们可以看到为未得之民的大规模代祷合作事工，例如1993-1999年的"为窗内族群祷告"（Pray Through The Window）事工，将数以百万的人联合起来为特定的未得之民祷告。又有数以百计的祷告小组漂洋过海到这些族群中做"行走祷告"（Prayerwalk），正如前述我们祷告团队在柬埔寨所做的。这样的祷告之旅让人亲自在自己期待神赐下回应的地方祷告，经历神的作为。神既是祷告真正的发起者，而人们如此多样多方祷告，那么若我们在不久的将来看到神在这些族群中行大事、作大工，改变、更新他们的社会，也不必感到太吃惊。

神垂听祷告，世界就会转变

使徒约翰在启示录中描述到神赐给他关乎人类历史的异象，其中充满了神的形象和属灵活物，彼此互动也与我们的世界互动。

神的羔羊打开了七印，每一印都撼动着全球的历史。在启示录第七章的末尾，天上所有的都向神献上欢唱和敬拜，赞叹着人类历史的下一章会怎样发展。然而，一进入第八章开始，大家都屏息沉寂，七

个天使拿着七支号角侍立在神的面前，正准备宣读世界命运如何揭晓，然而他们七个仍须等待第八个天使把圣徒所有祷告如香呈献给神，这些都是为着公义和得胜而发出的祷告。除非祷告的馨香升到神的面前缭绕，历史便不能继续。

祷告是最有用的善行义举，因为神直接回应祷告的人。祷告也是向未得之民宣教最有力的一步，因为神会作非祂莫能的工。即便希望再渺茫，祂也能摧毁仇敌的权势，带来属灵的亮光，把社会革新注入持久的生命气息。

神不仅借着祷告改变我们，也借着祷告改变未来。诚如温克所说：

> "代祷的人牵系着历史，也相信可以改变未来……即便只有一小部分人关心历史的走向、坚信新的事物必定会发生，就能发挥决定性的作用。这些代祷的人可以塑造未来，将未来和期待已久的新貌用祷告呼唤出来。他们的信心促使未来成为现实。"[6]

附注

1. Friedrich, Gerhard, ed., *Theological Dictionary of the New Testament* (Grand Rapids, MI: Erdmans Publishing Co., 1972), p. 614.
2. 乔治·欧提思（Otis Jr., George）著，以琳编译小组译《迷宫末日——揭开黑暗权势的神秘面纱》（*The Twilight Labyrinth*）台湾以琳，1999年。
3. 傅兰吉（Frangipane, Francis）著，张月瑛译《三重战场》（*The Three Battlegrounds*）台湾橄榄，1996年。
4. Wink, Walter, *Engaging the Powers: Discernment and Resistance in a World of Domination* (Minneapolis, MN: Fortress Press, 1992), p. 312.
5. 欧提思著，《迷宫末日——揭开黑暗权势的神秘面纱》，298-303页。
6. Wink, p. 299.

研习问题

1. 作者宣称祷告对善行义举至关重要，因为灵界在本质上是黑暗的，阻碍人打从根底改变。那么，祷告是如何产生作用的呢？
2. 简述偶像崇拜和思想营垒这两种灵界黑暗势力如何阻碍福音传扬和社会革新。
3. 作者提到向未得之民宣教时必须祷告的哪两个原因？这些原因只适用于对未得之民的宣教吗？

第 29 章　失丧、灭亡，谁之过？

罗伯逊·麦肯金（Robertson McQuilkin）

> 除了祂以外，别无拯救，因为在天下人间，没有赐下别的名，我们可以靠着得救。（徒 4:12）

你是否曾因迷路而惶惑不安？有时在深山荒野无路可循，有时站在陌生的都市街头如走迷宫般，找到出路的希望越加渺茫，莫名的恐惧更是袭上心头。或许你也曾经在一个大型购物中心，在满面泪痕的孩子脸上见过那种迷路时的惊恐。那一刻，因为和父母走散了的他疯狂地尖叫或无声地啜泣；这就是迷失！无比孤独！

同样可怕却更为常见的无助感，缘于一些令人绝望、无法自拔的个人状况，例如：酗酒成性、罹患癌症，或是婚姻破裂；迷惘！无比孤独！

何为失丧？

圣经用"失丧"一词来描述比这更为糟糕的境况。远离天父的家却还没有找到回家之路，这样的人就是"迷失"的。耶稣看到那些蜂拥跟随祂的人如同没有牧人的羊群，无助无望，就怜悯他们。

然而比起受困时找不到出路，迷失了却浑然不觉的景况更为糟糕。因为这样的话，他们就不会寻求救恩，无视临到的救恩，甚至拒绝救恩。他们就此"失丧"了！

这个世界上有多少失丧的人？据称，全世界大约有四亿人归类到福音派基督徒。毫无疑问，这四亿人中不乏失丧者，但至少这些人相信耶稣是得救的唯一道路，只有透过相信耶稣，人的罪才得赦免，才能成为神家中的一员。当然，除了福音派之外，还有许多得救的人。因此，我们假设全世界得救的人数是已知数字的两倍，那就是八亿。余下的六十亿或地球上超过十分之九的人口呢？他们是失丧之人，有些渴望救恩，却还未找到救恩；另有一些可能误入歧途，试图从中找到生命的意义和希望。

就在不久以前，世界还有一半的人生活在没有教会的部落、文化或语言群体中，没有人传福音给他们。今天，我们要感谢神，这

作者是一名讲员和作家，活跃于美国和海外的会议事工。他曾在日本宣教十二年，之后担任哥伦比亚国际大学校长一职达二十二年。本文摘自《大失命》（*The Great Omission*, 1984 年）。版权使用承蒙 Authentic Publishing, Colorado Springs, CO. 许可。

个数字或许降到了三分之一。然而，不管精确的资料到底是多少，世界上仍然有数十亿的人无法认识耶稣，除非有人愿意跨越文化的藩篱进到他们中间去传扬福音。

那么这么多的人真的都失丧了吗？那些从未有过机会听闻福音的人呢？他们中间有人会灭亡吗？还是说他们都会灭亡？

普救论（Universalism）

纵观教会历史，不乏这样的教导：人人最终都会得赎，不会有人灭亡。

1. 传统普救论

传统的普救论教导：至终万物都会得赎，因为神是良善的。俄利根在第三世纪最早提出普救论，但其后这一立场没有广传，直至十九世纪普救论才再次抬头，特别是普救论教会将其发扬光大。随着普救论教会的成立，这一教义开始在许多主流宗派中蔓延。普救论教会从不讳言他们的立场，且以该教义称呼自己的教会。

这一立场存在诸多问题。从哲学的角度而言，这样的教义有损对基督救赎代死的信仰。如果满有恩慈的一位神最终会将人类一切的罪一笔勾销，那基督就不该死了。基督之死不仅毫无意义，而且是人类历史上最大的错误，甚至可以说容许这一事件发生的神还有犯罪之嫌。如此看来，普救论在哲学上，尚需为基督之死的目的找到赎罪以外的合理说法。

普救论者还要面对另外一个问题。圣经一贯教导被神接纳和不被神接纳的两种人死后有不同的光景。圣经非常强调这一点和赎罪的教导，以致于普救论者摒弃了

圣经的权威。因而，普救论教会和独一神论教会（Unitarian Church）的同出一气也就不足为奇了。

2. 新普救论

在二十世纪，一个较为注重圣经教导的新普救论悄然兴起。这个新普救论承认三位一体的神，承认基督为罪人而死这一事实，并且持定最终万物都将靠着基督所预备的救恩得蒙救赎。

卡尔·巴特（Karl Barth）和他的一群新正统神学的弟子们持定这一立场。他们认为所有人都将得到救赎，因为神是全能的。神的计划终将实现，而他的计划就是救赎。

这一立场从哲学和圣经的角度来看都有问题。就哲学而言，如果最终人人都将得到救赎，那就大可不必传福音了。如果不管有没有福音，最终人人都将被神接纳，那基督又为何把传福音当作首要使命颁布给教会呢？从圣经教导来看，这一立场的问题则更大。

在路加福音第十六章19-31节，基督对永远的地狱以及蒙拯救者和灭亡者之间的深渊都有清楚的教导。事实上，祂在马太福音第七章13-14节清楚地指出多数人正走在灭亡的大路上。

3. 更广之盼望

由于普救论的观点和圣经的教导之间存在冲突，有人开始宣导"更广之盼望"（Wider Hope）的救赎观。

这一观点承认并非人人都得救，但是很多未曾听闻基督救恩的人却是可以得救；因为神是公义的，祂不会给那些诚心

寻求真理的人定罪。这一观点的问题在于"诚心"。如果诚心可以使人得救，那么宗教恐怕是其唯一可行的领域！比如在工程领域，诚心就无法救人。通体镶着玻璃，如巨大明镜般耸立于波士顿的汉考克大厦的设计者很有诚心，建筑工人很有诚心，玻璃工很有诚心，大厦的拥有者更是诚心可嘉。然而一旦那些巨大的玻璃片坠落街头，诚心还是无法弥补过错。同样，在化学领域，诚心也无法救人。我们绝不会说："如果你喝砒霜的时候诚心相信你所喝的是可乐，那就'照你的信心给你成就吧'。"诚心不能改变事实。稍后我们将讨论神的公义。

4. 新版更广之盼望

兴起于十九世纪的更广之盼望这一教义，已经被我称为"新版更广之盼望"（New Wider Hope）所取代了。根据后者的教导，那些按照良知生活的人，仍然可以靠着基督之死的功劳得救，不过是借着一般启示；再不然，他们在临终时或死后也会有机会得救。这种观点实质是一种较为保守的普救论。理查·魁北多（Richard Quebedeaux）认为一些所谓的"少壮福音派"的新左翼持这一观点。这一救赎观存在一个很实际的问题，等于是说：没有听过福音的人，原本可以透过一般启示得救，而传给他们福音只会让那些拒绝福音的人受到更重的刑罚，结果传福音反而害了他们。若是这样，人就算不认识救恩也会有机会得救，那就不必如此迫切地去向他们传讲这条救恩的道路了。

这个观点还有一个变相的说法，称只有拒绝福音的人才会灭亡。如果人是因为听了福音却拒绝而灭亡，那倒不如让他们不听福音，因为他们反正都可以得救！照这样的说法，毁掉福音还好过传扬福音！因为福音这一好消息变成了坏消息，所以这一观点不为广传。

圣经的教导

高举圣经权威的人，针对每种立场合理性的辩论，都必须服从圣经的权威。究竟那些从未听过福音的人在永恒中的属灵光景是如何，我们要从圣经的教导来看。

> 神爱世人，甚至把祂的独生子赐给他们，叫一切信祂的，不至灭亡，反得永生。因为神差祂的儿子到世上来，不是要定世人的罪，而是要使世人借着祂得救。信祂的，不被定罪；不信的，罪已经定了，因为他不信神独生子的名……信子的，有永生；不信从子的，必不得见永生，神的震怒却常在他身上。（约3:16-18、36）

圣经上明明指出有人会灭亡，亦有人不会。圣经说，永生属于那些相信基督的人，而非那些透过所造之物和与生俱来的道德辨别力，相信有位公义的创造主的人。神的旨意是"使世人借着祂（基督）得救"（约3:17）。"借着"意为媒介，也就是说人只有靠着耶稣基督才能得到永生。

日本有一句箴言告诉我们："条条道路通富士山，终归都能达山顶。"这一日本箴言表达了所有宗教都会使人修得善果的观点。但是唯有耶稣宣称："如果不是借着我，没有人能到父那里去。"（约

14:6）换句话说，耶稣基督是唯一的救恩中介。

新版更广之盼望认同唯有仰赖耶稣基督才能得到救恩，但是认为这并不代表一个人必须认识耶稣才能得救。

耶稣在约翰福音第三章18节明确地告诉我们，不信神独生子名的人会被定罪。彼得在使徒行传第四章12节更明确地指出，"在天下人间，没有赐下别的名，我们可以靠着得救"。圣经如此突显耶稣之名绝非偶然，特别是这一教导关乎得救之信心。彼得没有说"赐下别的人"，因为当一个人被指名道姓时，其身分就得以确定，不再含糊。彼得没给我们留下任何余地去呼求那存在之本或是伟大的万有，而是斩钉截铁地宣告，那些呼求并相信拿撒勒人耶稣之名的人会得救。强调耶稣之名重要性的并非只有约翰、彼得和耶稣自己，保罗也对此说到：

> 因为"凡求告主名的，都必得救。"然而，人还没有信祂，怎能求告祂呢？没有听见祂，怎能信祂呢？没有人传扬，怎能听见呢？如果没有蒙差遣，怎能传扬呢？如经上所记："那些传美事报喜讯的人，他们的脚踪多么美！"（罗10:13-15）

求告主名的人会得救，但是那些因为没有听过主名而不能求告的人呢？保罗并没有保证说那些没有听过主名的人，就可以相信他们所听过的任何东西。相反地，保罗在罗马书第十章17节明确指出："可见信心是从所听的道来的，所听的道是借着基督的话来的。"

神的慈爱和公义

圣经清楚表明在生前和死后都有两种人，就是得救的人和灭亡的人。然而，那些好心的人仍然会忍不住发问：神不是慈爱，公平和公义的吗？

——神面临的风险：人拒绝神的爱

没错，神很仁慈。也正因此，人会失丧。因着爱，神照祂的形象创造人成为一种活物，而没有创造一个按设定的程序听命于创造主的机器人。神创造这种可以自由地去爱并被爱的活物之同时，其实祂也在冒着风险；因为这被造的人可能选择独立、只爱自己而拒绝神的爱。事实上，人类的确做出了这样的选择；然而，神忠于祂的属性，为人预备了一条回归之路，哪怕要为此付出沉重的代价。但是这条回归之路不能违背人里面的神的形象，也绝不能强迫人做出顺服的回应。故此，仁慈的神选择以慈爱等待着爱的回应，而那些想要拒绝祂的人也可以选择拒绝。

——神施行的审判：人拒绝光照

但是，神若给那些没有机会回应祂恩典的人定罪，那祂的公平和公义何在呢？

圣经没有说神将审判那些没有听过基督的救恩而拒绝基督的人。事实上，圣经明确指出神的审判是基于一个人对他所接受的真理的回应。如耶稣所说：

> "那仆人知道主人的意思，却不预备，也不照他的意思行，必多受责打；但那不知道的，虽然作了该受责打的事，也必少受责打。多给谁就向谁多取，多托谁

就向谁多要。"（路12:47-48）

"无论进哪一城，人若接待你们，摆上什么，就吃什么。要医治城中的病人，对他们宣讲：'神的国临近你们了。'无论进哪一城，人若不接待你们，你们就出来到街上，说：'连你们城里那黏在我们脚上的尘土，我们也要当着你们擦去。虽然这样，你们应该知道：神的国临近了！'我告诉你们，当那日，所多玛所受的，比那城所受的还轻呢。哥拉逊啊，你有祸了！伯赛大啊，你有祸了！因为在你们那里行过的神迹，如果行在推罗和西顿，他们早已披麻蒙灰，坐在地上悔改了。在审判的时候，推罗和西顿所受的，比你们所受的还轻呢。还有你，迦百农啊！你会被高举到天上吗？你必降到阴间。听从你们的，就是听从我；弃绝你们的，就是弃绝我；弃绝我的，就是弃绝那差我来的。"（路10:8-16）

一个人所受的审判与他对道德光照的拒绝程度相称。世人都犯了罪，没有人是无罪的；那么，所有人都该定罪。不过，并非所有人都受到同等程度的定罪，因为他们对这一道德光照的拒绝程度不等。神不会对一个没有听过基督救恩而拒绝基督的人定罪，而是因这人拒绝他里面的光照而定他的罪。

并非所有人都会以渴慕追求来回应他们里面的光照。但是对于那些渴慕听从所知真理的人，神的回应是让他们认识更多的真理。凡回应的人必得着更多的光照：

门徒上前问耶稣："祢对他们讲话，为什么用比喻呢？"祂回答："天国的奥秘，只给你们知道，却不给他们知道。因为凡是有的，还要给他，他就充足有余；凡是没有的，就连他有什么也要拿去。因此，我用比喻对他们讲话，因为他们看却看不见，听也听不到，也不明白。以赛亚的预言，正应验在他们身上，他说：'你们听是听见了，总是不明白；看是看见了，总是不领悟。因为这人民的心思迟钝，用不灵的耳朵去听，又闭上了眼睛；免得自己眼睛看见，耳朵听见，心里明白，回转过来，我就医好他们。'你们的眼睛是有福的，因为可以看见；你们的耳朵是有福的，因为可以听见。"（太13:10-16）

耶稣又对他们说："灯难道是拿来放在量器底下或床底下的吗？它不是该放在灯台上吗？因为没有什么隐藏的事不被显明出来，没有什么掩盖的事不被揭露的。有耳可听的，就应当听。"耶稣又对他们说："要留心你们所听到的，你们用什么尺度量给人，神也要用什么尺度量给你们，并且要超过尺度给你们。因为那有的，还要给他；那没有的，就算他有什么也要拿去。"（可4:21-25）

圣经中反覆出现一个应许："那顺服他里面的启示光照的，还要再加给他。"这个应许陈明了一个基本而且非常重要的圣经真理，与神的公义和审判息息相关。罗马军官哥尼流就是一个典型的例子：他以祷告和善行回应他里面的光照，然而神并没有让他停留在懵懂的状态，也没有因他对心中的光照那初步的回应而接受他。根据使徒行传第十章的记载，神差遣彼得去找哥尼流，并给他解明更多的真理；这

我们既无权判断神，因祂的作为我们无法测度，也无法判断人，因他们的命运我们没权定夺。

就是那有的，还要加给他。既然这一应许揭示了神对人的一贯原则，那我们可以肯定每个人都已经接受了足够的光照，让他可以做出回应。正如罗马书第一章18-21节和第二章14-15节所说：人可以从神所造的万物中领悟到神的存在和大能；也能用道德判断和良心去领悟。那些顺服回应神放在他们里面的光照的人，神还要加给他们更多光照。

当然，神把这一光照带给人的方式是差遣人类作为信使。保罗在写给在罗马教会的信中明确指出：那个解决之道，就是使用受差遣的传道者去帮助人脱离可怕的失丧光景，并指出传道者的脚踪何等佳美（罗10:14-15）。归根到底，问题的症结不在于神的公义而在于我们自己。神会差遣天使或是送去什么别的特殊启示吗？对此圣经只字未提，我相信圣经自有其道理。就算神真有这样一个替代方案，祂也不会让我们知道。不然，我们这一群表现得如此不负责又如此悖逆的人，只会彻底阻碍遵行大使命。

——没有别的审判官

但是问题还未得到解答。当一个刚信主的日本乡下人问道："那我的祖宗会得救吗？"你该作何回答呢？我的回答很简单：我不是那审判官。"审判全地的主，岂可不行公义吗？"（创18:25）亚伯拉罕向神问过这问题。他祈求神不要把那些无辜者和恶者一起定罪、毁灭。他祈求神的公义，而神却以恩典来回应，叫亚伯拉罕没话说。

这个记载于圣经首卷中的关键问题在圣经的末卷中找到了答案："是的，主啊！全能的神，祢的审判真实、公义！"（启16:7）我们既无权判断神，因祂的作为我们无法测度，也无法判断人，因他们的命运我们没权定夺。反倒是，神委派我们作祂的代表去寻找那失丧的，叫被掳的得自由，叫被囚的得释放。

——没有别的道路

我们无法用圣经证明，自五旬节以来，绝对没有不认识基督的人透过特殊途径获得救恩。但同时我们也无法用圣经证明，有人透过这种特殊途径获得救恩。如果真有别的替代方法，那么神至今也没有让我们知晓。神在祂的启示中尚且刻意不提这样的希望，我们岂不更应该制止这样的理论？

我认为，从道义上来讲，认为有其他的得救道路也好，或是希望有别的救法也罢，都无对错可言。但向其他信徒提出这种想法，并讨论其可能性的做法即使不被看作不道德，也必然是危险的。这样的做法无异于把一个虚假的希望描绘出来，传授给那些处于神审判之下的人，让他们心存这一幻想，到头来却还是灭亡了。

既然圣经的真理向我们启示了唯一的得救道路，那么我们就该以这一道路为我们生活的指引，并广为传扬。

保安人员的比方

试想一下，一名保安负责一个敬老疗养院十楼所有住客的人身安全。他熟悉张贴在显着位置上的那张建筑平面图，万一发生火灾，他有责任引导居民去到有明显标示的安全出口。一旦发生火灾，居民的人身安全受到威胁时，他责无旁贷要把他们送到安全出口。如果他和居民或同事讨论使用其他没有标示的安全出口的可能性，或是提及他读过的某篇新闻报导，称有人从一栋建筑物的十楼纵身跳下而安然无恙，那么这个保安当然会被指控犯有刑事过失行为。他的生活和工作都必须完全遵守那些确凿的事实，不可松懈怠慢，绝不能单靠推测和基于有限信息的逻辑推理引人误入歧途。

最大的奥秘

就这个问题，该说的都已经说了。如今最大未解之谜既非神的属性是公义还是慈爱，也非失丧之人最终的命运何去何从，而是要问：那本来受命营救失丧之人的我们这些使者——为何在这两千年中忙于其他事务（这些事情本身可能不坏），而未能差遣别人或自己奉差出去，传扬那在基督耶稣里使人得享自由的生命之道，直至所有人都听闻？人类失丧的光景让天父心碎；我们的心也同样感到难过吗？

在梦中，我来到一个名叫羊岛的海岛，此岛布满了分散和迷失的羊群。很快，我得知一场森林大火正从对面向我们这边蔓延过来；若找不到逃生之路，所有的羊都注定灭亡。尽管坊间有不少该岛的地图版本，但我手上这份却是官方的正式版本；从这张地图发现岛上有一座桥通往大陆。这座桥很窄，据说此桥的造价高得惊人。

安排给我的工作就是领羊通过这座桥到大陆去。我发现有很多牧人在赶那些找到的羊，并设法用畜栏围住那些离桥不远的羊；然而很少有牧人前去寻找那些为数更多更多、分散在更远处的羊。离火近的羊知道自己身处险境，惊恐万状；那些离火远的羊则还在吃草，悠然自得、享受生活。

我注意到离桥不远处有两个牧羊人在交头接耳，不时发出一阵笑声。我走过来，想了解他们怎么会在如此紧迫糟糕的境况下还能高兴得起来。一个说："或许有些地方海峡不那么宽，至少那些强壮的羊能自己救自己。也许水流不急，水也不深，至少那些胆大的羊能游过去。"另一个答道："嗯，就是。其实啊，我们要是能证明这儿压根就不是岛就更好了。这说不定就是个半岛，大多数羊已经安全到对岸了。主人肯定安排了别的逃生路线。"于是，这两位牧羊人放松下来，自顾自干起别的事来。

我开始在脑海里思忖他们的理论：主人何苦花这样大的代价来建造一座桥呢？再说这座桥还这么狭窄，很多羊就算找到了这座桥也不愿走过去啊！事实上，如果有其他更简单的方法可以使更多的羊获救，那造这座桥简直是个大错！另外，如果这里真的不是海岛，有什么办法可以使这场森林大火不蔓延到大陆而毁坏一切呢？

正当我百思不得其解的时候，我听到身后有一个微小的声音轻轻地说道："我

亲爱的朋友，逻辑不是一切。单靠逻辑，你会不知所措。看看你的地图吧。"

就在地图上的桥旁边，我看见首席助理牧长彼得的话："除此以外别无拯救，因为从海岛到大陆没有其他的路，羊可以靠着得救。"我再仔细辨认的时候，看到斑驳的桥上刻着一行字："我就是桥。若不通过我，没有羊可以出死人生。"

当今世界，每十个人中有九个迷失，每四个人中有一个从未听过得救的道路，每两个人中就有一个根本听不到福音，而教会还在沉睡。为何会这样呢？难道是我们确定还有别的得救之路吗？还是说我们并不真正在乎人的失丧灭亡？

研习问题

1. 请简要地陈述本文提到的四种救赎观，以及作者的个人观点。
2. "慈爱的神怎么能够给那些没有机会回应基督的人定罪呢？"你如何回答这一问题？

第30章　基督的独特性

查尔斯·范·恩金（Charles Van Engen）

作者任富勒神学院宣教圣经神学的 Arthur F. Glasser 教席教授，从1988年起，在该校跨文化研究系任教。此前，他在墨西哥宣教，主要从事神学教育，并一直通过在拉美的若干培训项目，来推动宣教学高级培训。他著作等身，代表作有 *Communicating God's Word in a Complex World, The Good News of the Kingdom: Mission Theology for the Third Millennium*。本文摘自 *Mission on the Way*（1996年）。版权使用承蒙 Baker Book House Co., Grand Rapids, MI 许可。

历史上最激动人心的宣教时代正迎向我们！与从前相比，我们现在可以说，世界上每个国家都有基督徒存在。全球大约有十五亿基督徒，这使得向另外四十五亿人传福音成为可能。世界各地的人们对灵性、灵界和宗教现象兴趣复苏，这为呼吁人们来信靠耶稣基督提供了一个前所未有的机会。然而当今世界，主张基督的独特性被人视为对其他宗教的藐视。查普曼（Chapman）指出：

> 归根结底，说到"其他宗教"就是指人类其他三分之二的人口。世界上的其他宗教对基督教形成挑战，这不仅是因为他们的世界观在很多方面与我们的世界观有冲突，还在于他们的影响力也日渐增强……我们再也不能只以陈旧的方式来重申基督的独特性，也不能只是为了向其他信仰的人传福音而制定策略而已。我们必须首先用心思考各种宗教。[1]

三种广义的划分

大体上，当今基督徒对待其他宗教的态度可以广义地划分为三种：多元主义者（pluralist）、包容主义者（inclusivist）和排他主义者（exclusivist）。[2] 请注意，其中的两个词听起来基本上是正面的。"多元主义者"听起来正面，是因我们生活在一个包含多种宗教和文化的世界。"包容主义者"听起来也很正面，因为它代表了我们张开双臂接受所有为神所爱的人。"排他主义者"听起来就带有贬抑味了。"多元主义者"和"包容主义者"对所谓的排他主义者所坚持的立场非常不屑。事实上，我们当中很少有人愿意被人视为排他分子，不管这种排他性涉及到机构、文化、经济、政治，还是社会方面。

我们需要厘清与这些立场对比的基点。如果出发点是容忍，那么多元主义和包容主义者显得是在主张容忍；而排他主义者就是在拥护偏狭。若以爱作为对比的出发点又如何呢？多元主义者爱每一

个人，包容主义者亦然。用克拉克·平诺克（Clark Pinnock）的话说，这两派都拒绝"将神的恩典局限于教会的四壁之内。"[3] 而恰恰是那些所谓的排他主义者"限制希望"，也因此将其他宗教的信徒贬到"幽暗之地"，拒绝敞开爱的胸怀而为所有人提供一个"更加广阔的希望"。[4] 如果对比的出发点是普世敞开性对地方封闭主义，那么排他主义者的立场就显得陈旧、过时和狭隘；如果对比的出发点是乐观主义对悲观主义，那么，用平诺克的话来说，包容主义者的立场是"对救恩持乐观的态度"，[5] 而所谓的排他主义者则"对这个世界上的其他人"表现出一副"消极的态度"，[6] 并且"对救恩持悲观态度，消极地对待他人的灵性探索。"[7]

我不想成为一名排他主义者。当我听到那些充满爱心、心胸开阔又愿意接纳和包容他人的多元主义者怎么说时，我更加不愿意加入排他主义者的行列！约翰·希克（John Hick）这样评论排他主义者：

> （他们）对其他信仰所表现出来的绝对的消极态度主要源于对这些信仰的无知……可是现在，那些更正教中的极端福音派认为所有穆斯林都会下地狱，与其说他们是愚昧无知，不如说他们是被黑暗的教义所蒙蔽，以至于看不到自己群体以外其他宗教的闪光点……
>
> 如果全人类为了得到神创造他们而赐予的永恒福乐，而必须在死前接受耶稣基督为自己的主和救主，那么，大部分人注定要永远地遭受挫折

和痛苦。如果声称这样一种可怕的境况是上天所注定，那就等于否定基督徒所认识的神，是一位满有恩典和神圣之爱的神。[8]

看起来，排他主义者不是什么好人！当然，这并不是我真正的意思。但是难道我们不能做得好一些吗？至少，我们看起来需要继续寻找更好、更准确的概念和表达方法来阐述所谓的排他主义者的观点。我们甚至需要一个新的词汇。在此，我想推出第四种观点："福音中心论者"（evangelist）的立场。我选择这个词汇的原因，在于提出一种以福音为出发点和中心的模式，这福音就是门徒的宣认："耶稣基督是主"。

重要区分：信仰不等于文化

在我们细察"福音中心论者"这第四种模式在宣教上的影响之前，让我们先看一看两种假设。第一种假设涉及信仰和文化的关系。何保罗（Paul Hiebert）说：

> 福音必须要与人类的所有文化区别开来。福音来自于神的启示，而不是人的推测。因为它不属于任何文化，所以可以在一切文化中充分地表达出来。疏于区分福音和人类文化是当代基督徒在宣教上的一个重大弱点。宣教士往往把福音等同于他们自身的文化背景，结果他们大肆讨伐当地人的大多数习俗，而把他们自己的习俗强加给归信的人。故此，福音总体上被人视为舶来品，尤其被看作是

西方的产物。人们拒绝福音倒不是因为他们拒绝基督的主权，而是由于皈依基督教往往意味着他们要背弃自己的文化传统和社会关系。[9]

信仰与文化的差异，不仅在人类学上可以看出端倪，也可以从历史和圣经上得到证实。回顾教会的历史不难发现，承认耶稣基督为主的福音真道，往往总是从那些可能禁锢福音的文化模式中脱离出来。最初，福音根本不是起源于西方，而是出自于中东地区，兴起于当时说亚兰语的犹太人中。然后开始在耶路撒冷周边的文化中成形，也就是使徒行传第二章中所记载的各种文化，诸如希腊、罗马、北非、埃塞俄比亚、印度、近东和阿拉伯等文化。这福音后来逐渐拓展到法兰克人、北欧诸国、大不列颠诸岛和其他地区。

如果要将任何一种文化跟福音强拉在一起，你就等于无视教会在历史上的扩展进程。

更深的层面来说，区分信仰和文化在圣经上也是很重要的，这个问题正是使徒行传和罗马书的要点。[10] 确切地说，问题的核心在于，一个单单持守基督的主权的信仰，如何能够在各种不同的文化中成形。区分信仰和文化之间的差别特别有助于理解加拉太书、以弗所书和歌罗西书。保罗提到一个奥秘，"就是外族人在基督耶稣里，借着福音可以同作后嗣，同为一体，同蒙应许"（弗3:6，外族人 *ethnē* 包括了各种不同的文化）。如果不了解信仰和文化的区别，启示录和彼得前书也同样难以明白。

在我们当今所居住的这个世界，把信仰等同于文化已经带来了前所未有的危害，在这一点上，基督徒和非基督徒都认同。如今，人口在全球各地流动，规模之大前所未有，我们每个人都深受影响。面对这样一个全新的现实，人们有必要找到各种肯定文化的相对性的方式，例如容忍、理解、公正、平等，并在全新的多元文化环境中共存。

如果一个人将信仰和文化等同起来，并且开始接受**文化**上的相对主义，那么自然就会形成某种形式的**宗教**上的多元主义。[11] 如果他继续以此类推，就会形成多元主义的立场。若是他认为多元派太过分，觉得还必须坚持基督是从神那里来到世上这一独特性，那么他就会成为包容主义者。如果他拒绝接受文化相对主义，但是却把信仰和文化等同起来，那么，他就会步入排他主义者的立场，类似于十九世纪的文化更正教主义。

重要起点：好人下地狱，还是罪人得救？

第二种假设涉及这四种模式各自提出的如何得救的问题。我们必须意识到，多元主义者和包容主义者，与排他主义者和福音中心论者之间的差异。多元主义者和包容主义者的根本神学问题是："假设人在本质上是好的，并且神是一位慈爱的神，那么神怎么可能判那么多人下地狱呢？"排他主义者和福音中心论者提出的问题则不同："假设人犯罪的事实是真的，并且'人人都犯了罪，亏缺了神的荣耀'（罗3:23），怎么可能如此多的人会得到拯救呢？"

根本信念：耶稣的史实性

在我进一步阐述"福音中心论者"的立场在宣教学上的影响之前，我想要交代一个根本认知，它是一切的出发点。我在此着意强调基督徒与耶稣基督的个人化关系；这位耶稣真真实实出生于历史上某个确实的时间，生活在巴勒斯坦地区，在那里事奉，死去，复活，升天，并且要再次降临。圣经正典以一种彻底绝对的方式宣称，这位耶稣现在还活着，基督徒凭信心可以与祂有个人的关系。

就连约翰·希克也认识到这一立场的影响：

如果耶稣确实是神的化身，是三位一体中的第二位，经历过人的生活，那么基督教就是由那位在地上化身为人的神建立起来的。故此，全人类都必须要皈依基督教。要逃避这种传统观点绝非易事。12

但是，希克却选择把有关耶稣基督生平的叙述视为"比喻性的描写"，而非照实描述、并且可以证实的一个历史事实。13 这一选择出于他之前得出的结论：
"任何可行的神义论观点都必须肯定所有的受造物最终会得救。" 14 这两种因素加在一起，自然就会得出多元主义的观点。

第四种立场：福音中心论

为了勾画出福音中心论者这一立场在宣教学上的影响，我试着表述一个以三位一体和天国为导向的视角，这样既可能有助于我们聆听其他三种模式的声音，也可以对此进行评论。如此，我们必须超越多元主义者和包容主义者对宣教、信仰和教会的悲观态度。同时，我们必须以一种比传统的排他主义者更为敞开的态度，来面对地球村中这种混合了多种宗教和文化的现代世界。在我们这个全新的全球性大家庭中，我们不可能再创造出自认为看起来安全的宗教排他性庇护所，而且加以保护和维持。

我们只从三个方面来研讨福音中心论者立场的影响，它面对其他宗教的态度是（1）在信仰上是独特的，（2）对文化是敞开的，（3）关于教会形式则采包容态度。

1. 信仰上独特

这是种新的范式，第一个层面是跟个人有关的，涉及的不是宗教体系或理论性的宗教本身，而是涉及人，和个人化的信心有关。15 因此是强调对耶稣个人化的信心和忠诚，这位耶稣在一个特定的历史时期生活在巴勒斯坦地区，并在那里服事过。16 基督徒信仰上唯一真正的独特之处，就是与那位历史上真实地复活和升天的耶稣基督，保持着一种个人化的关系（"排他主义者"一词是指独一无二、与众不同，有别于一般和普遍。）17 按照福音中心者的立场，承认耶稣为主包含着一种个人化的关系，突破所有宗教体制的束缚。也就是，与其说我们是基督教的信众，倒不如说我们就是基督的门徒。跟随基督是一种充满活力的关系，而不是认同一堆宗教套话。它有时不成体系、不合逻辑，甚至还缺乏一致性；但也不会排他、傲慢或者妄自尊大。事实上，它代表谦卑的认罪、悔改和顺服。因此，主要问题不在于一个人是否属于某个特定宗教体系，虽然这是基督教的传统。关键在于他是否与耶稣基督有个人化的关系。最终的问题在于门徒的本质——此人和主耶稣关系的远近如何。

福音中心论者的立场对所有教会的机构体制提出质疑，尤其质疑把基督教的治理结构作为一个宗教体系；如今人们把教会看作是那些忠实于耶稣的门徒所组成的团契，对耶稣的忠诚程度要超过对机构的忠诚。福音中心论者也质疑包容主义者的观点，后者认为基督降世实际上拯救了所有的人，因而不必在乎他们是否与耶稣基督有一种个人化的关系。同时，也挑战多元主义者的相对主义观，因他们不承认"耶稣基督是主"，而把耶稣贬低为众多救世主中的"一位"而已。

从另一个方面来看，承认耶稣是主也使人更加明了什么是基督徒不能尊称为"主"的，这种信仰告白要求基督徒把添加在这种认信上的文化赘物层层剥去。[18]就像保罗在罗马书中所宣称的，我们信，就要口里承认，心里相信耶稣是主。这在使徒行传中得到充分体现，就这么简单！其他的都不重要，用不着那么坚持，也都可以商量。

为此，当我们呼吁来自其他文化和信仰的人承认"耶稣是主"的时候，我们所呼吁他们承认的，不是**我们的**耶稣（排他主义者的观点），不是**某一位**耶稣（多元主义者的观点），也不是非物质世界中虚幻缥缈**形而上**的耶稣基督（包容主义者的观点），而是要求凡承认祂名的人悔改归信，使之生命发生转变的那位**主耶稣**。正

因为如此，只有靠着谦卑，借着个人的悔改和祷告（各种文化当然会有不同的表达形式），我们才有可能邀请他人加入我们的行列，承认耶稣是主。

2. 文化上敞开

我们在肯定耶稣基督的历史真实性和关系性以外，还必须肯定基督主权的普世性。基督耶稣是全宇宙的创造者和护理万有者。约翰福音第一章、以弗所书和歌罗西书都论及这一点。我们大家很关心整个人类的福祉，以及如何呵护神的创造物。我们不禁思忖，人类如何才能公正又和睦的共处？尤其是如何在各宗教信仰冲突日益激烈的环境中共处？基于普世的胸怀，我们需要一种以天国为中心的三位一体型宣教观。[19]我们也必须牢记，基督的主权不仅在教会之上，更是在全世界之上。但是，多元主义和包容主义混淆了基督对教会（自愿的臣民）和全人类（非自愿的臣民）的统治权的本质、范围和方式。[20]

基督的主权也让我们质疑排他主义者对其他文化和宗教的观点。福音中心论打开了更大的空间，使基督徒与当今世界上许多别的文化有处境化的接触。那些所谓的非基督教文化并非都是罪恶的，但文化中的一切也不都是相对的。实际上，圣经要求我们"试验那些灵"（约一4:1-3）。这种广阔和包含一切的基督论，要求我们仔细聆听那些近年新兴于亚洲、非洲和拉丁美洲国家的基督论。只要这些不违背圣经关于主耶稣基督的启示，我们就当仔细考虑。正如亨得利库斯·伯克富（Hendrikus Berkhof）所说：

基督**就是**真理并不表示在祂以外就不能发现任何的真理，只是这些真理都是支离破碎和分散的，只有以基督为中心结合起来才能成为整全的真理。21

3. 教会形式上包容

福音中心论者立场对宣教学的第三个影响涉及到神的国度和基督教会（"教会形式" ecclesiological 源于希腊语中的"教会"一词 ekklesia）。神的国度带领主耶稣基督的门徒成为教会。教会不只是一群人简单的集合，它的意义更加广泛，因为还包括了耶稣基督这位造物主、同时也是教会的元首。这是耶稣基督差派圣灵在五旬节建立教会的原因。教会不属于任何人；教会的成长必须是耶稣的门徒增加多而又多，而不是借着引人入教来扩展任何人小小的教会王国。福音中心论试图纠正排他主义者时常遭人诟病的妄自尊大和傲慢。22

因为主耶稣基督是教会的元首，所以教会的任务就是参与耶稣基督的使命。保罗在使徒行传十三章说，教会、基督的门徒要成为"外族人的光"，因此，教会有责任关注整个人类。将门徒凝聚起来的是基督的教会，而不是某种精神层面的理念。以基督为元首的教会蒙召宣扬耶稣是全人类的主，而非只是针对基督徒的"一个救世主"。

向外进入到万国中

这个欢迎全世界的教会，宽广至大可以面向全人类（犹如多元主义者），接受基督宇宙性的主权（犹如包容主义者），容纳、聚集基督的门徒（犹如排他主义者）。显而易见，这样的教会难免遭人诽谤：教会里面都是一些有缺点的人，但它居然仍是耶稣基督的教会！同样明显的是，在现今这样一个包含多种宗教和文化的世界中，我们需要再思这种教会的形式。

基督教会不可能逃避这样一个事实：承认耶稣是主就是让教会彻底实现自己的普世性——向外进入到万国中。这在马太福音结尾最高潮二十八章18至20节中清楚地表明出来："天上地上**一切**权柄都赐给我了。所以，你们要去使万民作我的门徒。"因此，耶稣的使命是祂的门徒不可逃避的，对所有的门徒都是。他们不可能在承认耶稣是主的同时不宣告耶稣是所有人的主……因此，耶稣基督是全人类的主，一切受造之物和教会的主。祂差派祂的子民以一种积极的方式进入到这个世界。23

最终，基督徒对其他文化所作的任何新的回应模式，只不过是在重述赐给全人类的福音奥秘，这奥秘是"历代以来隐藏在创造万有的神里面的，为了要使天上执政的和掌权的，现在借着教会都可以知道神各样的智慧。这都是照着神在我们主耶稣基督里所成就的永恒的旨意。我们因信基督，就在祂里面坦然无惧，满有把握地进到神面前"（弗3:9-12）。如果保罗和早期的教会，在当时那种让人诧异不已的文

	多元主义者：以创造为中心	包容主义者：以普世救恩为中心	排他主义者：以教会为中心	福音中心论者：第四种立场
1. 起点	创造以及宗教多元主义的现实	基督降世的独特性在本质上影响到所有人	基督教会是救恩的管道	承认耶稣基督是主
2. 关注点	不同信仰群体之间的共存	不同信仰群体之间的共存	所有非基督徒成为基督教会的基督徒	人们在不同文化和宗教中共存
3. 圣经权威观	圣经只是基督徒的圣书（众多圣书之一）	圣经是神给所有人的启示	圣经是神所默示的启示，透过基督教会向全人类宣扬	圣经是神所默示的启示，是赐给全人类的。它对福音所扎根的每一种文化都表达出新的信息
4. 基督观	耶稣基督与其他宗教的领袖相当	强调基督的独特性	极为强调基督的独特性	极为强调人在自己的言行上重新承认"耶稣是主"
5. 对信徒生命的重视	无需信仰上的归信和生命的改变	信仰上的归信固然好，但不必要；不强调生命的改变	极为强调信仰上的归信，在耶稣基督里并借着耶稣基督（和基督教会）生命发生改变	极为强调个人在信仰上的归信，有时也注重人生命的改变
6. 基督与个人的关系	不关心个人与耶稣基督的关系	个人与耶稣基督的关系是可取的，但不是规范	必须与耶稣有个人化的关系	必须与耶稣基督有个人化的关系
7. 宣教观	视宣教为无用和不必要的，甚至嗤之以鼻	宣教就是告诉人们，他们已经在耶稣基督里得救了	视宣教为将人们从罪恶的文化中拯救出来，进入基督教会	宣教就是呼召不同文化中的人，个别和一起归信基督，承认耶稣基督是主，并向祂忠诚

化和宗教多样性的处境下，都能如此强调这种信念，²⁴ 那么我们也当满怀自信。虽然我们讨论的题目复杂无比，但是它的中心思想却很简单，那就是"耶稣基督是主"！面对各种文化和不同宗教的信众，我们要无所畏惧，必须更加好好学习成为信仰上独特、文化上敞开和教会形式上包容的福音中心论者。

福音中心论者立场在宣教学上的影响

信仰上独特	文化上敞开	教会形式上包容
"耶稣基督是主"	"耶稣**基督**是主"	"耶稣基督是**主**"
（圣子）	（圣父）	（圣灵）

附注

1. Chapman 在《今日基督教》（*Christianity Today*）上发表了一篇文章，进一步阐述了他在第二届洛桑世界福音大会（Manila, 1989）上的讲话中的一些主题。Robert Coote 1990, p.15 说："只有 Colin Chapman 敢于在福音对那些从未听过基督的人的意义这个主题上进行广泛的查考。"

2. 使用这些特别的术语似乎只是一个新近的现象。在《别无他名？基督徒对世界宗教之态度的批判性研究》（*No Other Name?*）(1985) 一书中，保罗·尼特（Paul Knitter）论及基督徒对待其他宗教的态度，可归结为几种模式：保守的福音派、主流更正教宗派、天主教和以神为中心论。他这样的分类淡化了多元主义者、包容主义者以及排他主义者这样的划分。在《多名的上帝》（*God Has Many Names*）(1982) 一书中，约翰·希克（John Hick）提到三种主要的径路，但是他没有强调作为分类的词汇（Netland, 1994）。对于福音派来说，Mark Heim 在 *Is Christ the Only Way?* (1985) 一书和阿吉斯·费兰度（Ajith Fernando）在 *The Christian's Attitude toward World Religions* (1987) 一书中都没有从这三类角度，来对他们的著作进行结构上的划分。在一本名为《基督教与其他宗教》（*Christianity and Other Religions*）(1980) 的优秀读物中，约翰·希克和 Brian Hebblethwaite 提到"宗教多元主义"和"基督教的绝对主义"，但没有使用三部分类法。保罗·尼特和 Francis Clooney 是最早使用这个三部分类法的学者，在其 *Religious Studies Review* 15.3 (July 1989): pp. 197-209 的文章中对这个领域内重要的新著作出了综览。Carl Braaten 似乎在1987年就接受了这个三部分类法，他提到 Gavin D'Costa 和 Alan Race 也使用这一分类法，但没有指明其出处（1987, p. 17）。

3. Pinnock, Clark H. 1992. *A Wideness in God's Mercy: The Finality of Jesus Christ in a World of Religions*. Grand Rapids: Zondervan, p. 15.

4. 同上，p. 14。

5. 同上，p. 153。

6. 同上，p. 13。

7. 同上，p. 182。

8. 约翰·希克，1982，《多名的上帝》（*God Has Many Names*）(Philadelphia: Westminster, 1982), pp. 29-31。

9. 何保罗（Hiebert, Paul G.），1985，*Anthropological Insights for Missionaries.* Grand Rapids: Baker, p. 531。

10. 有关从宣教学的角度来看罗马书中信仰与文化之间关系的纲领性论述，见 Van Engen 1996. *Mission on The Way: Issues in Mission Theology.* Grand Rapids: Baker, pp. 165-67。

11. W. A. Visser't Hooft 在1963年就已经强调信仰和文化之间的区别的重要性（p. 85）："将关注神的终极真理的宗教，转化成一场关注价值观的跨文化辩论，错失了更为重要的中心议题……即对信仰核心的确认，也就是说，神一次性就永远地在耶稣基督里将自己启示了出来。"

12. 约翰·希克，1982，《多名的上帝》（*God Has Many Names*）(Philadelphia: Westminster), p. 19。

13. 同上，p. 19。

14. 同上，p. 17。

15. Taber, Charles R., and Betty J. Taber. 1992. "A Christian Understanding of 'Religion' and 'Religions'" *Missiology* v. 20.1 (January): pp. 69-78.

16. 何保罗 1979. "Sets and Structures: A Study of Church Patterns." In *New Horizons in World Mission*, edited by David J. Hesselgrave, Grand Rapids: Baker, pp. 217-27。何保罗 1983. "The Category Christian in the Mission Task." International Review of *Mission 72*, no. 287 (July): p. 427。何保罗 1994，《宣教议题下的人类学省思》（*Anthropological Reflections on Missiological Issues.*）Grand Rapids: Baker, pp. 125-130。

17. Gnanakan, Ken R. 1989. *Kingdom Concerns: A Biblical Exploration towards a Theology of Mission.* Bangalore: Theological Book Trust.

18. 我一度使用洋葱为代表物，但是洋葱没有中心，只是洋蓟（artichokes）。

19. Verkuyl, Johannes. 1993. "The Biblical Notion of Kingdom: Test of Validity for Theology of Religion." In *The Good News of the Kingdom*, edited by Charles Van Engen et al., pp. 71-81. Maryknoll, N.Y.: Orbis.

20. 见 Van Engen. 1981. The Growth of the True Church. Amsterdam: Rodopi. 277-305; 1991. *God's Missionary People: Rethinking the Purpose of the Local Church.* Grand Rapids: Baker, pp. 108-17。

21. Berkhof, Hendrikus. 1979. *Christian Faith: An Introduction to the Study of the Faith.* Grand Rapids: Eerdmans. p. 185.

22. Gnanakan, Ken R. 1992. *The Pluralist Predicament.* Bangalore: Theological Book Trust, p. 154.

23. Van Engen, Charles. 1991, pp. 93-94.

24. 有关早期教会中这一最基本的宣信及其宣教含义的讨论，见 Van Engen, 1991, pp. 92-94。

研习问题

1. 作者指出了"福音中心论者"要符合的两种假设。指的是什么？为什么很重要？

2. 请解释以信仰上独特，文化上敞开和教会形式上包容的方式来接近其他宗教的这一范式。

第31章　至高无上的基督

阿吉斯·费兰度（Ajith Fernando）

作者自1976年起一直担任斯里兰卡青年归主协会（Youth for Christ）全国总干事。他还负责YFC在斯里兰卡的戒毒工作。其著作有九本，包括 *The Christian's Attitude Toward World Religions*。本文摘自 *The Supremacy of Christ*，1995年。版权使用承蒙 Crossway Books（Good News Publishers, Wheaton, IL）许可。

多元论已成为今天的主流哲学。各种东方宗教都采取了强势的宣教立场，新纪元思想更是大举侵入西方社会的不同领域。向来全力推进福音根本真理的福音运动，貌似也失去了原有的锋芒，这一点在西方尤为如此。如今，就连基督教内部对于人能否认识真理也存在颇多怀疑。乔治·巴尔纳（George Barna）在1991年所作的调查统计显示，有67%的北美人如今不相信存在所谓的绝对真理；更让人吃惊的是，就连在笃信圣经、持保守立场的基督徒中，也有53%的人认为世上没有绝对真理。[1] 这种重大的思想转变已经在许多基督徒思想里扎了根，以至于现在的人们在理解宗教性的真理时，必需使用多元论和相对论。

"多元论"是新纪元运动与某些所谓"基督教神学"蕴藏的核心思想，这种哲学与佛教和印度教思想很合拍。在此我们说的，不是一种容忍教会或社会中存在政治、种族和文化差异的"多元论"；而是一种哲学立场——承认一种以上的基本原理，从而断然否定了某一套观点是绝对真理的可能性。

宗教上的多元论支持一种对"启示"的新观点。数千年来，基督徒认为"启示"就是神向人类"揭示"（disclosed）真理的过程，他们相信，神不单透过自然和人类的良知，用一种所有人普遍可得的方式向我们启示真理；祂还借着耶稣基督和圣经，以更确切的方式揭示真理。然而，根据宗教上的多元论，所谓真理并不是透过"启示"给我们的，而是每个人根据自身经验去"发现"（discovered）的。因此，所有不同的宗教文献都被视为关于一位"神"的发现，只不过根据个人经验不同，文献也就不同。这样一来，不同宗教就可以被视为关于同一个"绝对存在"的不同表达，每种宗教都蕴含了某些真理。

然而大部分研究宗教的学者都知道，每种宗教其实都有各自不同的轴心；实际上，基督教和其他宗教的相似性存在于次要层面，而非信仰的基要原理上。因此，所有宗教教导最终都指向同一根源的这些理论根本是错谬的。当今鼓吹多元论的人都应该正视一个事实，即多元论与以新约作为信仰根基的教会立场截然相反。历代以

新约为信仰根基的传道者和著述者，也对在他们时代出现的多元论作出了有力回应，其中包括坚决肯定基督的排他性与至高地位。保罗在雅典的事工（徒17:16-34）和他致歌罗西和以弗所教会的书信就是这种回应的范例。尽管在世界各地都有人拒不承认基督有至高无上的权柄，然而耶稣自己的生命和祂所成就的工都显明，我们有充分的理由去相信祂的确是至高的主。

一、耶稣就是绝对真理

在当今不认为有绝对真理的世界潮流中，坚信圣经的基督徒应宣称人是能够认识绝对真理的。我们坚称已在耶稣身上找到了真理，耶稣本身就是真理。祂说："我就是道路、真理、生命。"（约14:6）耶稣称自己为真理时，祂的意思是说，祂就是真理的人格化和具体化。耶稣不只是说"我讲的都是真理"，意思是"我是诚实的"；耶稣说的是"我就是真理"，这表示祂就是那终极的真实（ultimate reality）。这种启示不是单单靠所谓个人经验可以发现的。多元论者强调，基督教的启示实际上只是一些特定信仰的人宗教体验的记录。而我们强调的这终极真理是神揭示的，而非人类寻觅的结果。

在约翰福音第十四章6节接下来的经文中，耶稣对宣称自己是真理的论述作出说明。祂先解释祂"就是真理"的含义，即祂是与神同等的。耶稣在第7节如此说："如果你们认识我，就必认识我的父；从今以后，你们认识祂，并且看见了祂。"认识耶稣就是认识天父。莱昂·莫里斯（Leon Morris）指出，当耶稣宣称我们能认识神的时候，祂的宣称"超越了古代任何圣人的宣称……耶稣为那些相信之人带来了新的事物和全然不同的宗教体验，就是对神有真知识、真认识。"[2]

耶稣在约翰福音第十四章7节里又有另一个强有力的证明。祂说："从今以后，你们认识祂，并且看见了祂。"耶稣宣布，门徒已经看见了那位在天的父神。威廉·巴克莱（William Barclay）如此评论说："对于当时的古代世界来说，耶稣所说的可能就数这句话最令人震惊。对于希腊人来说，神本质上是'不可见的'。犹太人也相信没有人曾在任何时候见过神。"[3]然而，耶稣居然自称与神同等，还说我们见祂，就等于见到了在天的父神。

从耶稣在约翰福音第十四章6-7节的教导中，我们得到一个结论，那就是绝对真理是可知的，因为那绝对的真理，绝对的"道"已经在历史中因耶稣道成肉身而真实体现了（参约1:14、18）。这就是我们相信绝对真理存在的论据。我们坚称耶稣是神，因此认识耶稣就是认识绝对真理。我们相信基督教福音的绝对性，是因为相信道成肉身的神而来。当代最突出的多元论者莫过于约翰·希克（John Hick），令人玩味的是，他居然不予接受基督教关于耶稣道成肉身的教义。[4]

个人如何回应真理

现在让我们来思考一个问题：从什么意义上，以何种方式认识绝对真理？如果说真理是一个位格，或许我们就能够以认识人的方式来认识这真理，也就是透过收集有关这个人的资讯，并同他建立关系的方式来认识。我们是在一种关系中来认识绝对真理的，因为这是祂所选择的传达真理的方式，祂自己就是这样沟通真理；因此，要想认识绝对真理，我们就需要先透过"对基督其人作出个人的回应及委身"[5]来认识神，这打开了我们认识绝对真理的道路。

斯坦利·钟斯（E. Stanley Jones）讲述了一位不信耶稣的医生在临终时发生的事情。当时，一位基督徒医生坐在他身边，规劝他向基督低头降服、信靠祂；这位垂死的医生听了，惊奇这么好的福音，于是被圣灵光照，满怀喜乐地感叹道："我这一生都困惑于该相信'什么'，现在我知道了，原来我要问的应是该相信'谁'。"[6]相信就是将我们自己交托给耶稣，像爱一位朋友一样爱祂，也视之为我们的主而跟随祂。这就是为何基督最基本的呼召不是"遵守我的教导"，而是"跟从我"。

因我们是借由个人关系认识绝对真理的，所以我们敢说自己知道绝对真理；这种知识并不只是个人性、主观的体验，基督福音的核心是一些客观事实。耶稣的福音以确凿的史实为依据，其中包括耶稣作出的宣称；神的启示中，有一些陈述是无法妥协的，包括耶稣与神的关系的真理。例如，在约翰福音第十四章11节中，耶稣命令门徒："你们应当信我是在父里面，父是在我里面。"

耶稣的话语自证祂是绝对真理

在约翰福音第十四章10节后半部分，耶稣解释了为何我们可以相信祂自己与神同等的宣称，并且由此相信耶稣自己就是绝对真理："我对你们说的话，不是凭着自己说的，而是住在我里面的父作祂自己的事。"我们本来期待耶稣会这么说："父透过我说话。"然而祂却说：父"住在我里面……作祂自己的事"。正如威廉·汤朴（William Temple）大主教所言："这是因为耶稣的'话语'就是神的'工作'。"[7]

此处，耶稣所表达的是，我们必须认真对待祂说的话，因为祂说话就等于是神在说话。祂的话语证实了祂与神同等的宣称，耶稣的话语所带出的实证价值有两个方面：第一，耶稣话语中蕴涵的意义和卓见都说明，说这些话的不是凡人，祂的话语中潜藏着神对生命关键问题的解答。第二，祂对自己身分的宣称使我们得出一个必然的结论：耶稣自认与神同等。

在耶稣降世后直到当今，许多人只是读了福音书就能够认定耶稣对自己身分的宣称是真实可信的。我听过一个非基督徒年轻人的故事，他以一卷福音书上课学英语。读着读着，他突然在课上站起来，在教室里踱来踱去地念叨着："这真不是人口里能说出的话语，这当真是神的话语！"耶稣亲自说过，祂的话语本身就带着能让人信服的能力。

耶稣的作为验证祂的宣称

然而，耶稣早就预料到有人无法接受祂说到自己的那些惊人言论。因此，在约翰福音第十四章11里，祂说道："你们应当信我是在父里面，父是在我里面；不然，也要因我所作的而相信。"耶稣其实是在提醒我们，如果我们仔细思量祂所做的，必会认真来听祂所说的。

要思量耶稣的所作所为，首先要看祂

完美无瑕的人生轨迹。即便是那些不能接受他某些宣称的人，一般也会承认耶稣的生活可以作为人们的典范。既然可以确定他是好人，那么我们是否也该严肃对待他对自己一贯的宣称呢？

其次，要看耶稣所行的神迹。福音书记载神迹的主要目的是佐证基督的宣称。当人们因耶稣对瘫子说"你的罪赦了"而窃窃私语的时候，耶稣立即医治了瘫子，

是"为了要你们知道人子在地上有赦罪的权柄"（可2:8-11）。结果，犹太人指控他说僭妄话，说："因为祢是个人，竟然把自己当作神。"（约10:33）于是耶稣回应道："我若不作我父的事，你们就不必信我；我若作了，你们纵然不信我，也应当信这些事，好使你们确实知道，我父是在我里面，我也在父里面。"（10:37-38）

如果我们果真细想基督所作的，就一

附篇 31-1 耶稣话语的十大特质 阿吉斯·费兰度（Ajith Fernando）

1. **他的教导深入浅出。** 史蒂芬·尼尔（Stephen Neill）主教说过："耶稣的许多教导始终贯穿着平易近人的特质。这可能就是二十个世纪以来，他的话语总是以奇妙的能力打动百姓的原因。"[8] 圣殿的差役奉命去捉拿耶稣归案，结果却空手而回。祭司长和法利赛人质问他们："你们为什么没有把他带来？"差役们回答道："从来没有人像他这样讲话的。"（约7:46）

2. **耶稣说话满有权柄。** 在耶稣升天之前，他告诉门徒说："天上地上一切权柄都赐给我了。"（太28:18）他所讲的言论表示他够资格讲这些。谈到自己的教导时，耶稣说："天地都要过去，但我的话绝不会废去。"（太24:35）在登山宝训之后，"耶稣讲完了这些话，群众都惊奇他的教训。因为耶稣教导他们，像一个有权柄的人，不像他们的经学家。"（太7:28-29）法兰士（R. T. France）曾说："任何其他犹太律法教师都会引经据典，添注各位老师的大名，给自己的观点加添分量，因此这些教师的权威性永远是二手的。但耶稣则完全不同，他直接开口定下律法。"[9]

3. **耶稣称自己有赦罪的权柄。** 当他宣告赦免瘫子的罪而人们质疑他的权柄时，耶稣立即施行神迹，证明自己的权柄。他宣称自己这么做是"为了要你们知道人子在地上有赦罪的权柄"（可2:10）。

4. **耶稣强调"跟从我"，不只是吩咐人"遵守我的教导"，他要求完全的顺服。** 他说："爱父母过于爱我的，不配作属我的；爱儿女过于爱我的，不配作属我的；凡不背起自己的十字架来跟从我的，也不配作属我的。"（太10:37-38）

5. **耶稣用旧约里指神的名号来指自己。** 诗篇第二十七篇1节说："耶和华是我的亮光，是我的救恩。"耶稣说："我是世界的光。"（约8:12）诗篇第二十三篇1节说："耶和华是我的牧人"。耶稣说："我是好牧人。"（约10:11）

定要对祂所宣称的绝对至高地位有所了解，因为祂所做证明祂所言为实。我在斯里兰卡有一位朋友曾是个极其虔诚的佛教徒，也是一个书迷；有一天，他从当地公立图书馆借了一本关于基督生平的书。读完以后，他意识到耶稣的一生在人类历史上是无可比拟的，这促使他去找出真相；于是，他决定四处去找可以帮助他更了解基督的人。结果，他接下来与基督徒的接

触，使他成为耶稣基督的忠心跟随者。

如果我们相信福音书描述的基督生平客观真实，自然无法认同现代多元论者的观点。基督绝对主权的真理，并不是散见于福音书零零星星的少数毫不相关的段落中，而是贯穿在整个福音书中。如果我们把所有包含基督宣示自己绝对主权的经文去掉，基督的生平叙述就荡然无存了。福音书里的史料不单佐证基督是个人间模

6. **耶稣认定自己配得只有神配得的荣耀。** 以赛亚书第四十二章8节说："我是耶和华，这是我的名；我必不把我的荣耀归给别人，也不把我当受的称赞归给雕刻的偶像。"耶稣说："父不审判人，却已经把审判的权柄完全交给子，使所有的人尊敬子好像尊敬父一样。"（约5:22-23）

7. **耶稣宣称自己与神之间有独特的父子关系。** 耶稣自称神的爱子，也把神叫作"我的父"。犹太人通常是不会用"我的父"来指称神的。他们会用"我们的父"，就算在祷告时可能用"我的父"来指称神，但一定会添加一些如"在天上的"限定语以避免表示与神关系过密而不敬。[10] 耶稣在福音书中各种直接称神为父的说法，是有意表示自己与神的关系是其他任何人所不能有的。

8. **耶稣声称自己将审判全人类。** 祂在约翰福音第五章27节如此论及自己："（天父）并且把执行审判的权柄赐给祂，因为祂是人子。"（约5:27）莱昂·莫里斯指出："如果耶稣的神性哪怕有一丁点儿不成立，这个宣称都根本站不住脚……因为受造物不能裁决同类的命运。"[11]

9. **耶稣宣告将赐下只有神能给予的恩典。** 耶稣在约翰福音第五章21节说："父怎样叫死人复活，使他们得生命，子也照样随自己的意思使人得生命。"祂宣称祂给人们的是"直涌到永生的泉源"（约4:14）。祂还说过要将"我……的平安"（约14:27）和"我的喜乐"（约15:11）赐给人。

10. **耶稣的对手，当时的犹太领袖懂得祂宣称的涵义。** 在一次关于安息日的讨论中，耶稣宣称："我父作工直到现在，我也作工。"下一节经文说道："因此犹太人就更想杀耶稣，因为祂不但破坏安息日，而且称神为自己的父，把自己与神当作平等。"（约5:17-18）

有人这样评述基督的话语："祂对我们说的话若不是带着超越人类的权柄，那祂说的简直是无比的狂傲。"[12]

> **当我们亲近基督，与身为真理的耶稣建立关系，就明白自己正与这位绝对存在有了接触。**

范，更证实了祂是绝对的主宰；说耶稣只是个好人，却不是绝对真理，这种理论是不可能成立的。多元论对于这个问题的看法显然站不住脚！

当然，有的多元论者断然否定福音记载的史实性，因此也就否定了基督在福音书中的宣称。不少多元论者声称福音书中有关耶稣的言论并非出于耶稣本人，而是福音书作者出于对基督的主观体验和观点所作的虚构。本文讨论的范围有限，不能详细回应这种立场。然而，在此我要说，有充分的论据证明福音书所记载事件的历史可靠性，这也是最近推出的好几本著作的立场。[13]

基督的绝对性是完整全面的

不同的人受到基督绝对性论据的不同方面吸引；然而，关于基督的绝对性的论据是完整全面的。只要我们向某一方面敞开心门，对其他方面的理解就易如反掌，福音的终极魅力是所有这些方面相互综合影响的结果。也有人教过耶稣所教导的内容，例如，最近有个顶尖的斯里兰卡律师提请了一起批驳基督教独一性的案例，很多人认为他的看法颇有说服力。据他表示，耶稣有关伦理方面的教导也见诸于其他宗教，这一说法只在某种层面上是对

的。然而，耶稣的伦理教导并非是福音的一切；相反地，这些伦理教导与耶稣对自己绝对性的宣称密不可分。

福音的完整性这个特点使其具有排他性。耶稣是圣洁和仁爱的完美典范。他教导的真理完美无瑕；他宣称自己与神同等；他施行神迹力证自己的宣称。然而最重要的是，他献上了自己的生命，为拯救这个世界而死。神使耶稣从死里复活，证实了这一救赎计划。这最后一点就是福音最独特的地方，是最有决定性作用的论据；而这一点从根本上就将福音和世界上其他宗教区别开来。

得到真理的喜乐

我们生活在"新约"的时代，可以从真理中得到极大的喜乐。当我们亲近基督，与身为真理的耶稣建立关系，就明白自己正与这位绝对存在有了接触。我们惊喜地发现，这就是那巍然不动的磐石！这就是今天这个令人迷惑的时代中人们渴求的容身之处。找到这个真理让人多么喜乐啊！因为，我们有了真理便有了建造生活的永恒根基，带着极大的安全感，跃入恒久的喜乐。

耶稣简洁地描述了这种体验："你们必定认识真理，真理必定使你们自由。"（约8:32）当我们经历真理时，就无需依靠这个易变的世界来获得满足，而是脱离扭曲人性的罪恶权势，进入永恒之域，那恒久喜乐的清泉（诗16:11）会让我们内心最深刻的愿望得到饱足。认识耶稣就是认识真理，是其他宗教无法匹敌的体验。这是与永生神同行的体验，只有他才能赐下永远的喜乐。

二、耶稣就是道路

如果基督教可以归结为基督，那么，基督的十字架便是认识基督的关键。各卷福音书都用大量篇幅描述了耶稣被钉十字架前一周的事件，这足以表明门徒多么重视耶稣的死。有关受难周的记载占了马太福音的30%，马可福音的37%，路加福音的25%以及约翰福音的41%。[14] 正如英国神学家福赛斯（P. T. Forsyth）所说："基督对于我们的意义，就如同基督的十字架对于我们的意义一样。基督在天上或地上的一切意义都集中体现于祂在十字架上作成的工作……如果不认识祂的十字架，你就不可能认识基督。"[15] 耶稣在约翰福音第十四章6节称自己就是道路，意思是说祂将要借着自己的死成为这条道路，正如该节经文的上下文所揭示的（约13:33-14:5）。

基督在十字架上所成就的工作实在是伟大而深刻，以至于历世历代的教会对此产生了无数解读。[16] 在此，我们从新约里的六个相关概念，来看耶稣钉十字架所成就的工作。

1. 代赎（Substitution）。 或许耶稣受死的最基本意义莫过于祂站在我们的位置上代替我们，担当了我们因罪而当受的刑罚，祂就是我们的替罪羔羊。彼得即使起初对耶稣要被钉十字架表示反对，后来却写出两个重要的宣告。一是"祂在木头上亲身担当了我们的罪，使我们既然不活在罪中，就可以为义而活。因祂受的鞭伤，你们就得了医治"（彼前2:24）。另一个是"因为

基督也曾一次为你们的罪死了，就是义的代替不义的，为要领你们到神面前"（彼前3:18）。

2. 赦免（Forgiveness）。 基督受死的直接果效就是使我们的罪得赦免。祂的死是神赐下赦免的必要条件。希伯来书第九章22节对此解说道："按着律法，几乎所有都是用血洁净的，如果没有流血，就没有赦免。"赦免的信息是基督的福音里最具革命性的，其他宗教体系大多都没有赦免的信息。

3. 挽回祭（Propitiation）。 这个词与圣殿仪式有关，指向神献上祭物，请求祂撤回对罪的震怒。当代圣经（The Living Bible）在约翰一书二章2节的译文明确地表达了这个信息："祂亲自担当了神对我们的罪的震怒，将我们带入与神相交的关系中。"挽回祭的焦点在于罪的严重性以及神对罪的震怒，如今由耶稣担当了。这一点可能让我们难以接受，因为今天的教会已经不再多讲神的震怒这一教义了；如今，我们读到"祢的眼目纯洁，不看邪恶，不能坐视奸恶"（哈1:13）这样描述神的经文可能会大吃一惊。我们已经失去了整本圣经都强调的那种对罪污的憎恶，然而不管是在旧约还是新约，烈怒都是神的根本性情的一部分。

4. 救赎（Redemption）。 在古代的市场上，用一定价钱就能买到奴隶。救赎指用一定代价偿还我们的罪债，如此为我们赎来救恩。以弗所书一章7节说："我们在祂爱子里，借着祂的血蒙了救赎，过犯得到赦免，都是按着祂丰盛的恩典。"救赎指我们透过基督付

出的代价，脱离了罪的辖制，获得了自由。

5. 称义（Justification）。这是个法庭术语，表示"宣布、承认并把某人看作是正义正直的"，在法庭上就是"一种带有司法效力的法律行动，特指宣判无罪开释，排除定罪的一切可能性"[17]。罗马书四章25节说，"耶稣为我们的过犯被交去处死，为我们的称义而复活。"五章16-18节指出我们被称为义的含义："这赏赐和那一人犯罪的后果也是不同的；因为审判是由一人而来，以致定罪，恩赏却由许多过犯而来，以致称义……这样看来，因一次的过犯，全人类都被定罪；照样，因一次的义行，全人类都被称义得生命了。"

6. 和好（Reconciliation）。我们可以从家庭生活和友谊的角度来思考这个概念。保罗说过："就是神在基督里使世人与祂自己和好，不再追究他们的过犯。"（林后5:19）和好是必需的，因为罪是对神的悖逆，导致人与神之间的敌对。罗马书五章10节如此说："我们作仇敌的时候，尚且借着神儿子的死与祂复和。"结果就是我们"与神和好"（罗5:1），得以被接纳进入神的家（约1:12）。

十字架带来的挑战

耶稣是通往救赎的道路，祂临到这个世界就是要为人类带来救恩。这意味着我们没法自救，除耶稣以外，别无拯救；因此，基督教是一个以恩典为核心的信仰，这恩典就是神在基督里亲自来拯救我们。

许多人在接触到基督信仰中恩典这一概念时都会问："我们难道不该自己拯救自己吗？为什么非得由别人来为我们死呢？"实际上，多数人都想要自救。尼尔说过："现代人最不想让别人为他们做什么。"[18]十字架的信息戳穿了人类的骄傲之心，那是我们罪的实质。亚当和夏娃的罪就在于想要自救，独立于神，不想依靠一位至高的神来拯救或者得到其他任何东西。同样的剧本，今天仍在上演；人们喜欢停留在自救的错觉之中，因为这使我们自我感觉良好，也可暂时缓解和遮蔽我们内心深处那份与造物主分离后的不安与空虚。

这或许解释了佛教、印度教和新纪元运动在西方蓬勃发展的原因，因为这些宗教全都让人们向往通过轮回来自救的空中楼阁。

印度教和新纪元运动还相信"我们都是神的一部分"。这种观点与圣经的基本观点有千里之遥。圣经认为，我们在神的面前有罪且需要救赎。斯瓦米·穆坦南达（Swami Muktananda）对"自助训练学院"（EST self-help Seminars）的创办人维纳·艾尔哈德（Werner Erhard）有着重大影响，他说出了今天许多人的心里话："向你的自我下拜吧。荣耀你的自我！敬拜你的自我！因为神就住在你里面，神就是你自己。"[19]新纪元运动的分析家特奥多·罗斯萨克（Theodore Roszak）说，我们的目标就是"唤醒沉睡在我们人性根源里的神"。[20]堕落败坏的人类照其悖逆神的本性，当然会喜好这种自我救赎的道路。

有人问我："难道我们不该为自己的罪付上代价吗？"我通常会这样回应：所

有宗教中都有犯罪就得付代价的原则。圣经也说："不要自欺，神是不可轻慢的。人种的是什么，收的也是什么。"（加6:7）佛教和印度教把这个律称为"业"。

然而原则也好，规律也好，都可以被更强的力量胜过。就拿万有引力定律来说，根据这个规律，如果我把一本书举起来再放开手，书就会落下，但是我们可以用一个更大的力来克服重力；也就是说，只要我接住这本书并举起手来，我就克服了书所受的重力，改变书的运动方向。我的做法并没有违反万有引力定律，只是用更强大的力量来胜过它的作用。

神在我们身上所做的与此类似。祂为了让我们与祂同住而造了我们，然而我们却选择离开祂而独自生活。这等于给自己添加了一大堆内疚的重担。每个想凭借自己的力量克服这些内疚重担的人很快就会发现，自己根本无能为力；不论我们怎么努力，都无法使自己的人生往天平无罪的一端倾斜。

基督的福音告诉我们，面对我们无助的境地，造物主并没有遗弃我们，祂反而将爱的律引荐给我们。虽然祂用这爱的律来拯救我们，但是祂并没有打破公义的律，也没有撤销公义原则的要求。神在爱中所做的就是满足公义的要求；故此，公义所要求的有罪必罚没有被神无视或撤销，而是完全被实现。神做成这事的唯一方法，就是让自己无瑕的儿子承担我们应得的惩罚。

在此我们看到一种奇妙的大爱。神为我们做成了我们无法为自己做的事，我们称之为恩典，结果就是我们得到了救恩。我认识许多印度教徒和佛教徒，他们在自救计划中逐渐绝望后，凭着基督的恩典，终于发现这救恩的消息是如此宝贵。

三、耶稣就是生命

基督的至高还有另一个重要方面，即耶稣是生命（约14:6）。永生是基督救赎之工的一个主要结果（约3:16，5:24），耶稣常说，这个生命源于我们与祂的关系。祂在约翰福音十七章3节说："认识祢是独一的真神，并且认识祢所差来的耶稣基督，这就是永生。"

耶稣在约翰福音第十章11节教导说，我们与祂的关系是基于祂为我们所做的牺牲："我是好牧人，好牧人为羊舍命。"接着，耶稣以那些令人失望，自私自利的雇工作为对比。这些雇工不像耶稣那样为羊负责，在我们需要帮助的时候没有保护我们，反倒弃之不管，逃之夭夭。耶稣说："那作雇工不是牧人的，羊也不是自己的，他一见狼来，就把羊撇下逃跑，狼就抓住羊群，把他们驱散了；因为他是个雇工，对羊群漠不关心。"（10:12-13）耶稣知道这个世上充满了辜负人心的人际关系；实际上，令我们失望之人造成的伤害，往往在我们情感上刻下伤痕。耶稣为我们舍己的爱能够医治我们旧有的创伤，这正是基督独特性的一个重要方面。

耶稣在约翰福音十章10节描述了祂赐予人们丰盛的生命："我来了，是要使羊得生命，并且得的更丰盛"。我们与神有了爱的关系，这种生命带来完全的满足，不是一种外在的欢乐，也不是什么神秘的"快感"。世界上的任何生活方式，都无法像我们的造物主一样让我们的生命

满足丰盛。

亚西西的圣法兰西斯（Francis of Assisa, 1182-1226年）认识到这一点。他是一个富庶的布商之子，二十多岁时经历了属灵的觉醒后，父亲想儿子疯了，就弃绝了他。圣法兰西斯从此过着贫寒的生活，然而他从不留恋自己放弃的那些财富。他说："对于尝到了神的甘甜的人而言，世界一切的蜜饯都如同苦胆。"耶稣说过这样的满足："我就是生命的食物，到我这里来的，必定不饿；信我的，永远不渴。"（约6:35）

我们来到耶稣面前不是失去健康的向往、过不安定的日子、无趣的生活。实际上，我们是对祂的荣耀和道路产生前所未有的渴慕；而原本对世界那种反倒剥夺了我们平安和喜乐的渴求，消失无踪了。

神创造我们，是为了让我们与祂建立爱的关系。如果没有这层关系，我们就与死人无异。诚如约翰所说："凡有神儿子的，就有生命；没有神儿子的，就没有生命。"（约一5:12）当原本就是为着享有生命而造的人却没有得着生命的时候，人就没有安息。

圣奥古斯丁（St. Augustine, 354-430年）说过："祢为自己造了我们，我们的心不得安息（restless），除非安息在祢里面。"

著名的法国发明家和数学家帕斯卡（Blaise Pascal, 1623-62年）将这种焦躁不安（restlessness）称为"神放在每个人心中的真空"（God-shaped vacuum）。基督在我们里面的工作就是要把这种焦躁不安除掉，赐给我们生命中向往的满足。这是基督的独特性中比较主观的方面。在如今

这个特别强调主观体验的时代，这可能成为基督教最吸引未信之人的地方。

基督之工造出新人类

神造我们是要让人与人之间彼此建立关系，而福音正是要以新人类这个独特的方式来满足这个需求。基督所成之工的一个重要方面就是形成这新人类，使徒保罗称之为"基督的身子"。耶稣在约翰福音第十章谈到这个新人类。祂说："我还有别的羊，不在这羊圈里；我必须把它们领来，它们也要听我的声音，并且要合成一群，归于一个牧人。"（约10:16）

有人认为这里谈到的"别的羊"是指虽在基督的教会之外却能同样领受救恩的人。他们认为，基督的工已经为教会内外所有的人赢得了救恩；不过，圣经不可能一方面大费笔墨论证相信耶稣对于得救的必要性，另一方面又说人无需相信就能得救。"相信"（*pisteuo*）这个动词在约翰福音中总共出现九十八次。[21] 实际上，耶稣在这里特别强调："它们也要听我的声音。"这意味着他们会来回应福音。耶稣所说的"羊圈"应该是指犹太人，而"别的羊"当是指非犹太人（外族人）。耶稣的意思是，祂的死也会将非犹太人带入祂的群羊中。这个主题在约翰福音的其他地方也可以看到（11:52, 12:20-21）。那些指出耶稣是全世界的救主的经文中暗示了这一点（约1:29, 3:16-17）。羊入羊圈的结果就是在基督里形成一个新的人类，保罗在罗马书第五章10-20节和哥林多前书十五章20-22节里把新人类和旧人类作对比；这些经文论到，在亚当里的要承受亚当之罪的后果，而在基督里的就要得着基

督救恩的果子。

约翰福音十章16节教导我们，基督的死可以将别的羊带入基督的羊群里，然而如今成就这事的途径却是教会主动走出去，将别的羊带入教会里。因此这节经文其实是在讲述宣教。威廉·巴克莱（William Barclay）在为这段经文注释时说："基督所愿落在我们的肩上；我们就是祂所嘱托的工人，要将世人带到羊群里，都由同一个牧人基督看管。"[22] 第16节中的宣教挑战把11-15节对耶稣之死的描述推向了高潮，再恰当不过。苏格兰著名神学家詹姆斯·邓尼（James Denny, 1856-1917年）在一次宣教大会里发表演讲时，用了大部分时间解释"挽回祭"的意义，让在场的人大惑不解。然而这些口舌并没有白费，因为这给他在结论中提出的要点做了充分的铺垫。最后他说，如果基督是我们的挽回祭，那么宣教——向世界传扬这个信息应该成为我们的首要目标。

耶稣在约翰福音第十章16节下半提到将别的羊归拢来的结果："要合成一群，归于一个牧人。"这里只是对普世教会的初步论述，日后保罗又加以详述。他用"基督的身子"来比喻教会，[23] 认为凡因信"在基督里"的都属于普世教会。耶稣在此谈到外族人也会进入教会，与犹太人同属一个羊群；如果当时的犹太人听懂了耶稣这番话的意思，他们将会认为这是一个革命性的思想。犹太人因自己是神的选民而认为自己不同于其他民族而感到优越；他们认为"非犹太人只有完全（在礼仪、传统以及宗教上）成为一个犹太人，才能进入犹太宗教群体。"[24] 然而耶稣在

> **如圣经所述，耶稣不但独一无二，而且至高无上。祂就是我们要传给世界的信息。**

此的意思是祂的死将会使这个过程成为多余。圣经有关基督所成之工的描述有一个显著特征，即强调十字架和复活消除了在地上人与人之间的差别。教会在传讲和实践福音时往往没有抓住这个主题，但福音的这一独特性却带给这个充满社群偏见和纷争的世界一线希望。

耶稣的复活就是我们得救的证据

基督教宣称其创始者的独一性和排他性，其他宗教没有一个有此宣称。然而我们如何判断这些宣称的真伪呢？尽管我们有上述几个理由，然而真正的定音一槌却是耶稣的复活！保罗在向慕道的雅典人讲道的末尾如此说："（神）使祂从死人中复活，给万人作一个可信的凭据。"（徒17:31）其实，尽管在耶稣的教导中有许多讲到耶稣降世的使命，但就连门徒也因耶稣的死而不知所措。当妇女们在复活节的清晨把天使给她们的喜讯报给门徒时，路加福音第廿四章11节记载到门徒"以为这些话是无稽之谈，就不相信"。然而，一旦门徒明白耶稣确已从死里复活，他们便勇往直前了。他们迳自去到耶路撒冷的敌人中间见证耶稣就是弥赛亚（基督）；彼得在宣告耶稣的复活时大声说道："你们钉在十字架上的这位耶稣，神

已经立祂为主为基督（即弥赛亚）了。"（徒2:36）因此，新约圣经坚定不移地认为，复活是神对耶稣至高无上的证实。

世界的创造主的确已为人类的困境提供了完全的、彻底的救法，因而这救法是至高无上的，是独一无二的，是绝对的。既然如此，在这个多元主义当道的时代，我们就有胆量说（如圣经所述），耶稣不但独一无二，而且至高无上。祂就是我们要传给世界的信息。一个印度教徒曾问斯坦利·钟斯博士："基督教有什么是我们的宗教无法给的？"钟斯回答道："耶稣基督！"

附注

1. George Barna, *What Americans Believe* (Ventura, CA.: Regal, 1991), 引用于寇尔森（Charles Colson），*The Body* (Dallas: Word, 1992), pp. 171, 184。

2. 莫理斯（Leon Morris）著, *Reflections on the Gospel of John*, vol. 3 (Grand Rapids, MI.: Baker, 1988), p. 495。

3. 巴克莱著，梁敏夫译，每日研经丛书《约翰福音注释下册》，香港基文，1979年。

4. 见约翰·希克〈耶稣基督与宗教多元〉（Jesus and the World Religions,）in *The Myth of God Incar*nate, ed. 约翰·希克(London: SCM Press, 1977), pp. 167-85。

5. J. Carl Laney, *Moody Gospel Commentary: John* (Chicago: Moody Press, 1992), p. 20.

6. 源自钟斯（E. Stanley Jones）"The Christ of the Indian Road" (1925), in *Selections from E. Stanley Jones* (Nashville: Abingdon, 1972), p. 224。

7. William Temple, *Readings in John's Gospel* (1939, 1940; reprint, Wilton: Moorhouse Barlow, 1985), p. 225.

8. 史蒂芬·尼尔（Stephen Neill）著，橄榄基金会出版部译《耶稣，唯一的救世主？》（*The Supremacy of Jesus*），台湾橄榄，1997年。

9. 法兰士（R.T. France）《认识主基督》（*Jesus the Radical*），台湾校园，1990年。

10. 莫理斯，"The Gospel According to St. John," in *The New International Commentary on the New Testament* (Grand Rapids, MI.: Eerdmans, 1971), p. 313。

11. 莫理斯，《从天上来的主》（*The Lord from Heaven*）(Liecester and Downers Grove, IL.: InterVarsity Press, 1974), p. 36。

12. 引用于 W. Griffith Thomas, *Christianity Is Christ* (1948; reprint, New Canaan, CT: Keats Publishing, 1981), p. 26。

13. 尤见克雷格·布朗伯格（Craig Blomberg），《福音书的史实可靠性》（*The Historical Reliability of the Gospels*）(Leicester and Downers Grove, IL.: InterVarsity Press, 1987)。

14. 根据 W. Griffith Thomas, *Christianity Is Christ*, p. 34 所提供的数字计算而得。

15. P. T. Forsyth, *The Cruciality of the Cross* (London: Hodder and Stoughton, 1909, pp. 44-45 为 John Stott 所引用于 *The Cross of Christ* (Liecester and Downers Grove, IL.: InterVarsity Press, 1986), p. 43。

16. 有关对历史上出现的各种不同观点的综合性描述，见 H. D. McDonald, *The Atonement of the Death of Christ* (Grand Rapids, MI.: Baker, 1985)。

17. 巴刻（J. I. Packer），"称义"（Justification），《证主圣经神学辞典》（*The Evangelical Dictionary of Theology*），香港证主，2001年。

18. 史蒂芬·尼尔，《耶稣：唯一的救世主？》，台湾橄榄，1997年。

19. 引用于格鲁修斯（Douglas R. Groothuis），《揭露新时代的假面》（*Unmasking the New Age*）(Downers Grove, IL: InterVarsity Press, 1986), p. 21。

20. Theodore Roszak, *Unfinished Animals* (New York: Harper and Row, 1977), p. 225，引用于 Groothuis, *Unmasking*, p. 21。

21. 令人吃惊的是，在整卷约翰福音之中，名词 *pistis* 根本没有出现。

22. 巴克莱，《约翰福音注释下册》，p. 69。

23. 见哥林多前书十二章 27 节；罗马书十二章 5 节；以弗所书一章 2-23 节，四章 12、15 节；歌罗西书一章 18 节。

24. Robert Banks, *Paul's Idea of Community* (Grand Rapids, MI.: Eerdmans; 1988), p. 116.

研习问题

1. 请简述作者如何论证基督的独特性在于 "基督的至高权柄"？

2. 请简述约翰福音第十章 11-16 节有关基督受死的描述，如何带来出现 "新人类" 的指望？

第32章　若要我死

安德烈弟兄（Brother Andrew）

与伊朗牧师海克·霍夫斯皮扬·米尔（Haik Hovsepian Mehr）的最后一面令我终生难忘。他是一位在伊朗多间教会服事多年的牧师，总是机敏却又公开地传讲福音。在我们握手道别时，他对我说："安德列弟兄，我被杀，一定是出于传讲福音，没有什么能使我闭口不言。"他说的是"我被杀"，而不是"如果我被杀"，他知道自己会遇害。次月，他果然惨遭杀害。

多年来，他一直为自己的信仰受到逼迫，最后也因忠心传道而被害。这是一个极为难得的宝贵弟兄！但他绝不是孤军奋战，数以百万的基督徒同样生活在四面受敌，必须为自己的信仰付上极大代价的地方；尤其当他们公开宣讲自己的信仰，付出的代价就更大了。他们与基督同受苦难，本身就成为振聋发聩的信息，见证着："我们甘愿为主而死！我们甘愿为你们而死！因为这正是我主所做的！"

毋庸置疑，当今生活在一个最为残酷的时代，为基督的名受到迫害的信徒数量远超历世历代。我们未受逼迫的基督徒，必须想尽一切办法，来帮助那些受到逼迫的弟兄姊妹。这些肢体极其需要我们——我们的陪伴、鼓励、支援、教导、团契……，更重要的是我们的祷告。

我们的祷告如此关键，因为迫切的祷告会促使我们竭尽全力去行动。我想起一个人，当时身处在现今称为伊朗的这块土地，他为神受苦的百姓切切祷告！这人就是尼希米。尼希米属于当地一个很小的犹太群体，他们生活的地方正是今天的伊朗；他名声显赫，身居高位，但他的同胞却生活在极端艰难的环境当中。当听到耶路撒冷几陷绝境时，他坐下哭泣，长达数日。他将听到的需要视为行动的召唤。

尼希米做了我们同样需要做的：为了神的百姓，在政界高层大声疾呼；他拥有我们同样需要拥有的：为扶持遭难的百姓持守到底的勇气。他的祷告具备了我们这个时代更加需要的：火热的心。

当日神的百姓在耶路撒冷的境况，与今日在各处遭受逼迫的基督徒何等相似。尼希米听到圣殿被毁，神的名大遭亵渎；有一些地

作者是国际敞开之门（Open Doors International）的创始人，是《圣经特攻队》（*God's Smuggler*）一书的作者。他的服事主要是坚固遭受逼迫的教会，扶持当地基督徒，使他们在面对恐吓逼迫时仍然继续传福音给身边的人。

方，神的百姓接连几代都受到暴风骤雨般的严酷逼迫，甚至最后教会都不复存在，有时我将这种受难的教会视作"销声匿迹的教会"。还有一些地方从未建立过教会，所以一旦开始有教会出现，信徒必定会大受逼迫。那么，当我们听到神的百姓被击打、监禁、奴役、殴打，处于饥寒交迫之中，我们当如何回应呢？

尼希米是个训练有素的行政长官，又是一个起而行的人，但他的回应令人惊奇：他首先在天上的神面前禁食祷告！

他祷告的内容倒在其次，重点是他祷告的热心。其中有三个方面特别值得注意：

● 渴望神的荣耀
● 热爱自己的民族
● 甘愿为此轻看自己的生命

尼希米求神记念他要将自己的百姓从全地之上召聚出来，公开敬拜祂名的应许（尼1:8-9）。同样，对耶稣荣耀彰显和祂名被高举的渴望，也应该成为我们的动力；但我们有几个人认真看待这个目标呢？我们常为神的名被尊为圣祷告吗？还是只会为自己的一亩三分田祷告？

尼希米对自己民族所遭遇的苦难感同身受。按理说，他个人的生活相当舒适，百姓的问题也不是他造成的，但是他与神的所有百姓深深认同，迫切地为他们祷告，仿佛他要为百姓的困境负责。这种责任感促使他立即行动。我们是否像尼希米一样为自己民族或自己教会的罪披上麻衣？还是像彼拉多一样，洗手自表清白，只是归咎于政客和教会领袖，让他们被千夫所指呢？

尼希米对民众的怜悯使他展开行动，因为他将受苦的百姓视作自己的骨肉至亲，又视自己为神的仆人。他明白，要服事神，就必须服事人；完全没有袖手旁观，反倒满怀怜悯和苦难中的百姓站在一起。

在为神的荣耀，以及自己和百姓的罪呼求祷告后，尼希米最后求一件事："主啊，求祢使我在王面前蒙恩。"

尼希米如此为耶路撒冷和犹大百姓向外族君王请愿，实际上是豁出了性命。

尼希米害怕什么呢？伊朗、伊拉克、埃及和巴基斯坦的基督徒又害怕什么呢？他们害怕自己国家的领袖，这些明显和我们信仰不同的领袖可以肆无忌惮地逼迫国内只是少数族群的基督徒。我们从尼希米身上看到，在这样的国家中，我们需要为弟兄姊妹能在国家领袖面前蒙恩来祷告。

让我们为伊朗以及世界各地的基督徒领袖能在执政掌权者面前蒙恩而祷告。我们可以放胆地求，因为每一位领袖的权柄都要降服于神：无论是在穆斯林国家，还是共产主义国家，或是所谓的基督教国家，都是如此。

我们恳求能在敌视福音的统治者面前蒙恩，这同时也是在彰显神对他们的恩典。圣经清楚地教导我们，唯一的解决办法是饶恕与和好。有一个基督徒小镇，在一夜之间被一群穆斯林暴徒夷为平地。镇里的一两万基督徒眼睁睁地看着自己的财产毁于一旦，落入无家可归的境地。我去探访他们，把一大群基督徒和穆斯林召集起来，向他们传讲饶恕与和好的信息。

我们当放胆求恩惠，但不要想当然。因为很多时候，神允许逼迫临到，祂的忠

仆往往成为彰显祂荣耀的更美见证。正如司提反，他在临死前发出了几乎和基督一样赦免的祷告（路23:34；徒7:60）。尼希米的事迹并不简单，尽管他确实在王面前蒙恩，但仍然经受敌挡。因此，我们不要以为困难不会临到自己，应当不计代价地追求那具有永恒价值的事。

我们唯有抱持尼希米的态度，方能像尼希米一样祷告：首先，渴望神的荣耀；其次，以深切的怜悯去求民众的益处；最后，把结果交托给神，一如当日皇后以斯帖的决绝：

> "我若是死，就死吧。"
>
> （斯4:16）

研习问题

1. 尼希米是一个为本民族祷告的榜样，作者以他来激励我们为那些因信仰受苦的基督徒祷告。请问激发尼希米祷告的深层动机究竟是什么？
2. 如何效法尼希米的祷告，为受逼迫的基督徒祷告？

第33章　受苦与殉道—神的策略

约瑟夫·特森 (Josef Tson)

作者是罗马尼亚宣道会（Romanian Missionary Society）的前任主席，也是罗马尼亚奥拉迪亚圣经学校（现名为以马内利圣经学校）创始人。他在七十岁生日时从罗马尼亚宣道会卸职，现在全时间教导、讲道、写作以及担任罗马尼亚特派宣教士。著书十六本。本书摘自 *Suffering, Martyrdom and Rewards in Heaven*（1997年）。版权使用承蒙罗马尼亚宣道会许可。

耶稣基督是万王之王，万主之主。祂呼召人归向祂，又要求跟随祂的人完全顺服；这世上的任何事物，无论是物质财富、父母、丈夫、妻子、儿子还是女儿都不该拦阻神的儿女来到祂面前。耶稣希望我们跟随祂、效法祂，成为祂的样式。

然后，如同父神差祂进入这世界，耶稣也要差他们前往各地，传播祂的福音，成为祂的见证。祂深知，世界会恨祂的见证人，还会残酷无情地迫害他们。然而耶稣却期盼他们以爱报恨，以欢喜的态度面对残暴，就如同祂自己为这失丧的世界受苦受死一样。耶稣的跟随者受苦乃至殉道皆是出于顺服，也是为了传扬主的福音而坚持到底；其实，基督的门徒并不是为自己而遭受这些苦难，也不是自找苦吃。他们的目标不是受苦或受死，而是在这个世界为基督的缘故传扬福音。

为基督献作活祭

为基督受苦不只是受逼迫而已，离开自己亲爱的人去事奉基督就是为主受苦的开始。对有些人来说，为主受苦意味着变卖自己的家产去救济穷人，这样做也是为了向穷乏人传福音；对另外一些人来说，为主受苦就是为主道的传扬迫切祷告，或为着建立基督的身体和建造圣徒而劳苦。在此需要再次强调和澄清这个概念：为主受苦绝不是自找苦吃。基督的门徒竭力遵行主的旨意，推进主的大工。然而，为主受苦确实意味着门徒自愿置身于苦难中，并为基督和福音过一个甘愿牺牲的生活。

进一步说，若真是基督的门徒，他必将自己当作基督的奴仆，完全听候主人差遣，唯主人才能决定哪个门徒当做什么工作；因此，门徒的第一要务就是洞察主的旨意，然后带着喜乐和热情去执行。只有忠心尽本分，门徒才能确信主时刻与他同在，在他心中，以他为器皿来完成主自己的旨意。

殉道是神给予某些选民为基督和福音而死的一种恩赐。圣经有这样的暗示，神预定一部分儿女要为祂做出这种极度的牺牲。对于

部分殉道者来说，殉道可能只是一眨眼功夫，像是被枪杀，或者被砍头；但有些殉道者，断气之前可能还要遭受漫长的酷刑。神在其计划里也许安排了某些人在监狱、劳改营中经受长期囚禁、折磨的深重苦难。在这些情况下，即便这些基督徒得到释放活着出来，回到家里，也老早失去了健康、药石罔效而死，我相信神仍然把他们的死看作殉道；在我们这个"科技发达"的时代，也会有人被囚于精神病院而殉道。这种现代式的折磨很可能是最残忍的一种殉道方式，因为在这种处境下，人的精神甚至人格都被药物和心理摧残。

神做事都有他的心意。如果他叫一些儿女去经受折磨和自我牺牲，他一定是要使用他们实现重要的目的；因此，对于儿女来说，即使还不明白，还是顺服天父。然而，天父愿意我们明白他的心意，就是让我们的心灵可以有他的样式；所以，他用圣经和道成肉身的基督向儿女们显明自己的心意、目的和做法。

神将自己道成肉身的儿子作为一位受苦的仆人差到这个世界，亲临人间历史。神的儿子在世上遭受酷刑，在殉道中结束他在地上的生命。神借此向我们显明了他如何对付叛逆和邪恶，以及人类的罪：就是受苦和自我牺牲。自我牺牲是唯一符合他属性的方法。为何如此呢？举例来说，神不能以恨报恨。因为若是如此，他就不单使用了恶者的方法，而且沾染了仇恨之源的恶者本性。神只能以爱报恨，因为他本为爱；从为那些恨他的人受苦和牺牲彰显了神性的本质。

如今，从神而生的人已经在神的性情上有分（彼后1:4）。因此，神的儿女蒙召带着与神本性一致的舍己、无私之爱（agape）去面对这世界的问题（约一4:4-21）；不单如此，基督按着与父神合一的样式与众弟兄合一（约17:21-26）。基督住在他们里面，也透过他们继续在这世界作工；然而，祂现在的策略与自己在世时并没有什么不同，祂的方法依旧是十字架的方法。有鉴于此，基督告诉门徒，祂要差他们进入世界，如同父神差祂进入世界；换言之，祂把天父交给自己的工作交给门徒，并让他们用相同的十字架方法得胜。正因如此，耶稣吩咐门徒背起各人的十字架，照着祂的样式进入世界去传福音、作见证，服事他人，为他人而死；门徒各人的十字架代表他们甘愿牺牲，成就父神对人类的旨意。

殉道者的死成就了三方面的意义：

一、神的真理得胜
二、魔鬼被击败
三、使神得荣耀

一、殉道与神真理的得胜

世人生活在属灵的黑暗中，魔鬼蒙蔽了不信者的双眼，使他们恨恶神的真理之光。对于生活在黑暗中太久的人来说，突然临到的耀眼光明会带来难以忍受的痛楚；他们受不了明光，转而恨恶光，并尽一切努力扑灭这光。耶稣就是如此论到世人对祂来到世界的反应（约3:19-20），祂也告诉门徒不要因遭到同样的逼迫而感到吃惊。

用今天的话来说，这个世界上每一个族群都觉得自己的宗教是最宝贵的。因此，称他们的信仰错谬无疑是冒犯和凌辱，罪不可赦。任何试图改变他们宗教的做法都会被视为对其 "民族认同" 的直接攻击。难怪基督教宣教士把福音带到哪里，都会遇到敌视甚至暴力抵抗；因此，宣教士自己必须认定，这个自己用神的道去事奉的民族，陷在魔鬼的谎言之中，难免因罪而坠入地狱的恶果。如果宣教士连这一点都不能认清，那他绝不会冒着生命危险到这些民族中去点亮神真道的火种。

然而，如果基督的使者用爱心诚实为真理作见证，又预备好欣然就义，奇妙的神迹便会出现：不信者的眼睛被打开，可以看见神的真道，也因此信了福音。当年各各他那位百夫长的眼睛被打开，因为 "亲眼目睹耶稣钉死在十架" 的情形（可15:39）就相信了耶稣是神的儿子。自此以来，两千年中有无数人的双眼被前仆后继的殉道者打开了。初代教父特土良（Tertullian）在论著中写道："殉道者的血是教会的种子。" 世上许许多多民族已经见证到，只有当宣教士在他们当中被杀的时候，黑暗才从他们头上被驱散。然而，当今世界上仍然有数不尽的地区与民族深陷这黑暗中，基督徒殉道的鲜血若是流得不够，这黑暗就无法除去。

二、殉道与魔鬼的落败

耶稣将自己进入这世界的使命比作闯入壮汉的家里去抢夺他的财物（太12:29）。祂看到，这世界的王要因自己的死（约12:31-33）以及在门徒中开启的事工（路10:17-19）而被赶出去。

耶稣教导门徒不要怕那能杀身体却不能杀灵魂的，并激励他们为了得胜，舍

> 如果基督的使者用爱心诚实为真理作见证，又预备好欣然就义，奇妙的神迹便会出现：不信者的眼睛被打开，可以看见神的真道，也因此信了福音。

身流血也在所不惜（太10:26-39）。因此，使徒约翰在启示录第十二章9-11节中描绘魔鬼因殉道者的死而被摔在地上，落荒而逃。这一描写其实与主的教导一脉相承。

撒但有两大法宝把人类牢牢地辖制在它的奴役之下。第一件是罪。人的罪就是魔鬼的 "产权证"，控制了人；然而，这份产权证最终被钉在加略山的十字架上，基督之死把这辖制一笔勾销（林后2:14-15）。

撒但的第二件利器就是人对死亡的恐惧（来2:14-15）。同样地，耶稣借着自己的死，把祂的子民从对死亡的恐惧中释放出来；当殉道者安然面对死亡时，撒但的最后一件法宝就宣告失效，它的技俩彻底失败了。

撒但蒙骗万民，将人辖制在黑暗中，不断奴役他们。殉道者牺牲生命把神的真光照入列国之中，曾被黑暗辖制的人便回应这光，转向神；他们的死开启了不信者的双眼，叫世人看到真光，魔鬼的权势便丧失殆尽。

在启示录中，我们找到这个事实进一步的例证，看到殉道者的死使神的信息临到万国万民（启11:1-19，14:1-12，15:2-

4)。殉道者用自己的见证和殉难将万民带向神，如此就击败了撒但。

约伯的故事向我们显明了另一个击败魔鬼的方面，就是神的子民在受苦之中持守忠诚。约伯拒绝咒诅神，向众天使宣告地上仍然有人真正地敬拜神，从而证明撒但的错谬无法得逞；约伯受苦的过程，在天上的诸灵看来是一场震撼人心的戏剧。保罗谈到使徒所受的苦难时似乎也引用约伯的经历："因此我们成了一台戏演给宇宙观看，就是给天使和世人观看。"（林前4:9）

保罗身陷囹圄之时用书信论到自己的事工。他向以弗所人如此说：

"要使天上执政的和掌权的，现在借着教会都可以知道神的各种智慧。"（弗3:10）

保罗所说的其实就是他之前在哥林多前书第一章17-31节所描写的神的智慧。神的智慧就是神差遣自己的独生子死在十字架上，虽然世人视为愚拙；然而，神不仅借着耶稣十字架之死彰显了自己的智慧，当神的儿女遵行神所赐的大使命并为基督牺牲自己时，神的智慧继续得到彰显。神的儿女用自己的死征服人心，也就向整个宇宙彰显了神的智慧；不仅如此，他们的见证和殉难还揭穿了撒但的真面目，让它落荒而逃。

三、殉道与神的荣耀

耶稣说，祂被钉十架是荣耀自己，也荣耀神（约12:27-32，13:31-32）。但事实上，钉十字架在当时是最耻辱和最野蛮的一种极刑。这怎么能荣耀神呢？我们必须看清钉十字架对世界的启示才能明白这个问题。基督甘愿为救赎人类而殉难，显明了神的真实本性；这让人看到神是完全的爱，将自己彻底无条件地给予人类，甚至不惜为他们忍受痛苦，承受死亡。基督的自我牺牲，将神的荣耀照射出来，灿烂夺目，世上一切无可比拟；更重要的是，每一个殉道者也都映照出神的荣耀和那自我牺牲的荣光。由于这个原因，约翰称彼得的殉道是"荣耀神"（约21:19）；保罗也是基于这个原因，坚持以死来荣耀基督（腓1:20）。

殉道的见证向身处黑暗的人显明神的爱，非常有力量。人们从殉道者的死看到神的大爱，不得不相信神对他们的爱和牺牲。保罗说，透过我们的受苦和对他人所做的出于爱的牺牲，我们的脸上就反映出基督的形象和神的荣耀（林后3:18，4:1-15）。因神儿女的牺牲让越来越多人认识基督，彰显出神的恩典，就让更多的感谢、颂赞和荣耀归于神！

研习问题

1. 作者如何界定"殉道"？是否每一种受苦都能看作为主受苦？
2. 作者为何认为殉道能够击败魔鬼？
3. 请简述殉道如何荣耀神。

第**34**章　普世大复兴的展望

罗伯特·高尔文（Robert E. Coleman）

作者是伊利诺斯州迪尔菲尔德市三一福音神学院（Trinity Evangelical Divinity School）的荣休教授，并担任该州惠顿葛培理布道研究院院主任。作者是洛桑世界福音大会的创办成员，著作达二十余本。本文摘自 *The Spark that Ignites*（Worldwide Publications, Minneapolis, MN 1989）。版权使用承蒙该作者许可。

我们坚信，主的庄稼有一天将从地的四极丰收回来，末世之前将有宇宙性大复兴的应许必将来到。这个展望切合实际吗？如果是，那么就让我们谨慎前行。

振奋人心的预言

想到当今这个文明世界如此剧烈变动，任何关于末世的探讨似乎都与今日息息相关。教会越来越关注全世界数十亿的未得之民，如何向他们传福音的话题与此尤为真切。

圣经明确指出，属灵复兴的高潮将如星火燎原，尽管人们对其确切时间和范围见解不同；大多有关这一普世复兴的论述，都从历史事件着眼，例如犹太人从被掳之地归回、以色列复国。而各人对千禧年，大灾难和被提的不同理解也会影响其看法；显然，认为基督在千禧年前把教会提去的人，和那些认为复兴是千禧年的一部分的人，对复兴的看法角度十分不同。尽管各个有分歧，都不能阻止普世大复兴的到来。

我们承认圣经预言的复杂性，因此任何的结论都不能绝对化。现在我们仿佛是透过乌黑的玻璃观看，模糊不清；不过依然可以为将来的大复兴勾勒出一个轮廓，而使任何人间奇观黯然失色。

圣灵浇灌全世界

在这个日子，世界各地的教会都将满溢神的同在，没有被撇下的。正如约珥书所预言："以后，我要把我的灵浇灌所有的人。你们的儿女要说预言，你们的老年人要作异梦，你们的少年人要见异象。在那些日子，我也要把我的灵浇灌仆人和婢女。"（珥2:28-29）这句话明确指出，全地的人，不论种族、不问地位，都会受到这属灵复兴的影响。彼得将五旬节圣灵降临与这一应许联系起来（徒2:16-18）；然而约珥的预言在那时尚未全面实现，毕竟不是神在全地的选民都领受了这圣灵。当然，圣灵在五旬节第一次降临时有可

能达到了"远方的人，就是给凡是我们主神召来归祂的人"（徒2:39），因为被圣灵充满的门徒向当时"从天下各国来的……人"（徒2:5）作见证；不过从实际的范围来说，那次圣灵的浇灌仅限于耶路撒冷城内。当教会充满圣灵的能力，逐渐向外扩展，复兴的火焰才开始向犹太全地，撒马利亚和当时文明世界的边远地区蔓延。福音至今还在传递，仍然需要等到那荣耀的日子，这个预言才完全实现。

普世的属灵大复兴诚然是基于神对世人广大无边的爱（约3:16）。这复兴将超乎想像地把福音使命"达到地极"（徒1:8；参太28:19；可16:15；约20:21），地上的万族都要因亚伯拉罕得福的应许终将实现（创12:3，22:18）；此时万国万民对神的敬拜不再是长久未成的预言，而是看得见的事实（诗22:27，86:9；赛49:6；但7:14；启15:4），神的名将"从日出到日落的地方"（玛1:11）在外族人中显为大。

照这样推论，教会时代始于圣灵大能的浇灌，也必以圣灵大能的浇灌结束；第一次五旬节圣灵的浇灌可以看作是从天沛然降下的"秋雨"中展开序幕，而末世的复兴则是在"春雨"中落幕（珥2:23；何6:3；亚10:1；雅5:7）。我们需要记住，圣经中常用水和雨来象征圣灵（约7:37-39）。

彰显神的权能

约珥预言圣灵如何浇灌：

"我要在天上地下显出神迹奇事，有血、有火、有烟柱。太阳将变为黑暗，月亮将变为血红。在耶和华伟大可畏的日子临到以前，这一切都要发生。"（珥2:30-31；参徒2:19-20）

然而这些现象在有关第一次五旬节圣灵降临的记载中并未提到，显然没有发生。

耶稣论及紧接"大灾难"之后的日子，有相似的话，还补充说："众星从天坠落，天上的万象震动。"（太24:29；参启6:12-13）看来，神要召集大自然的各种力量来为地上将要发生的大事作见证。

有人得到施行奇迹的能力，像变水为血（启11:6；参加3:5）。当然，仇敌撒但会竭尽所能去仿冒真实神迹。圣经警告我们要提防"假基督"和"假先知"，他们在这时会来"显大神迹和奇事"（太24:24；参出7:10-12；太7:15-20；帖后2:9-10）。感官上的刺激往往都充满了危险，难怪圣经提醒我们，要小心查验各灵。不高举基督的，就不是从神来的（约一4:1-3）。

前所未有的患难

马太福音二十四章和启示录六到十七章的一些段落描述了末世的这些可怕情形，代表这一时期的特征。越近结局，情况就越发糟糕（参提后3:12；帖后2:1-3）。将发生饥荒、瘟疫和威力难以想像的地震，战争和冲突充满全地，仇恨会牢笼人心，人人自危，道德崩溃，教会背道的事也增多。不与时下掌权的灵相合的，将遭到严重的逼迫，许多人还会为主殉道。

可见，作门徒的代价无比高昂。

然而在这可怕的灾难中，圣经指出，属灵复兴将席卷全地。当神的"审判临到大地……世上的居民就会学到什么是公义了"（赛26:9）。可怖的灾难与令人敬畏的救恩大能同时出现，这些恐怖的情况实质上会营造出一种环境，使人心热切地寻求真理。当然，并非每个人都会回转归主；有些人死不悔改，甚至变本加厉放纵犯罪。然而整个世界都将前所未有地面对耶稣基督的十字架。

一切将如何终结尚不明了。也许普世大复兴带来最终结局，在主再来之前还会出现"背道的事"（帖后2:3）。有的圣经学者相信，大灾难将发生于教会被提之后；也有学者认为，基督徒将在灾中被提。不管我们持哪种看法，圣经都没有表明末世的普世大复兴可以阻止大灾难发生；已经过了界限，不能回头了，审判必然到来。复兴可能会推迟，但不能避免末后交帐的日子到来。

炼净教会

复兴炼净教会，神的子民真正绽放圣洁之美。我们的主期盼自己的新娘"可以作荣耀的教会归给自己，什么污点皱纹等也没有，而是圣洁没有瑕疵的"（弗5:27；参约一3:2-3；林后7:1；彼前1:13-16，3:4）。末日的试炼会如同烈火一样将基督徒的品质炼至纯金；他们将成为基督的新娘，"并且有光洁的细麻衣，赐给她穿上；这细麻衣就是圣徒的义行"，为神羔羊的婚宴预备妥当（启19:7-9；参但12:10）。为着这个目的，圣灵的"春雨"将把教会"宝贵的出产"预备成熟，迎接主的再来（雅5:7；参歌2:10-13）。

尽管患难会带来苦楚甚至死亡，但教会不须为此畏惧。痛苦可能对我们是必要的，因为我们因此明白人活着不是单靠食物；同时考验我们对神的信心，帮助我们体会基督更深的爱。因为基督"也为你们受过苦，给你们留下榜样，叫你们跟随祂的脚踪行"（彼前2:21；参来2:10，5:8）。不经历困苦，恐怕鲜有人能更深地领悟满怀恩典的生命。

教会被炼净可以毫无阻拦地接受圣灵浇灌的能力，更勇敢地参与基督的使命。我们有理由相信在神的计划中，教会得洁净和圣灵浇灌教会这两件事都出现了，那么在基督身体中的事工恩赐也就得心应手、充分发挥（弗3:7-15；参罗12:6-8；林前12:4-11；彼前4:10-11）。这些都会进一步使人关注全地将要发生的大觉醒。

空前大丰收

即将到来的普世大复兴必然会引来众人求告主名，盼望得救（珥2:32；徒2:21；参罗10:13）。这复兴也预备工人忙着灵魂的大收割，凡被圣灵充满的人都全心委身于神的工，渴想去到工人最紧缺的地方。而最迫切的需要莫过于把福音传给那些正滑向地狱的男女老少。

值得留意的是，耶稣说过，福音的使命必将在祂再来之前完成。"这天国的福音要传遍天下，向万民作见证，然后结局才来到。"（太24:14；参路12:36-37，14:15-23）毫无疑问，复兴会兴起更多福音的见证人，抓紧时间热心传扬福音。我

翘首祈盼普世大复兴时，祷告是我们最大的资源。

们从圣经里描绘的图景中——天上数不尽的圣徒身穿白袍围绕在神的宝座面前，就知道福音最终会传到"各邦国、各支派、各民族、各方言"（启7:9，参5:9），大使命终于得以完成。

不少人相信，犹太人到时会在那些先前失丧、但后来归向基督的人之中。圣经中有些预言论到他们普遍向弥赛亚悔改并接受祂（结20:43-44；耶31:34；罗11:24），以及神饶恕和祝福他们（耶31:27-34、32:37、33:26；结16:60-63、37:1-28；何6:1、2；摩9:11-15；启7:1-8）。普世大复兴发生在这个时候，显然合情合理。灾前被提派可能认为犹太人的复苏出现在教会被提之后，这个观点主要是根据罗马书十一章25-26节，也就是说，外族人的数目满了，以色列就会得救。不过这段经文也同样可以支持大复兴发生于基督再来以前的说法。

不管我们各人持什么观点，有一点是没有争议的：福音的高点就在我们眼前。收割可能为期不长，甚至需要作出巨大牺牲，然而这是世人广泛接纳福音的空前大好时机！

为基督再来作预备

从世界的各个角落，大批大批世人归向基督真是前所未有，都来预备迎接万王之王的归来。让我们一起等待主再来，期待这场灵性的革新。

所以，弟兄们，你们应当忍耐，直到主来。看哪，农夫等待着地里宝贵的出产，为它忍耐，直到获得秋霖春雨。你们也应当忍耐，坚定自己的心；因为主再来的日子近了。（雅5:7-8）

我们的主尚未再来建立祂的国度，是因为祂盼望看到教会得以完全；而且，祂为之舍命的每一个人都能得到福音。"祂是宽容你们，不愿有一人灭亡，却愿人人都悔改。"（彼后3:9）只是我们绝不敢妄断祂还会忍耐多久，因为无人能确定自己完全明白预言，可以预测主在何时到来。如今黑夜已临近，我们更应该每天预备迎见主的面。

对主再来的期待召唤我们付出行动。我们必须脱去任何缠累自己、阻碍圣灵在我们生命中工作，拖延我们投身天父大工的事情；而要把广传福音视为己任，置于整个生活的中心。不管我们各人有什么恩赐，都要参与在福音见证的行列中。

在祷告中合一

翘首企盼普世大复兴时，祷告是我们最大的资源。先知提醒我们："在春雨的季节，你们要向耶和华求雨。"（亚10:1）当"他们的舌头因口渴而干燥"时，神说："我要在光秃的高处开辟江河，在山谷之间开辟泉源。"（赛41:17-18，参44:3）诚然，现在是"寻求耶和华的时候，直等到祂来，降下公义的雨在你们身上"（何10:12；参玛2:17；徒1:14）；否则不可能将生命带给教会，将希望注入贫瘠荒芜的世界。

1748年，在第一次大觉醒运动席卷美国时，爱德华兹（Jonathan Edwards）回应苏格兰教会领袖的发表文提到："为着基督教信仰的复兴与基督国度在地上的拓展，根据圣经有关末世的应许和预言，本人虚心宣导促进神子民在奋兴祷告中，寻求意见明朗的一致与可见的合一"。他是根据撒迦利亚书八章20-22节，呼求教会联合起来，迫切地为普世大复兴代祷。

万军之耶和华这样说：将来还有万族的人和多个城市的居民要来。一城的居民到另一城去，对他们说："我们快去恳求耶和华施恩，求告万军之耶和华；我自己也去。"必有很多的民族和强大的国家前来，在耶路撒冷求告万军之耶和华，恳求祂施恩。

爱德华兹如此论到这段经文：

从这个预言中的陈述可以看出，预言将以与以下类似的方式实现：首先，神在多处赐下祷告的灵给神的子民，使他们放弃己见，联合起来用令人惊叹的方式祷告，求神显现帮助祂自己的教会，怜悯世人，将圣灵浇灌给世人，复兴祂的工作；也按着祂所应许的，在普世当中扩展祂的国度。让所发起的祷告带来合一，大大兴旺，逐渐实现深远的宗教复兴，以致投靠神的人都大发热心敬拜和服事神。众圣徒一起守望，彼此提醒，省察自己灵里的渴求，关注属灵和永

恒的美善；向神热切呼求赐下怜悯，愿意与其他神的子民合一……这样，信仰才能广传，让上至居高位的，下至各国的百姓都能觉醒，直到全地强盛的民族和国家都加入到神的教会中……如此这节经文就要成为现实："听祷告的主啊！所有的人都要到祢面前来。"（诗65:2）[1]

爱德华兹呼吁神的子民一起聚集，热忱和恒久地祷告，呼求普世大复兴早日来临，这样的祷告迄今仍然紧迫。祷告是最紧要的事奉，因我们的祷告，神要唤醒教会，打发他们出去作见证，直到地上的万族都来仰望敬拜主。

存着盼望而活

葛培理（Billy Graham）在1974年洛桑会议的最后一篇讲道中，一语道出当前面临的现实和应有的期待，就是我们在等待"十架上所成之事完全实现的最高点"。然后，展望未来，他补充道：

我相信预言性的经文给了我们两根绷紧的弦。一根引导我们了解，当我们越来越靠近末世和基督的再来时，情况会变得越发恶劣；约珥书说"无数的人群齐集在判决谷，因为耶和华的日子临近了判决谷"（珥3:14）。约珥指的是审判。

然而我也相信，我们接近末世的日子和主再来临近的日子，也是普世大复兴来临的时候。我们不能忘记复兴的应许和可能，就是约珥书二章

28节和使徒行传二章17节均提及的圣灵大浇灌。这些应许也直接指向主耶稣基督的再来。

罪恶更加猖狂，然而神也将作工彰显大能。我祷告在可预见的岁月里得着"春雨"，就是祝福的雨水从天沛然降到各大洲，预备主的再来。[2]

我们既满怀期盼地展望未来，就当齐心一起来祷告。看哪！伟大的事情正在地平线上朝我们招手，你甚至可以在空气中嗅到它。邪恶的权势虽然日渐阴险歹毒，磨牙吮血，但主的门徒却齐声呼求属灵的觉醒。举世上下，从未有如此多的人同心渴求这样的属灵美景，教会也从未拥有今天的资源和工具去播撒神的好消息，寻回失落的人们和全地的未得之民。我们该多么珍惜活在这个时代！

无可置疑，现今绝不是绝望颓丧的时候，万王之王必定会归来！我们这一代人或许就是有史以来得以目睹最伟大复兴运动的人，怎能不好好预备迎接君王基督的归来？

附注

1. 爱德华滋，"A Humble Attempt···"，*The Works of President Edwards*, Vol. 3 (New York: Leavitt, Trow and Co., 1818), pp. 432, 433。从第423-508页是对此完整的论述。它提出普世复兴的应许，以及为之同心合意祷告的需要；这是当时英语著作中对此最为强调的作品。怀特腓德（或译怀特菲）在同时期的事工，也呼吁人们做出同心合意的祷告；这样的呼求实际上一直贯穿于整个十九世纪。近年来，一些国际性的呼声重拾这个主题，例如洛桑世界福音大会委员会。有关当代对这一运动的阐释以及读者如何可以实际地参与的建议，见《同心求——复兴祷告小组手册》布莱恩（David Bryant）(Ventura: Regal Books, 1984)；或其更为近期的著作 *Operation: Prayer* (Madison: 大学生基督徒团契, 1987)；有关其历史背景，见 J. Edwin Orr 作品 *The Eager Feet: Evangelical Awakenings*, 1790-1830 (Chicago: Moody Press, 1975)。
2. 葛培理，《让全地听见祂的声音》(*Let The Earth Hear His Voice*) 中〈君王将临〉(The King Is Coming)，世界福音大会官方参考资料。洛桑，瑞士，J. D. Douglas编辑 (Minneapolis: World Wide Publications, 1975), p. 1466。

研习问题

1. 作者为何坚信基督再来之前会发生普世大复兴？
2. 作者预示许多重大困难将"充满全地"，你认为这些难处会推进还是阻碍属灵大丰收？还是没有影响？
3. 在基督再来以前，大使命会实现吗？作者的观点如何？
4. 普世大复兴会有哪些重要特征？

第35章 使徒般的热忱

弗洛德·马克伦 (Floyd McClung)

"使徒般的热忱"（Apostolic Passion）是什么呢？

在英文中 "passion" 一词常用来描写爱情的甜蜜、饥渴、切慕。我不知道你对这词的看法如何？对我而言，passion 是一种热忱，愿意为某种事物而忍受一切；事实上，这正是这个词英文词根的基本含义。passion 源于拉丁语中的 *paserre*，意思是 "愿受苦"，也就是人的心中对于某种事物的渴望是如此强烈，以至于甘愿不惜一切代价得到它。"使徒"（apostle）一词的意思是 "被差者"，就是作使者。顾名思义，"使徒般的热忱" 指的是人经过深思熟虑作出决定，定意一生为耶稣之名在万民中得到尊崇而活。这一抉择关乎生命，为传扬耶稣的荣耀，哪怕献上生命也在所不惜。"使徒般的热忱" 是为耶稣而燃烧生命之热情的人所具有的品质，他们一心渴切看到全地充满主的荣耀。

倘若我在灵修时不曾憧憬，有一天在天上会有说各种语言的人一同敬拜耶稣的壮观奇景，我知道自己心里使徒般的热忱熄灭了。如果我口里唱的是天国，但是生活方式却好像把这个世界当成自己最终的家园，使徒般的热忱就在我生命中流失了。如果我想得更多的是体育、玩乐、要去的地方、要见的人，而不是渴想万民都来敬拜耶稣，使徒般的热忱在我心里也荡然无存。如果我做决定时只顾可能遇到的危险、代价，而不想到神是否得着荣耀，那我也失去了这份热忱。

具有使徒般热忱的人随时准备出发，但也愿意留下来。假若你因为神没有呼召你离开自己的家乡，去到那些从没有听过祂名的地方而深深地感到失望的话，你可以确知自己有这种热忱；如果你口口声声说愿意为耶稣做任何事情，但是却不愿意为祂受苦；那么，你并不是真的对祂以及祂对这个世界的旨意充满热忱。

那么，怎样才能获得这种使徒般的热忱呢？难道它像是订披萨速食——保证在订餐后三十分钟之内送到你家？或是有个什么免费订购电话号码可以打？要不然给我们寄个十五美元的奉献，我们就用最快捷的快递业务给你寄去 "一包热忱"。如果你像我一样，那么你也需要思想怎样才能获得这种热忱。我在阅读保罗如何得到使徒

作者现任万国差训中心（All Nations）主任，从事国际领袖培训和植堂工作。他曾多年担任青年使命团（Youth With a Mission）国际事务主任。目前他在南非的贫穷和未得之民地区，开展培训和拓展社区工作。其著书有十四本，包括《天父的心》（The Father Heart of God）和 Living on the Devil's Doorstep。

热忱的经历时受到感动。他怎么说？

保罗在罗马书十五章说，他的志向就是让人认识基督，你也可以说这就是他的热忱；从他最初认识耶稣时得到启示的那一刻，这种热忱就一辈子随着他。保罗不仅在前往大马士革的路上遇到了耶稣，并且在自己每天的生活中都与耶稣相会；耶稣给他的启示以及他对神旨意的钻研，这股热忱日益加增。认识耶稣、宣扬耶稣成为保罗终生的雄心壮志。他"在神的事上……在基督耶稣里倒有可以引以为荣的"（罗15:17）。与这热忱和雄心相比，其他一切都如粪土、垃圾和废物。保罗一心一意渴望基督在万民中得着荣耀，"使所献上的外族人得蒙悦纳，靠着圣灵成为圣洁"（罗15:16）。

人本性的热情不足以支撑使徒那样的热忱。一旦神将这样的热忱放在你里面，你也会渴望看到祂的名在万民中得着荣耀。所以你必须不断培养和发展神赐给你的热忱。以下四方面会有所帮助。

一、学习使徒那样的舍弃

太多的人想得到保罗那样事奉的成果，但不愿意付出他所付上的代价。他死了，向一切死了，并且每天都在死——与基督同钉十字架。保罗是一个颇有主见、个性坚强的人，深知必须向老我死。他知道不可能靠着自己的肉体得到耶稣的启示，也不可能保持一颗基督的心。故此，他要死，舍弃自己的生命，放下自我。

我们所处的这个世界充满各种相互竞争的雄心抱负。如果我们不向自我死，不让渴望万民都来敬拜神这种不息的热忱充满，我们的心最终会被其他的野心追逐占满。我们可能会自己欺哄自己，以为自己的雄心合乎圣经，但其实所做的一切不过是把我们文化中的价值观改头换面，再冠上一些基督教的名目而已。只有当我们心里充满了那种愿基督在万民中得到尊崇的渴望，才算拥有使徒般的热忱。

亲爱的朋友啊，我可以鼓励你献上自己的生命吗？让我挑战你这样祷告："主啊，请祢毫不留情地让我看到我自私的野心，又多么不愿意向自我死。"我保证，主一定会很快回应你的祷告。

二、学习使徒那样的专注

缺乏专注是实现耶稣在万民中得到尊崇的最大敌人。你可以东奔西跑，将精力花在各种美好的事工上，但却一步也没有靠近万民。我不是在反对各种计划和事工，这些事是神的百姓该做的，我也不质疑他们对神的顺服。但是基督教会有使徒性的呼召和使徒性的任务。神呼召我们进到万民当中，因此，我们必须集中精力，否则，我们不能算是顺服。

要专注于什么呢？神要一群归向祂的子民。缺乏世人作神子民的各种活动就只是活动而已，不是宣教；你可能在传福音，但它不一定是宣教。短宣的事工很好，但要以兴起工人来建造神的教会为焦点。你可能会说："神没有呼召我去建立教会！"错了！祂已经呼召你了！神一直都希望看到万民尊崇祂的儿子，完全不用担心神会不喜悦你建立教会。我很不解的是，为何有人任由谬见摆布，以为一定要有特别的呼召，才能去救灵魂和带门徒，将他们聚集起来爱耶稣。不管你参与什么事工，你必须明白一点：建立教会不是为了自己，而是为了神。我们建立教会，神会召聚一群人来敬拜祂。

三、学习使徒般的祷告

多年以前，大卫·威尔克森（David Wilkerson）在纽约市的街道上开展城市事工，当时有一名年轻的神学生表示想来帮他的忙。威尔克森问他一天用多少时间祷告，这位年轻的学生估算说有二十分钟。威尔克森对他说："回去吧，年轻人。回去一个月，每天祷告两个小时，三十天后你再回来。你回来后，我才可能考虑放手让你到充满谋杀、强暴、暴力和危险的街道上……如果你现在每天只花二十分钟祷告，我就让你出去，那就等于把一名手无寸铁的士兵送往战场，你必死无疑。"

我的朋友啊，你无需花很多时间祷告就能进入天堂；你每天只花一分钟灵修，神还是会爱你。但是与神一分钟的交谈肯定不会听到祂对你说："干得好，你这又良善、又忠心的仆人"。凭这种祷告生活，怎么能使你在耶稣之名尚未得知、未被尊崇的硬土坚持下去？

现在我要激励你：把保罗讲到祷告的地方都读一遍，然后问自己："我愿意像他那样祷告吗？"保罗说，他是"日日夜夜"、"带着泪水"、"不停止"、"带着感恩的心"、"在圣灵中"、"不断地"、"勇敢地"、"敌挡那恶者"、"出于虔诚的哀伤"……这样祷告的。

> **有使徒般的热忱，你就是这个星球上最危险的人物。**

四、学习使徒那样的决心

如果你没有渴望看到神的荣耀充满全地的异象，却等着神告诉你"下一步行动"，这无异于是让自己陷于实现自我扬名的险境。有太多的基督徒已经"被喂得营养过剩"，缺乏热忱，美其名曰神还没有向他们说话。他们在等待着听到神的声音或得到异梦，但同时拚命地赚钱，为自己的将来做打算、奢华宴乐、享受人生。

使徒保罗向神的热忱随时牵引着他前行的脚步。使徒行传廿和廿一章，讲到他决意前往耶路撒冷，尽管当时已经预见到逼迫，甚至还有先知的警告和朋友的反对。为什么保罗不顾自己的直觉和先知及朋友的忠告与规劝呢？因为他看到了神的荣耀，这是更为重要和更应全力以赴的。

使徒般的决心先是热切地盼望神在万民中得到荣耀，然后问："我应该在哪里事奉祢？"大多数人的做法刚好相反，先问去哪里事奉？什么时候？并没有渴望神在万民中得荣耀。难怪他们一直都没有听到神让他们"去"的吩咐。因为，他们还没有培养出一种追求神的热忱，可能被一些不那么重要的渴望掳获了却不自知。

将你的恩赐、职业和才能交托在主的手中，让神来使用，直到你渴望奉祂的名走出去；而在那里，继续渴望看到全地都沐浴在对祂的赞美中。只有这样，你才

能有把握自己的内心真的听到神说"留下来"；只有那些渴望向万民宣扬神荣耀的人，才有资格留在本地。

若你有使徒般的热忱，你就是这个星球上最危险的人物。因为这个世界再也不能控制你的心，获取和利益不再能够诱惑你，你的人生会完全投入到传播和宣扬神在万民中的荣耀。犹如天路客，你将不再被世上的思虑牵绊，把得失置之度外；甚至想到自己若能为祂的名传遍地上而献出生命，乃是荣幸。天父的热忱成为你的热忱，你在祂身上找到了人生的满足和意义，相信祂一直与你同在，直到生命的终了。你把自己完全交给了主，全心为神的羔羊而活；撒但就畏惧你，天使却要为你欢呼。

你最大的梦想，就是听到人们用天上尚未听过的各种语言来赞美神的名。当你将羔羊为人类受难应得的回报——被赎之人的敬拜尊崇——放在祂的脚前，看到祂眼中流露出你所盼见的喜悦，这就是你所得的奖赏。

如此，你就拥有使徒般的热忱！

研习问题

1. 作者表示热忱（passion）不只是情感，更多与价值观念有关。这种观点与这个词的日常用法有什么不同之处？

2. 作者指出，每一个人都蒙神呼召在万民中建立教会。他的意思是每一个人都要尽力去做宣教士吗？还是说每一位信徒都当渴望神的荣耀而为此尽心竭力？

3. 使徒热忱和愿意受苦之间有什么关系？

Notes

Notes

信徒神学丛书21

宣教心视野第一册：圣经视野

编 著 者：温德（Ralph D. Winter）、贺思德（Steven C. Hawthorne）
编　　译：宣教心视野研习课程中文编译团队
总 编 辑：金玉梅
责任编辑：陈郁文
校　　对：林碧芬
出 版 者：橄榄出版有限公司
　　　　　新北市中和区连城路236号3楼
　　　　　电话：(02)8228-1318　　传真：(02)2221-9445
　　　　　网址：http://blog.yam.com/cclmolive

发 行 人：李正一
发　　行：华宣出版有限公司 CCLM Publishing Group Ltd.
　　　　　新北市中和区连城路236号3楼
　　　　　电话：(02)8228-1318　　邮政划拨：19907176号
　　　　　传真：(02)2221-9445　　网址：www.cclm.org.tw
香港地区：橄榄（香港）有限公司　Olive Publishing（HK）Ltd.
总 代 理　中国香港荃湾横窝仔街2-8号永桂第三工业大厦5楼B座
　　　　　Tel: (852)2394-2261　　Fax: (852)2394-2088　网址：www.ccbdhk.com
新加坡区：锡安书房 Xi-An Bookstore
经 销 商　212, Hougang Street 21 #01-339, Singapore 530212
　　　　　Tel: (65)62834357　Fax: (65)64874017　E-mail: gtdist@singnet.com.sg
　　　　　Tel: 6343-0151　Fax: 6343-0137　Website: www.edenresource.com.sg
北美地区：北美基督教图书批发中心 Chinese Christian Books Wholesale
经 销 商　603 N. New Ave #A Monterey Park, CA 91755 USA
　　　　　Tel: (626)571-6769　　Fax: (626)571-1362　Website: www.ccbookstore.com
加拿大区：神的邮差国际文宣批发协会 Deliverer Is Coming International Publishing
经 销 商　B109-15310 103A Ave. Surrey BC Canada V3R 7A2
　　　　　Tel: (604)588-0306　　Fax: (604)588-0307
澳洲地区：佳音书楼 Good News Book House
经 销 商　1027, Whitehorse Road, Box Hill, VIC3128, Australia
　　　　　Tel: (613)9899-3207　　Fax: (613)9898-8749　E-mail: goodnewsbooks@gmail.com

美术设计：戴芯榆
承 印 者：橄榄印务部
行政院新闻局登记证局版台业字第2600号
出版时间：2017年1月初版1刷
年　　份：21　20　19　18　17
刷　　次：05　04　03　02　01　　　　　　　　著作权所有、翻印必究

国家图书馆出版品预行编目资料

宣教心视野 . 第一册，圣经视野 / 温德 (Ralph D. Winter)，
贺思德 (Steven C. Hawthorne) 编著 ; 宣教心视野研习课程中
文编译团队编译 . -- 初版 . -- 新北市：橄榄出版：华宣发行，
2017.01
　　　面 ；　公分 . -- (信徒神学丛书 ; 21)
简体字版
译自：Perspectives on the World Christian Movement
ISBN 978-957-556-844-3（平装）

1. 教牧学

245.6　　　　　　　　　　　　　　　　　　　　105004169